JN225651

30 YEARS of MAZDA ROADSTER

マツダロードスターの30年

三浦正人

MIKI PRESS
三樹書房

MAZDA ROADSTER 30th ANNIVERSARY MODEL (2019)

北米仕様

欧州仕様。集合写真の30周年記念車以外は英国仕様

1st Gen. EUNOS ROADSTER
MAZDA MX-5 / MAZDA MX-5 MIATA

1989年5月(北米市場)～1997年12月　グローバル生産台数431,506台

2nd Gen. MAZDA ROADSTER
MAZDA MX-5 / MAZDA MX-5 MIATA

1998年1月～2005年8月　グローバル生産台数290,123台

3rd Gen. MAZDA ROADSTER
MAZDA MX-5 / MAZDA MX-5 MIATA

2005年8月～2015年5月　グローバル生産台数231,632台

4th Gen. MAZDA ROADSTER
MAZDA MX-5 / MAZDA MX-5 MIATA

2015年5月～継続生産中　グローバル生産台数155,286台(2019年8月末現在)

AUTOMOBILE COUNCIL 2019

2019年4月 幕張メッセ

2019年4月5日、千葉市の幕張メッセ国際展示場で開催された「オートモビルカウンシル2019」にて、
マツダはロードスター30周年記念展示を行った。ステージでは30周年記念車をアンヴェールし、開発者やデザイナーのトークショーなどが行なわれた。
LWS(ライトウェイトスポーツ)検討のための自走モデルV705やショーモデル「クラブレーサー」にも注目が集まった。

MX-5 Spring Rally 2019

2019年4月 英国エルヴィントン

2019年4月28日に英国中部ノースヨークシャーのエルヴィントン飛行場にて、
MX-5オーナーズクラブUKのスプリングラリーが開催され、MX-5 30周年記念車がお披露目された。
集まった各世代のMX-5は総勢1,500台以上で、ギネスワールドレコードに「マツダ車最多パレード記録」更新を申請している。

MX-5 ICON'S DAY

2019年6月 イタリア・トリノ

2019年6月にイタリア・トリノで開催されたPARCO VALENTINOイベントの中でロードスター30周年パレードが行われた。
集合場所の工場跡地には305台のMX-5が集まり、バレンチノ広場までパレード走行。
日本からはマツダの山本修弘ロードスターアンバサダーが、アメリカからはトム・マタノさんが招待され、イベントを盛り上げた。

マツダロードスターの30年

三浦正人

「ロードスター」は2座席のオープントップスポーツカーを示す一般名詞であり、
MX-5の「MX」はマツダのレシプロエンジン搭載スポーツカーを表す記号である。
また、「ミアータ(MIATA)」は「ご褒美」、「報酬」を意味するドイツ語の古語に由来している。

MIKI PRESS
三樹書房

【本書記述について】

本書は、マツダ株式会社のご協力のもと、ご担当者、OB、関係者さまへのインタビューと同社編集の「マツダ技報」やプレスリリースを参照し構成しています。発表当時の表記に準拠した単語や単位を使用していますので、時代によって表記や単位、消費税表示、固有名詞などが統一されていない場合があります。また、"私"が主語の序章、各章扉の記述を除き、本編は読みやすさを優先し、無礼を承知の上で敬称略とさせていただいています。ご理解いただきますようお願いいたします。(著者)

── 推薦のことば ──

自動車文化　それはクルマ創りに取り組んだ人々の
飽くなき挑戦とその貴重な成果　そして優しいモノづくりの心
さらにはオーナーの歓びと誇りによって育まれています

ライトウエイトスポーツカーの世界一としてギネス記録に認定され、日本自動車殿堂の歴史遺産車に輝いたマツダロードスターは、その時代の最先端技術とデザインによってスポーツドライブの楽しみとオーナーの歓びを30年に亘って育み、さらには時を重ねて名車の誇りを高めてゆくことでしょう。

自動車は、10年ひと昔といわれる中にあって、1989年の初代ユーノスロードスター／マツダMX-5ミアータ、そして4代目となる2015年発売のND型に至るまで、高度な技術進化を組み込みながらもマツダロードスターの4代に亘るフィロソフィーの一貫性には衷心より敬意を表する次第です。

かつて、初代のユーノスロードスターのオーナーとしてドライブを楽しんだことを思い出します。エンジンの立ち上がりの見事さ、FRの加速感、コーナリングの切れ味の良さは忘れがたいものでした。国内はもとより欧米の自動車研究者が注目していたモーターファン誌のロードテストの折、「車両とドライバーの一体感の素晴らしさ」が高く評価されていたことも懐かしい記憶です。

いま　時代は大きく変わり始めています
IT主導の技術を駆使し　クルマ社会の歴史的転換期を迎え
モビリティとしての新たな価値の創造が鍵となっています
ハードウエア・ソフトウエア・マインドウエア・アドミンウエア
これら4つの領域の超学際的な統合化に向けて
本書は　楽しみながらこれ等について様々なヒントを
与えてくれることでしょう
ここに謹んで推薦申し上げる次第です

NPO法人　日本自動車殿堂　名誉会長
芝浦工業大学　名誉学長
小口　泰平（工学博士）

JINBA-ITTAI

「人馬一体」とは、初代NAロードスターの開発主査を務めた平井敏彦氏が、ライトウェイトスポーツの開発テーマとして用いた言葉である。日本古来の伝統武術である「流鏑馬（やぶさめ）」からヒントを得ており、疾走する馬上から、固定された三つの的を次々に弓矢で射抜く流鏑馬は、射手が馬と心を通わせて一体となった時に最高の技を発揮する。平井主査は、「（クルマと人の）一体感、クルマを操る適度な緊張感、Fun to Driveな走り感、打てば響くダイレクト感を総合したものが"人馬一体"であり、そのひとつひとつが人々の心に訴える"感性"の問題であると私は考えた」と表現している。
その「人馬一体」哲学は、以後2代目NBロードスター、3代目NCロードスターにも継承され、さらにはSKYACTIV技術と魂動デザインを取り入れた第六世代商品群では、マツダブランド全体を象徴するフィロソフィへと発展し、4代目NDロードスターにも確実に反映されている。

目次

推薦のことば ・・・・・・・・・・・・・・・・・・・・・・・・・ 13

はじめに ・・・・・・・・・・・・・・・・・・・・・・・・・・・・ 18

第1章　夜明け前 ・・・・・・・・・・・・・・・・・・・・・・・ 23

第2章　初代NAロードスター ・・・・・・・・・・・・・・ 37

第3章　2代目NBロードスター ・・・・・・・・・・・・・ 59

第4章　3代目NCロードスター ・・・・・・・・・・・・・ 83

第5章　4代目NDロードスター ・・・・・・・・・・・・・ 111

「ロードスターは、もはやマツダのものではありません」 ・・・・・・・・・・・・ 147

第6章　ロードスターとモータースポーツ ・・・・・・・・・ 149

「デザイナーとして、ドライバーとして、私のロードスター観」 ・・・・・・・・・ 182

第7章　世界の道を行くロードスター ・・・・・・・・・・ 185

第8章　英語版各世代ロードスター解説 ・・・・・・・・・ 204

巻末データ集 ・・・・・・・・・・・・・・・・・・・・・・・・ 234

「マツダロードスターの30年」刊行に寄せて ・・・・・・・・・・・ 237

初代ユーノスロードスター/マツダMX-5ミアータがこの世に送り出されたのは、1989年2月。アメリカ・イリノイ州で行われたシカゴオートショーでワールドプレミアされ、大きな話題を呼んだ。ちょうど同じ頃、Z32型日産フェアレディZ、初代ホンダNSXも発表され、スバルレガシィやその後トヨタセルシオ、BNR32型日産スカイラインGT-Rがリリースされた。これら日本の自動車メーカーの代表的なモデルが登場するなど、1989年=平成元年は自動車大国となった日本を象徴する年となった。

2019年5月、30年ぶりに改元され、令和時代が幕を開けた。かつて平成元年にデビューしたこれらのクルマたちは、スタイルや名称を変えながらも今日まで生き抜いている。それぞれサイズアップし、装備も豪華になった。しかし、ただひとつマツダロードスターだけが、サイズも重量も大きく変えずに「ライトウェイトスポー

マツダロードスターの30年

ツ」として生きながらえている。最新型のND型ロードスターは、初代から数えて4代目にあたる。

本書では、現代版ライトウェイトスポーツというマツダユニークモデルを実現しようとした「昭和」の先駆者達、安全や環境性能といった時代の要請に挑みながら、最新技術を駆使してロードスターを継続し続けることに執念を燃やした「平成」の開発者達、彼らから見聞きした逸話や記録されているファクトを30年のヒストリーとして紡ぎ、「だれもが、しあわせになる。」のキーワードに呼応してロードスターファンとなったオーナーの皆さんの心を掴んだのは一体何なのか、それをテーマとして問い続けてみたいと思う。

令和元年（2019年）

MZRacing代表　三浦正人

はじめに

ロードスターと私

1983年4月にマツダオート東京に新卒で入社し、その年の6月からマツダスピードの広報担当となった私は、初代NAロードスターがデビューした1989年当時は、まだ社会人6年生の「若造」であった。レース活動の広報担当とは言っても、いつもルマン24時間などのレース情報だけをメディアの皆さんにお伝えする仕事をしていた訳ではなく、サンデーレース用のスポーツキットやストリート用のツーリングキットなどの商品PRや、富士スピードウェイで行われていた富士フレッシュマンレースのオフィシャル業務、全日本ラリー選手権イベントを主催していたマツダスポーツカークラブ(MSCC)の事務局業務なども担当していた。

その年、1989年のルマンプロジェクトは、4ローターエンジンを搭載したマツダ767Bで1月のデイトナ24時間レースに出場して総合5位となると、6月のルマン24時間レース本番でもマツダ767Bが7位、9位、12位となり、広島のマツダ本社の支援体制も強化されてルマン総合優勝への機運が一気に高まっていった頃だった。

そんなある日、日本に先駆けて北米で市場導入された「マツダMX-5 ミアータ」というクルマが、日本でも9月にローンチすることが知らされた。それは、全く新しいFR(フロントエンジン後輪駆動)のライトウェイトスポーツカーで、開閉式ソフトトップをもつオープンカーだと言う。1トン以下の車重で1.6L DOHCエンジンは120psを絞り出すと聞かされた。東京・中央区勝どきにあったオフィスの会議室でその概要を知った時、ワクワクして鳥肌が立ったことをよく覚えている。

そして、このドリームカーのローンチイベントの一環としてワンメイクレースを実施するので、そのルールおよびフォーマット作りなどを担当するようにとの下知を受けた。また、それらのイベントは、普段お付き合いのある自動車関連メディア以外の一般メディアの皆様にも楽しめるものにしよう、というオーダーであった。一介の担当者であった私だったが、なんとかこのクルマの門出に貢献したいと思った。右ハンドルの新車25台が勝どきのガレージにやってきたのは、まだ肌寒い初春の頃だったと思う。それからマツダスピードのメカニックたちが不要なインテリアのカーペットや断熱・遮音材などを取り除き、バケットシート、6点式ロールケージ、サーキットブレーカーや消火器などの安全装備を組み付けていく。それらレースカーの走れる準備が整った春先、谷田部の日本自動車研究所(JARI)周回路にその25台を集め、ローンチレースに協力していただけるメディアの皆さんと共に「シェイクダウンおよびラッピング」を実施した。エンジンとシャシーの慣らしプログラムに従って、全車イコールコンディションで機械的部分の慣らし運転を行うことになった。細かく規定されたエンジン回転数でそれぞれ数周ずつ谷田部の外周路を一定速度で走り、リミット回転までの慣熟運転を行うのである。確か夕方周回路に接するスキッドパッドに集合して、1チームが数名の編成を組み、エンジン回転100回転刻みで周回路を数10分ずつの慣らし運転を行った。仕上がったのは朝方であっ

東京勝どきにあったマツダスピード(写真は1987年当時)

JARIでのシェイクダウンおよびラッピングのミーティング風景

た。なんとも昭和的な人海戦術であった。

メディアの皆さんもよく不平を言わなかったものだ。それは、そのあとに待ちうけるワンメイクレースの楽しさを予感していたからだったのではないだろうか。それだけ、このクルマに初めて乗った時のインプレッションは強烈だった。やや狭苦しいロールケージの間からバケットシートに身を沈め、イグニッションキーを回すとブーっというブザー音が鳴り、いざエンジン始動だ。回転計の針はレースカーのように敏感に反応する。ファミリアと同じB6エンジンとは思えない吹け上がりを見ながら、乾いたエキゾーストサウンドを聞けば、胸の鼓動は自然にアップビートになっていく。手のひらのシフトノブをコクッとローに入れると、まさにレディトゥゴー。それまでは、そんな五感を直撃する運転体験はしたことがなかったのだ。私も、一発でこのクルマの虜になった。

それからの数ヶ月は結構なドタバタ劇となった。自動車メディアの皆さんにシェイクダウンと慣らし運転を行なっていただいた車両を用い、自動車レースなどまったく畑違いの一般誌、トレンド誌の編集者やライターさん達によるデビューレースのお手伝いをするのが私の次のミッションであった。参加者の皆さんは、ほぼ全員がスポーツドライビングビギナーで、座学のBライセンス講習会もまったく気乗りのしない雰囲気だった。それでもデビューカーのロードスターを使ってジムカーナ競技を体験したりするうちに、なんとなく気心が知れていったようだ。ワンメイクレース出場に必要なJAF認定Aライセンスを取得してもらった頃には、彼らの意識も変わっていた。確か、7月の富士JSPCレースの前座で彼らおよび協力メディアによるワンメイクレースが行われたのが、このロードスター/MX-5ミアータの最初の公認レースであった。

なにせ一般ユーザーの購入申し込みはこの7月からであり、多くの方の納車が完了するのは、最初のクルマがデリバリーされる秋よりさらに数ヶ月待たなければならなかったのだ。わずか数周のワンメイクレースは、大きなアクシデントもなく終了。富士のグランドスタンドを埋め尽くした人々にオープンカーのワンメイクレースという新しい形態を見せられた満足感は、なんともいえないものであった。

富士デビューレースのパドック(写真中央は筆者)

第1回ロードスター4時間レースに出場したマツダチーム

第1回ロードスター4時間レースのスタート風景 ©CG Archive

栄えある初のロードスター4時間レース表彰台 ©CG Archive

その後も、メディア対抗4時間耐久レースに向けた準備の日々は続いた。主管部門であるマツダ(株)東京本社国内広報部の担当者と共に日々アイディアを巡らせ、規則を考えた。安全性を確保するため燃料消費量を制限することとし、途中給油できる量を20Lに決めた。ピットで安全に給油するためには、燃料携行缶を手配する必要があった。公平を期すため、携行缶は温度による変形の少ないメタル製であることが必須で、給油速度が一定でなければならず、全く同タイプのものを30個揃えなければならなかった。ネットの発達した現代ならいざ知らず、当時の若造にはそれがどこで手に入るのかさえ皆目見当がつかなかった。しかし、米軍基地のある横田か福生にあるミリタリーショップにあるという情報を聞きつけ、手配したことを覚えている。その携行缶は、現在では「4耐(ヨンタイ)」と呼ばれているメディア対抗4時間耐久レースでは、いまだに使われ続けているものである。

そんな苦労の甲斐があり、11月の4時間耐久レースも無事終了した。記念すべき第1回レースには、マツダチームからは当時の達富康夫専務取締役、実研リーダーの立花啓毅さんも参加し、総合優勝チームは「Best Motoring」チームであった。

本年5月、30年ぶりに元号が変わった。初代ロードスターが生まれた1989年が平成元年だったので、私たちもロードスターと共に激動の平成時代を生き抜いてきたことになる。私が所属したマツダスピードでは、初代NAロードスターでは富士フレッシュマンシリーズにもレース枠を設けたし、「ツーリングキットAスペック」と呼ばれるスポーツパーツ商品群を多くのロードスターオーナーにお届けした。2代目のNBロードスターが世に出た頃、私は独立し、小さなPR会社を設立した。その後もマツダとの関係は続き、3代目NCロードスターの発表会があった両国国技館の会場では、開発主査の貴島孝雄さんにこのクルマで国際レースに復帰しましょう、と声をかけた。その後も何度か広島のマツダ本社に足を運んでは、自動車メーカーにモータースポーツは必要、という自説を唱え続けた私は、2009年のある日、山本修弘さんに「アメリカでは、マツダは盛んにモータースポーツを推進している。その情報を提供しますよ」と言われた。それによると、MX-5ミアータのヒットにより、1990年代にワンメイクレース網(スペックミアータ)が全米各地に広がり、その時ですでにモータースポーツユーザーは10,000人近い人が登録していることがわかった。そして、その上に、MX-5カップという上級トランスサーキットシリーズが用意され、さらにその上には、RX-8 GTカーによるGrandAmシリーズへと続くステップアップシステムがきちんと構築されていたのだ。山本さんのお話にヒントを得た私は、マツダ車の「走る歓び」を伝えるひとつの手段として、MZRacing WEBサイトを2009年11月に設立し、世界から集めたマツダ・モータースポーツ情報をここから発信することにした。

富士フレッシュマンレース　ロードスターN1レース

その後、山本修弘さんや元RX-7の開発主査だった小早川隆治さんの手引きで、マツダUSAのモータースポーツ活動を統括しているジョン・ドゥーナンと知り合い、当時のアメリカのモータースポーツ事情を知るため、デイトナ24時間レースやマツダレースウェイ・ラグナセカで開催されたアメリカンルマンレースに出向き、それらのトップカテゴリーでマツダが活躍し続けていることを知った。そして、その下に続くラダーシステムには、無数のスペックミアータ卒業生がいることを実地検分した。若い人たちが、エントリーカーとしてのミアータで腕を磨き、その上の目標に向けて努力する姿はまさにアメリカンドリームだ。このラダーシステムを経てプロへと巣立ったドライバーも数多く、アメリカンレース最高峰のインディシリーズでは全ド

グッドウッドフェスティバルオブスピード（2015年6月）

ライバーの1/3はマツダラダーシステムの経験者だとも言われている。

MZRacingの活動は、徐々にマツダ社内にも知れ渡っていき、それを面白がっていただける方々も少しずつ増えていった。その縁で、2011年のルマン優勝20周年デモンストレーション走行や、2014年にはマツダUKと組んでマツダMX-5が出場することになったニュルブルクリンク24時間レースへも同行取材させてもらえることとなった。2015年には4代目NDロードスターの欧州プレミアを兼ねたグッドウッドフェスティバルオブスピードにも帯同させていただき、マツダ常務執行役員の前田育男さんとマーチ卿のオープニングスピーチを目の前で聞き、感激に震えた。そして、2019年2月。ちょうど30年前の1989年にMX-5ミアータが生を受けたシカゴ・オートショーで、マツダMX-5 30周年記念車のアンヴェールを目撃することができたのであった。

平成の30年間が過ぎ、あらたな「令和」時代がまさにスタートしたばかりだ。私は、この30年間に社会人としてのピークを過ごし、家庭では父親としての

2019年シカゴオートショー（2019年2月）

役割をほぼ終えることができた。本年のシカゴオートショーでアンヴェールされたレーシングオレンジのマツダロードスター/MX-5ミアータの姿を眺めながら、それら過ぎ去った日々が頭の隅を走り抜けた。平成元年に初代ロードスターのローンチ企画に携わり、令和元年の30周年式典に立ち会えたこと。そんな経験は社会人として、そうそうあるものではない。その時、ロードスターを通じてこの激動の30年間を記録しておこう、それが私の使命なのではないだろうか、と感じたのである。

LWSトリガーマン、ボブ・ホールとの出会い

2018年秋、マツダはSKYACTIV TECHNOLOGYと魂動デザインで成功した「マツダ第六世代商品群」の後継となる新世代「マツダ3」を11月末のロサンゼルスオートショーでワールドプレミアすることになっていた。その頃、すでにロードスター30周年ヒストリー取材をスタートしていた私は、早速LAに向かった。新型マツダ3自体にももちろん興味はあったが、このビジネストリップの目的は、実はある人物にお会いすることだった。会場であるロサンゼルスコンベンションセンターのゲートで合流したマツダUSAのケルビン・ヒライシさんと共に、そこで最初にお会いしたのは、マツダMX-5ミアータの初期商品企画に携わったトリガーマンのひとり、ボブ・ホールさんだった。彼は、日本の高校に通っていたことがあるため、65歳となった今でも流暢な日本語を話す。私は、30年前にマツダ横浜研究所（現マツダR&Dセンター横浜）で行われた何かの広報イベントで一度ご挨拶をしたことがある程度の面識だったが、来訪の目的を告げるととても快く会話をスタートしてくれた。

マツダ本社で数年を過ごしたことがあるボブさんは、本社の従業員出入り口に近い「にんじん」というレストランが当時お気に入りだったと聞いていたので、現在のにんじんの外観と日替わり定食の写真を見せて、笑顔を引き出すことに成功した。しかし、次に私が放った言葉で彼は絶句し、目を真っ赤にして肩で呼吸をし始めた。

私が口にしたのは、「元マツダ会長の山本健一さんがお亡くなりになりました。とても残念ですね」というものだった。数分経っただろうか。暫くして、嗚咽を飲み込むようにして彼は話し始めた。

「山本さんは、僕にとっては本当のお父さんと同じように色々なことを教えてくれた人で、心から尊敬しています。もう何年も会っていませんでしたが、亡くなったというニュースを聞き、もぬけの殻のように二、三日悲しみに暮れたものです」とボブさんは語った。彼が山本社長から受けた影響が並々ならぬものだったことは、容易に想像できた。

二日後、LA郊外にあるマツダUSA R&Dセンターで私は彼と再会した。彼の愛車である初代MX-5ミアータを見せてくれる約束だった。甥っ子さんとふたりで現れた彼が乗っていたのは、1991年式NA型MX-5ミアータだった。当時マツダMX-3（オートザムAZ-3/ユーノスプレッソ）に設定されていたブルーメタリックのカラーを広島のマツダ量産ラインで塗ってもらったという。当然US仕様の左ハンドル車だ。ライセンスプレートには「P729」の文字が。初代MX-5ミアータの初期の開発コードだ。28年前のクルマとは思えないピカピカのこのクルマをオープンにし、R&Dセンターの周囲を走ってもらった。ホブさんは、とっても楽しそうだった。二日前の悲しそうな表情ではなく、このクルマの爽快感を噛みしめているかに見えた。

さて、次章からは、私の主観を控え、ロードスターのヒストリーおよび関係した人物の証言をまとめて関連づけてみようと思う。

著者 三浦正人（MZRacing）

ボブ・ホールさん

ボブさんの愛車は1991年MX-5ミアータだ

BEFORE DAWN

第1章 夜明け前

1980年代初頭、日本はそれ以前の10年に苦しんだオイルショックから脱却し、豊かで便利な時代を迎えた。

1969年の東名高速道路開通に続き、1982年には中央自動車道、1983年には中国自動車道、1985年には関越自動車道が、1987年には東北自動車道が全線開通し、1988年には青函トンネルや瀬戸大橋が開通するなど、日本のモータリゼーションは拡大の一途をたどった。シートベルトの義務付けやドアミラーの解禁といった自動車周辺の環境変化も見られた。また、東京ディズニーランド開園、ファミコンブーム到来、CD(コンパクトディスク)の登場、ディスコブームなど、大衆のライフスタイルや価値観の変化が顕著となっていく。さらに、日本電電公社、日本専売公社が民営化されるなど内需も刺激を受け、1980年代後半は、不動産売買ブームに端を発したバブル経済が一気に頂点に向けて加速していく。

1980年に広島市は10番目の政令指定都市となる。

マツダは、1980年に5代目となるファミリアをフルモデルチェンジ。このFFファミリアの大ヒットに続けと、翌年にはルーチェ/コスモをフルチェンジ。同年、フォードブランドのマツダ車を販売するオートラマを設立した。マツダの主力車種であるカペラは1982年に4代目となり、1983年にはマツダ車の累計生産1,500万台を達成した。1984年に東洋工業(株)からマツダ(株)へ社名変更すると、同年12月には山本健一氏が社長に就任。1985年は2代目サバンナRX-7、6代目ファミリアにフルタイム4WDモデルを追加し、スポーツモデルの充実を印象付けた。1986年にルーチェは5代目となり、人気4ドアセダンとなった。

チョークボードミーティング

マツダでは、現在も「LWS」という単語が職場では日常的に交わされている。ライトウェイトスポーツの略称だ。1960年代のヨーロッパ、特に英国で流行したコンパクトな2シータースポーツカーを指す単語として知られている。一年を通して気候が温暖なアメリカ西海岸では、70年代中盤でもそれらのLWSが多数存在していた。しかし、1970年以降大気浄化を唱えるマスキー法が成立し、連邦自動車安全基準(FMVSS)の規制が厳しくなる中、ヨーロピアンLWSは存在し続けることが困難となり、やがて絶滅状態へと陥っていく。

ちょうど同じ頃、一念発起してモータージャーナリストとなったボブ・ホールは、ロータリーエンジン(RE)を実用化したマツダに特別の興味を持ち、当時の幹部社員へのインタビューを繰り返すうちに、何名かと親しく接するようになる。

「1977年の秋、4代目ファミリア(最後のFRハッチバック車)の発表会の場で、社長だった松田耕平さん、その他の役員のみなさんとともに当時取締役車両開発本部長だった山本健一さんに出会いました。僕はアメリカのモータートレンド誌所属のジャーナリストでした。同時に日本のモーターファン誌のロサンゼルス支局員をしていました。高校生の時、名古屋に住んでいたため日本語が話せたので、"変な外人"として彼らに認識されたんだと思います。

ロータリーエンジンの父として知られている山本さんは、クルマならば何にでも興味を持っていました。スポーツカーや多目的車両までなんでもです。そして、1978年に初代サバンナRX-7の発表会でお会いした時に、山本さんはこう言いました。"ボブさんは、マツダが次にどんなクルマを作ったら良いと思いますか"と。僕は、少し考えて"価格の安いスポーツカーではないでしょうか"と答えました。僕はもちろん外部のジャーナリストだったのですが、マツダのイメージは他の日本のメーカーとは異なっていると感じていました。

未知の技術をものにし、ロータリーエンジン搭載車を世に出したユニークな自動車会社です。だから、マツダなら日本のスポーツカーメーカーになれると直感したのです。それも最初にクルマを買う若い人のためのスポーツカーです。最初にライトウェイトスポーツカー(LWS)でマツダブランドに親しんでもらえば、次のステップとしてサバンナRX-7へとつながっていきます。マツダ2(デミオ)からマツダ3(アクセラ)へ、というステップと同じです。ラダー(梯子)のようにね。僕はロサンゼルスで生まれましたが、父親がクルマ好きで、モーリス・マイナーツアラーに始まり、MG TDやトライアンフTR-2、オースチン・ヒーレー100/6など軽くてシンプルなオープントップのスポーツカーを愛用しており、僕は大学生の頃、父のオースチン・ヒーレー3000 Mk.IIIで運転を習いました。英国製スポーツーカーはとてもカッコよかったし、運転して楽しかった。ですが、信頼性が少し不足していたと思う。楽しいクルマには日本車の信頼性が必要、これこそが良いアイディアだと思っていたのです。しかし、マツダの取締役メンバーにLWSを説明するのは、骨が折れる仕事でした。アメリカ市場ですら、最大で年間6,000台程度しか見込めませんから。それでもたぶん、山本さんが後ろから必要性を押してくれていたのだと思います。いつもポーカーフェイスでクールな山本さんでしたが、正しい提案を瞬時に見抜く才能を持っていました。

そして、1978年4月16日、私はマツダ本社の山本さんのオフィスに呼ばれ、ライトウェイトスポーツとはどんなクルマなのか、チョークボード(黒板)で説明しました。それがあのスケッチです。黒板に書いた後、広報部の鈴木文三さんがそれを写真に撮っていました。なぜタイヤがないかと言うと、山本さんが急いでいたからです。書き終わったら、彼は「わかった」と言って部屋を出て行きました。X508とは、ファミリアハッチバックのFR車です。このコンポーネントがLWSに使えると考えたからです。その夜、僕は山本さんに食事に誘われ、お好み焼きを一緒に食べました。その時は、

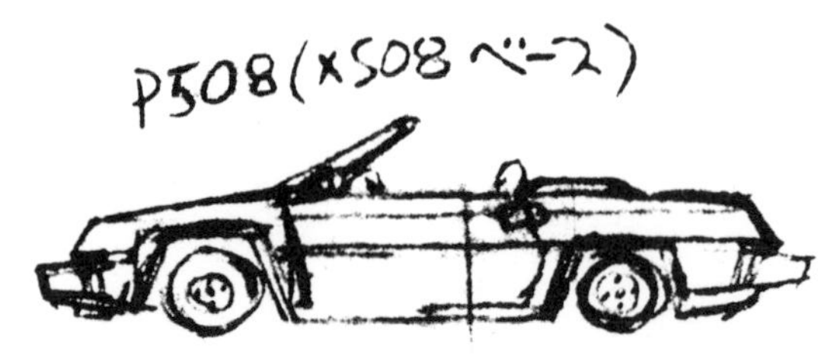

ボブさんが描いたスケッチ。ホイールだけでタイヤが描かれていない

トライアンフ・スピットファイアを試乗する山本社長

プロ野球の話ばかりでライトウェイトスポーツの話はしませんでしたが、山本さんが非常に上機嫌だったことをいまでもよく覚えています」。

またこの時、彼は山本に「是非一度トライアンフ・スピットファイアに乗ってみてください」と提案。後日小早川隆治率いるマツダ広報部の手配で、山本は箱根で同車の試乗を実現している。

その後、山本の推挙もあり、ボブは1981年にカリフォルニア州アーバインにあるマツダノースアメリカ（MANA）のR&D部門「マツダリサーチセンターアメリカ（MRA）」に入社し、商品企画部門においてLWSの商品化を目指すことになる。

山本健一、「自動車文化論」を発表

一方山本は、1984年11月にマツダの代表取締役社長に就任。翌1985年の年頭所感として、「今やクルマは人々の幸福や心の豊かさに深く関わりを持っている」、「マツダのクルマは常に機能的で個性的な美しさをもたねばならい」という「自動車文化論」を全社員に向けて発信した。また、同時期に山本は、人間の感性という論理的に説明しにくい反応を科学的に説明しようとする

故・山本健一　元マツダ会長

RX500ショーカーと福田（2011年）

「感性エンジニアリング」なる言葉も創出している。その数年後にロードスターは多くの関係者の努力と情熱によって開発が進められ、最終的には経営会議で商品化の承認を受けることになるが、それはまさに山本が唱えた「自動車文化論」を象徴するクルマのひとつが生を受ける瞬間でもあったと言えよう。

デザインの福田、マタノがLWS推進を後押し

1983年、ふたりの男がMANA/MRAに集うこととなった。ひとりは、マツダ本社のデザイン本部から駐在員として送りこまれた福田成徳であり、その後デザイナーのトム・マタノ（俣野努）がボブ・ホールの手引きでMRAに招き入れられている。福田はのちにマツダのデザイン本部長となる人物で、1970年の東京モーターショーでマツダスタンドの主役を務めたコンセプトカー「RX500」（10Aロータリーエンジンをミッドシップ搭載したスポーツクーペ）をデザインしたことでも知られている。マタノは東京生まれの生粋の日本人でありながら、アートスクール卒業後、GMやBMWなどで手腕を振るった国際的なカーデザイナーである。情熱家のふたりは、アーバインのロータリーエンジン再生工場の片隅にデザインスタジオを作る計画を進めながら、ボブが提唱するLWSコンセプトを提案にまとめるプランニング作業を実行した。

マタノは、「山本社長が提唱する“感性エンジニアリング”に沿ったデザイン思想とは一体何なのかを連日のように福田さんと議論し、案を練りました」と当時を振り返る。福田も、「山本さんには、“日本はこれまで欧米の真似ばかりをしてきた。日本独自のモノづくりに挑もう”という思いがありました。なので、私たち

は日本的なデザインを提案したかったのです」と語っている。このふたりが行き着いたのは、「ロマンチックエンジニアリングとトキメキデザイン」という考え方である。動物のしなやかな動き、日本の伝統的な美意識を取り入れる、リフレクションの美など、その要素は現在のマツダ魂動デザインの考え方とよく似ている。たまたまMRAに山本社長が立ち寄るというので、福田とマタノはこのデザイン思想を社長の前でプレゼンテーションして見せた。また、マタノは後述する自走式LWSプロトタイプ「V705」のデザインを、同僚のアメリカ人デザイナーのマーク・ジョーダン、台湾人のウー・ハン・チンとともに仕上げている。

当時を振り返って、マタノは次のように語っている。「デザイナーとしてMRAに入社しましたが、このプロジェクトでは、私はデザインよりもスポーツカーとはどうあるべきかのコンセプトを考え、まとめることに専念しました。その基本コンセプトは、“ときめきの世界”というメモとして残してあります。例えば、ときめくクルマとは、高速道路でスーっと追い抜かれた時にハッとするクルマ、テレビドラマの中で主人公が乗っているかっこいいクルマなどです。なんというクルマなのか知りたくなる。自分が運転している姿を想像したり、そのクルマがある生活を空想したりする。ある日、そのクルマの名前がわかり、ディーラーに行って自分の目で確かめたくなる。ここまでが購入前の行動ですが、実は手に入れた後のライフスタイル提案が重要だと考えました。愛車に家族や友人を乗せて家に戻り、ガレージにクルマを止めた時に“おやすみ”と声をかけたくなるようなクルマ。それでも最後に寝る前にもう一度コクピットに座ってみたくなるんです。毎日通勤に使っていても、時間を作って山道を走りたくなるようなクルマ。遠くに出かけて日常と違うシーンに置いた時、その光や反射によっていつもとは違う美しさを発見できるクルマ。時が経てば家族の状況が変わるでしょうし、やむなく手放さなければならないこともあるでしょう。それでも思い出は残るし、子供の手が離れたらまた同じクルマを手に入れてレストアしようと決意する、そんなクルマにしたいと考えたのです。いよいよ30周年を迎えるというのは、当時は想像できませんでしたが、長い間ぶれずにポジショニングを守り続けてくれたことは本当に嬉しいし、初代の先行開発に関わったものとして幸せに思います」。

マタノは現在、カリフォルニア州サンフランシスコのアカデミー・オブ・アート大学工業デザイン学部で教鞭を執っている。

81歳となった福田
（2019年4月）

愛車1990年式Vスペシャルの走行距離は41万kmを超える

マタノの愛車は1.8 Lエンジンを搭載する1993年式ミアータ

サンフランシスコアートスクールのマタノオフィスにて

「アメリカ西海岸にある潜在的なLWS需要は理解できた」と語る津嶋亘

オフライン55プロジェクト

1980年代の初頭のマツダでは、初代FFファミリアの大ヒットに支えられ、カペラ、ルーチェ、RX-7、ボンゴといった基幹車種のラインアップを築き上げていた。そして、上向き傾向を続けた景気にも後押しされ、これらのオンライン商品とは別の「オフライン商品」を検討する動きを見せた。その陣頭指揮をとったのは、商品企画担当役員だった山之内道徳で商品企画部内に「オフライン55プロジェクト」を立ち上げた。「55」とはゴーゴーという勢いのある語感に加え、確率55%以上で商品化ができるようなクルマを検討する、という意味を持っていたという。このプロジェクトで検討されたのは、マルチパーパスビークルや軽規格乗用車、そしてLWSなどで、それらはのちにアメリカで大ヒットするマツダMPV、オートザムチャンネルの商品第1弾となったキャロルなどの商品名で世に送り出されている。そして、その第3弾として検討の上台に上げられることになったのが、のちにロードスターとなるライトウェイトスポーツであり、1983年11月に計画がスタートしている。もちろんこの企画の背景には、ボブ・ホールらが盛んに訴えたMRAのライトウェイトスポーツ待望論があるのは間違いがない。

部長の加藤昌勝のもと、当時オフライン55プロジェクトの主幹プランナーであった津嶋亘は、「ジャーナリストだった頃からボブさんは、いろいろな場面で私たちやマネジメントの面々にLWSの必要性を説いていました。山本（健一）さんと彼はウマがあったようで、勢いを得てMRAに入ったようです。彼の弁によると、LWSは廃れたが、それはお客様がそっぽを向いたわけではなく、マーケットの要望に自動車メーカーがついていけてないだけだと。LWSのある生活を描いたビデオを見せられたりして、アメリカ西海岸には潜在的なLWS需要があるというのはようやく理解できました。

しかし、オープントップというスタイルの必要性がよくわからなかったんです。マーケットが絞られることを危惧しました。また、その後もMANA/MRAは強烈にオープンFRを推してくるのです」と語っている。また、津嶋とともに同プロジェクトで机を並べた見立和幸は、「アメリカ、東京のスタジオでそれぞれLWSのデザイン案を作りました。日本側ではFF（前輪駆動）とMR（ミッドシップ）も提案しましたが、結局MRAの案が残りました。1984年3月にカリフォルニア州（パサデナ）で他銘柄のコンパクトスポーツカーオーナーを集め、デザイン画を見せて一般消費者の意見を聞くイベント“スケッチクリニック”を実施。主催者がマツダであることを明かさず、LWSの市場性を探りました。ここでマツダUSAおよびマツダ本社の担当者は、フロントエンジン後輪駆動（FR）オープン2シーターのLWSに好感触を感じています」。

1984年11月には、商品コンセプトを「歴史的に培われてきた伝統様式を基本に最新技術を織り込んだ正統派ライトウエイトスポーツ」と規定し、レイアウトも正式にFRとなった。デザイン以外でのFRの選定理由としては、明快なコンセプトでマツダの個性が出しやすいことや、他社の参入が少なくユニークな商品となる可能性が大であること、RX-7と共にマツダのスポーツカー思想の筋が通ることなどが主な要因となっている。

見立は、さらに続けた。「その後、では走行可能な試

英国のIAD社を訪れV705の検収を担当した見立和幸

作車を作ろうという段階となり、予算も確保したのですが、社内には開発工数が全くない。そこで、英国のインターナショナルオートモーティブデザイン(IAD)社に試作車の開発と生産を依頼しました。当時技術研究所ではプラスティックボディの研究を同社とやっていて、試作車を作るには好都合だったと記憶しています。デザインはMRA案のもので、カリフォルニアスタジオのデザイナーが英国に出張し作業していました。また、ボディ、シャシーの基本設計はIADが担当し、エンジンとトランスミッションはFRファミリアバンのものが、ステアリング、ブレーキ、サスペンションは初代RX-7など既存のマツダ車のものが英国に送られています。IAD社は南イングランドのワージングという町にあり、「V705」というコードナンバーがつけられた自走LWSプロトタイプは、シェイクダウンを近くの飛行場跡地で行っています。その後、広島に送る予定でしたが、まずは最もマーケットの需要が高そうなアメリカ西海岸に持っていこうという話になり、急遽アメリカへの輸送を手配しました」と当時を振り返った。

V705自走プロトタイプ

インテリアも既存車パーツを流用した

サンタバーバラの冒険

真紅に塗装されたこの自走可能プロトタイプ「V705」は、1985年9月に完成しカリフォルニア州サンタバーバラに送られた。ここでもマツダであることを知られないように配慮されたが、トランスポーターからアンロードする時には既に近所の子供達に囲まれる始末だった。やや腰高ではあったが、この真紅のオープンカーはカリフォルニアの風景にマッチした。ショッピングモールの連絡路を走らせてみると、街行く人たちはこのクルマに大いに興味を示した。ドライバーは多くの質問を受け、クルマを停めるとすぐに取り囲まれるような場面もあった。騒ぎが大きくなりそうだったため、郊外の通行車両や人が少ない場所にクルマを移し、日本から出張してきた技術研究所の松井雅隆所長もこのクルマのステアリングを握っている。「クルマは道路を走らせてこそ、その価値がわかる」と主張した松井は、このクルマに対する異常なほどの注目度の高さに商品性を確信したようだ。この大胆な試走テストは、立ち会った福田とマタノの思惑通りの結果となった。

ショッピングモールでの試走は注目を引き過ぎた

郊外に移動し試走を繰り返し、欧州車などとの比較試乗が行われた

技術研究所松井所長も納得

初代ロードスター主査の平井敏彦(写真は2014年当時)

猿猴川に面した「リバーサイドホテル」外観

平井敏彦主査が任命され、先行開発に着手

試作車を作りながらもまだ検討段階にあったLWSプロジェクトは、1986年のはじめに行われた経営会議において、加藤部長がプレゼンテーションし、社長の山本健一が“みなさん、どう思いますか。このクルマには文化の香りがする。私はこれを進めたいと思います”と支持して商品化を承認。ようやく量産を前提とした先行開発が開始されることとなった。それとほぼ同時に開発主査として、平井敏彦が任命されている。平井はクルマをトータルに眺められる基礎設計のエキスパートであり、予想される困難を承知の上で自ら主査の役目を買って出た。ただでさえ販売台数が限られているスポーツカー、しかも二人乗りのオープンカーを採算ベースに乗せるのは難しいと考えるのは常識であった。しかし、1970年代後半にマツダの経営状態が苦しかった頃、平井は中部地方のマツダディーラーにセールス出向し、販売の現場において大手ブランドとの値引き合戦を目の当たりにしていた。「こんなことをしていては疲弊するだけではないのか。大手と同じようなクルマを作っていたら、マツダを選ぶ理由がない」。

その経験から、他社にはないこのユニークなクルマを是非とも世に送り出そうという強い意志を持っており、「このクルマを実現できるのは自分しかいない」、と覚悟をもって臨んだ。

「リバーサイドホテル」

量産にあたって、これまで試作車製作を委託していたIAD社だけでは量産開発は難しいと判断。一部を残してIAD社との契約を解消し、一からマツダで開発することとなった。しかし、当時のマツダでは全く新しいプロジェクトであるLWS開発に充分な人員をあてがう余裕がなく、平井は自らマネージメントに直訴して数名のエンジニアを集め、所属部門とは関連のない業務までも担当させ、なんとかプロジェクトを進行していった。そのうちに「スポーツカーなら自分も手伝いたい」という参加希望者が徐々に増えていく。平井は限られた人員を活かしてLWS開発をスムースに進行させるためには、全員で思想を共有する一貫開発体制が重要だとして、全開発者が一ヶ所に集結して仕事ができるよう、本社地区内デザインセンター車庫の5階のワンフロアを専有使用する許可を得た。元々は車庫として使用されていたため車両の設計には不向きとも思われたが、その後の開発の拠点となる。多くのメンバーが本来の業務が終了した後に参加。開発作業が深夜まで及んだこと、また、本社の敷地沿いを流れる猿猴(えんこう)川に面していることから、この拠点は「リバーサイドホテル」と呼ばれるようになった。

このリバーサイドホテルには、プランナー、コストコントローラー、企画設計、各部品機能設計、実験研究、生産技術の担当者が一堂に会し、互いの作業を横目で見ながら、課題や問題点などを共有していた。中には、一旦契約を解除した英国のIADに再交渉し派遣された2名のシャシー設計者やフランス人のソフトトップの専門家、ポーランド人やチェコ人の専門家など外国人5名が混在する国際的な職場であった。

「創造的破壊」に力を尽くした平井イズム

このプロジェクトでは、乗って楽しいクルマを実現させるために妥協のないアイディアを持ち寄るエンジニアたち、そしてそれに応えようと知恵を絞る生産技術者たちの情熱で、すべての世代のロードスターが継承し続ける「人馬一体」フィロソフィーが醸成されていった。軽量化思想、低いヨー慣性モーメントと重心高、エンジンのフロントミッドシップ搭載、前後重量バランス50：50、ダブルウィッシュボーンサスペンション、パワープラントフレーム、容易に開閉できるソフトトップなどの要素はこの時期から練られていった。

サスペンションの設計を担当し、のちに平井の跡を継いで初代ロードスターの開発主査を引き受ける貴島孝雄は、次のように回顧する。「スポーツカーにふさわしいハンドリングを実現するためには、サスペンションはダブルウィッシュボーンがマストだと考えていました。しかし、重量面、コスト面ではストラットに分があるのはわかっていました。ある日平井主査から、経営陣にダブルウィッシュボーンを提案するから説明に来てくれと言われましたが、絶対にねじ伏せられると思い、要請を断りました。申し訳ないとは思いましたが、2回断りました。そうしたら、どのような手を使ったかわかりませんが、平井さんから“通したぞ”と連絡をいただきました。その尽力に応えるため、サスペンションアームの形状を左右同一に設計し、アッパーマウントも前後左右を共通化するなどで、軽量でコスト的にもストラットと変わらないサスペンションを作ることができました。サスペンション部品の鉄板肉厚は、当時2mm以上にすることという不文律がマツダにはありました。錆びを考慮した前時代的習慣だったのですが、平井さんは1.8mmまで薄くできるように交渉してきたのです。また、低ヨー慣性モーメントを実現するためバンパーの構造体を、樹脂製のものにしようということになりました。

これも前例のないことでしたが、平井さんは野球のバットを持って各部署に説明に行っていました。殴り込みか、と思われたかもしれませんが、バットは太い方を前にして振ると重くて回しづらいが、逆に軽いグリップを前にして振れば容易に回せる、ということを説いて回ったのです。コストの高いアルミボンネットを200万円以下のクルマに設定するとか、車高を社内基準より下げたのも創造的破壊行為のひとつです。パワープラントフレーム（PPF）の設定も、当初は駆動系設計から猛反対をくらいましたが、平井さんは彼らを無視してシャシー設計担当である私に図面を書かせたのです。前後重量配分を50：50にすることにもこだわり、エンジンのディストリビュータがない電子制御（EGI）を採用したり、バッテリーをエンジンフード内からトランク内に移したりと前例を振り切ってプロジェクトを進められたのは、平井さんの情熱に他ならないのです」。

サスペンションやパワープラントフレームの設計を担当した貴島孝雄

平井主査の信任が厚かった元実研企画部の前田保

実研企画の担当者として、平井主査の信任を得ていた前田保は、「リバーサイドホテルには基礎設計から車両設計、シャシーやパワートレイン、内外装設計など多くのメンバーが集まっていました。しかし、設計だけではクルマは作れません。実験研究部で試作車を実際に走らせて味付けやチューニングを施し、それをまた設計に戻して仕様を固めていきます。平井主査と実研のリーダーだった立花（啓毅）さんは、楽しいクルマを造ろうという点で一致していましたが、お互い強いこだわりをもっているので必ずしもいつも意見が一致していたわけではありません。私は、実研と設計の間に入って調整役を担当していました。それでも乗り味のチューニングについては、平井さんは実研の意見を支持してくれていました。平井さんと立花さんの意見が同じだったものとしては、“素”のままで楽しいクルマに仕上げること。なるべくシンプルに、だけれども手を入れる楽しみの領域をとっておくこと。エンジンのヘッドカバーを磨き上げたり、サスペンション調整をしたりする楽しみです。

その考えは、元々マタノさん、福田さん、ボブや立花さんが描いていた理想です。そういったクルマに仕上げられたので、様々な楽しみ方を提供することができ、ロードスターを愛する人たちの輪が広がっていったのではないでしょうか」と語っている。

最終デザインは日本流を反映

同じ頃、デザイン面においても、MRAのデザイナーを本社デザイン部に招き入れ、カリフォルニアでの先行検討段階からのブラッシュアップを重ね、チーフデザイナーの田中俊治が最終デザインを指揮した。日本の伝統美を織り込むなどの進化を加えるとともに、量産に向けて広島本社でのデザイン開発をさらに進めた。MANA/MRAから本社へ帰任し、デザイン本部長となった福田は、「最終デザインには日本流の要素を反映したかったので、フロントにあのハッピースマイルを採用しました。誰もがニコッとしたくなりますよね」と回顧している。

しかし、日本からカリフォルニアスタジオに駐在していたデザイン部の林浩一やMRAプロパーのマタノやマーク・ジョーダンらは、MRA案から方向転換した本社の最終デザイン案は、オリジナリティを損なっていると感じており、何度も福田宛に不満を伝えていた。

そんな中、開発チームは1987年4月にはロサンゼルスへほぼ最終の1/1モデルを送り、その時点で開示できる価格やスペックなどの情報とともにモデルクリニックを行った。クリニックに先立ち、モデルの梱包を解いたMRAデザインチームは、その完成度の高さに拍手を送ったという。

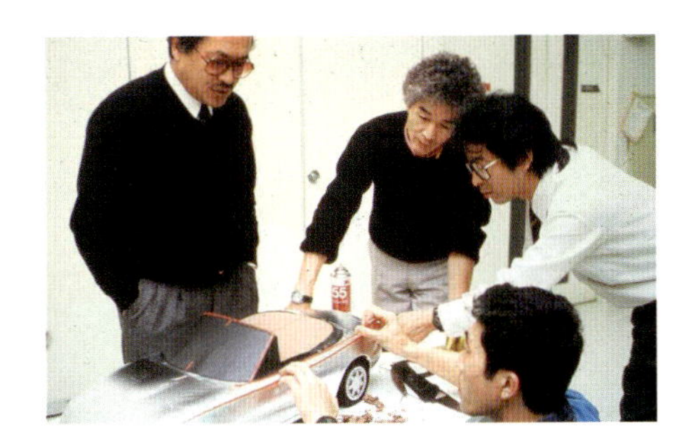

さてクリニックでは、245名を30組に分けたグループインタビューを実施すると、結果はコンセプト、デザインとも予想を大幅に上回る好評を得ることができ、立ち会った米国販売会社のトップからも一刻も早く発売してほしいという要望が出るほどだった。これによって、その後の開発もスムーズに進むこととなり、さらに和田淑弘副社長からは量産開始早期化の検討も指示されている。

量産日程の短縮を確かなものにするためには、スケジュール遅れにつながるデザイン変更を行わないことが重要な要件だった。そこで1987年9月には、その後デザイン本部長の福田と平井主査により、これ以降のデザイン変更は一切認めないという「デザイン凍結」が宣言され、量産の早期化が実現することとなった。

このスケッチは、マツダ本社への帰任前の福田が残したもので、LWS先行企画に関わった担当者がイラストで紹介されている。福田本人のほか、トム・マタノ、八木正雄、林浩一、久保信三ら日本人スタッフに加え、ボブ・ホール、ウー・ハン・チン、ノーマン・ギャレット、マーク・ジョーダン、ジム・キルボーンなどの顔がカモメのイラストに被せられている。それは、スタジオの片隅に置かれた木製のカモメの飾り物で、このプロジェクトを象徴するものとされている。なお、この飾り物は現在もカリフォルニア州アーバインのマツダUSAデザインスタジオに掲げられている。

量産に向けた外観デザインの変遷

1984年9月 最初のデザインスタディモデル

1985年12月 2台目のデザインスタディモデル

1986年3月 デタッチャブルハードトップ装着検討

1986年7月 3台目のデザインスタディモデル

1987年1月 プロダクトデザイン クレイモデル

1987年7月 ダミー化されたクレイモデル

リアコンビランプもすでにかなり量産モデルに近い。

北米モデルは企画段階からエアバッグ装着が計画されていた

実研リーダー、立花啓毅のこだわり

タイヤメーカーのブリヂストンでスポーツモーターサイクルの開発に携わったことがある立花啓毅は、職人的技術者として当時マツダの車両実験研究部の部長を務めていた。若い頃から多数の輸入モーターサイクル、輸入車を乗り継いできた彼は、英国製LWSにも特別の思い入れを持っていた。オフライン55プロジェクトが立ち上がった当時、彼は1964年式MG-Bを通勤の足に使っていた。その頃、英国製LWSの喪失感に苛まれ、現代版LWSの必要性を力説していたボブ・ホールと意気投合。是非LWSの商品化を実現したいと考えたと言う。東京都世田谷区出身の立花は、若い頃から湘南方面にドライブに行くことが多く、クルマは人生を謳歌する楽しい要素が必要だと考えていた。初代ロードスターの先行開発が始まった頃を振り返り、立花は次のように語った。

「初代ロードスターでこだわったのは、ドライバーが直接感じることができる部分の在りようです。例えばシフトフィーリングなどは、なるべくカチッカチッと手応えのあるショートストロークが必要で、その位置もなるべく体に近い場所にすべきだと主張しました。時代に逆行するとの反対意見もありましたが、議論を交わし仕様を認めさせたことがありました。また、ステアリングホイールもなるべく径を小さくせず、グリップも細いものをとリクエストしました。人間は、太くて径の小さいステアリングを力一杯操作する傾向があります。LWSは丁寧に扱ってこそ楽しさが体に伝わるからです。シフトノブも大きいものにしたら乱暴に扱われるので、大きさにはだいぶこだわりました。シート形状もそうです。レーシングカーのバケットシートのようにサポート性、ホールド性重視でなるべく体を包み込む形状を、という意見に対して真っ向から反対。少し前部の中央が盛り上がったスタイルを押し通しました。力んだらいけないんですよ。この形状がLWSにはベストだという信念がありましたから。また、タイヤには相当こだわりました。パターンをオールドスタイルに指定してね。私の考えでは、タイヤは少しぐらいプアなほうがいいんですよ。肝心なのはグリップ性能ではなく、コントロール性なんです。自分が自在にコントロールしているという人間臭さが最も大事だと考えました。それらのこだわりが初代ロードスターの評価につながっているとすれば、光栄ですね」。

「自分で操る人間臭さこそが人馬一体の真髄」と語る立花

70代後半の今もビンテージモーターサイクルレースに出場している

前述の前田保は、実研企画の担当者として立花の思いをプロジェクトに参加している設計者に伝える役割を担当した。「中には無謀と思われるリクエストもありましたが、根気よく説得して回りました。良いクルマを作ろうというこだわりなので、私も責任を感じていましたから」と当時を振り返った。また、「マツダのスポーツカーを語るとき、日本グランプリやスパ・フランコルシャン24時間レースにも社員ドライバーとして出場したことがある片倉正美さんの存在を忘れることができません。走行実験の大切さをマツダの開発陣に植え付け、実研ドライバーの運転訓練の仕組みを確立しました。饒舌な方ではありませんでしたが、マツダのハンドリングとはこうあるべきと説き、直進安定性の重要性をいつも口にしていました。そのものづくり思想が実験研究部内に根付き、立花さんら初代ロードスターを開発した実研部員達にも深く浸透していたことは、付け加えるべきだと思います」と続けた。

独特な「ひらひら感」を生み出した若手実研部員

現在でもマツダの操安性能開発部に在籍する笠原哲は、入社4年目の1987年、発売直前のLWSの操安性開発を担当することとなった。

シャシー実研課操安チームに属していた笠原は、LWSの開発が進んでいることを知り、希望してスポーツカーチームに異動した。ここでは、実研企画の立花が、リーダーとしてLWSのシャシー開発を指揮していた。立花から参考にすべきクルマとしてMG-Bの話を聞かされ、彼自身も1968年製の同車を手に入れてみたが、車歴20年のクルマでは本来の性能は維持されていなかったと言う。

「借りてきたロータスエラン、MGB、アルファロメオスパイダーなど既存のLWSを数種類試乗してみましたが、どれも骨董品に近く、参考にすべきものは少なかったと記憶しています。しかし、ロータスエランだけは軽量ゆえの楽しさが味わえるクルマでした」と笠原は当時を回顧する。「いま思い出しても、とても難しい開発でした。なんと言っても、前例がないわけです。先代に較べてもっとこの部分を伸ばそう、という開発ができない。開発陣にとって基軸となる現状はなく、あるのは志だけです。平井主査の想い描く“人馬一体”という世界は、一体どういうものなのか。雲を掴むような話を一つひとつカタチにしてゆくような日々でした。ただ、これだけははっきりしていました。路面とクルマとドライバーが一体になって、心ゆくまま運転を楽しむことができたとき、人馬一体の意味がわかるときだ、と」。

初代ロードスター復刻版タイヤのセットアップを担当した笠原
(P55参照)

「対地キャンバーゼロジオメトリー」をテーマに設定

メカニカルプロトタイプ(開発車両)車を使ったシャシー領域の開発では、設計図に従って製作された試作サスペンションが設計意図どおりに作用するか、強度や性能が不足しないかをテストによって確認・検証し、主としてクロスメンバーやアーム類、ハブキャリアなど大物部品のレイアウト、剛性・強度を決めることが目的であった。作業は、ロール干渉(サスペンションのストローク時のアーム動作によるタイヤのトー角、キャンバー角変化)を調整し車両の挙動をコントロールしたり、サスペンションやステアリング系の剛性確保、ステアリングギアレシオの決定など多岐にわたった。また、立花がこだわった指定タイヤによるテストもそのメニューの中に入る。実際に試作車を作って確かめてみないと分からないことが、山ほどあった。ヨー慣性モーメントの低減や50：50の前後重量配分などが織り込まれたメカプロ車(メカニカルプロトタイプ)を使うことで、初めて正確な評価ができるようになった。

メカプロ車のジオメトリーを決める際のキーコンセプトは、「対地キャンバーゼロ」であった。四輪ダブルウィッシュボーンのスポーツカーのタイヤのショルダー部が先に磨耗してはならない、と笠原は肝に銘じていたという。そのため、サスペンションのハードポイントを変えながら、三次試験場の操舵路を走り、タイヤトレッド面の外側と内側の測温を繰り返し、その差が最も小さくなるようなロールキャンバーのジオメトリーを探った。このジオメトリーを採用した効果は絶大で、コーナリング時に車体がロールしても常にタイヤが路面に対し直角に保たれることでタイヤが片減りすることなく、そのポテンシャルを使い切ることができた。また、横Gの変化に対し接地形状が急激に変化しなくなったことで限界時のグリップの変化が穏やかになり、コーナリング時のコントロール性の向上に効果を発揮した。

量産車に近いS1と呼ばれる試作車では、操安性セッティングも佳境を迎えた。立花や笠原らは、アメリカやメキシコにこの試作車を持ち込み、それぞれ特徴的な道を走ってはメカプロ車で決めたジオメトリーの確認を行っている。帰国後は、最終仕様となっていなかっ

1988年当時の立花部長(左)と笠原

1989年2月　シカゴオートショー

たダンパー、スプリング、スタビライザーの仕様を決める作業を行なった。ここで最も笠原らを悩ませたのが、ソフトトップオープン時、クローズ時、DHT(ディタッチャブルハードトップ)装着時で、ボディ剛性が変化するので、いずれの状態にも寛容なサスペンション仕様とする必要があった。何通りもの組み合わせをセットし、収束点を探っていく地道な作業だ。その結果、比較的柔らかめのコイルスプリングに細いスタビライザーを選び、バンプストッパーのクリアランスを多めにとることで、車体が柔らかいバネの上で浮いているようなセッティングにすることで、車体剛性の変化に対する整合を取った。これがのちに「ひらひら感」と呼ばれる初代NAロードスター特有の乗り味の実現につながっている。いよいよ人馬一体の走りが形になっていった。

シカゴオートショーでワールドプレミア

マツダは、1989年2月のシカゴオートショーで、ロードスターの北米仕様であるMX-5ミアータのワールドプレミアを実施した。マツダスタンドには、アメリカ国旗の色要素と同じレッド、ブルー、ホワイトの3色のボディカラーが並べられ、連日MX-5ミアータを目当てとした来場客で賑わった。また、会場にはイエローに塗られたコンセプトカー「クラブレーサー」も展示されていた。このコンセプトカーは、MRAが造形したブリスターフェンダー、大型のエアダムスカート、ダックテールスポイラーと固定式ヘッドライトが架装されたグラマラスなもので、「日本で最終仕上げが施されたMX-5ミアータのファニールックに対し、もっとマッシブでレーシーな雰囲気を持つクラブレーサーを望む、というマツダUSAの願望を形にしたものでした」と福田元デザイン本部長は後年語っている。このショーでMX-5ミアータを初めて見た日本人ジャーナリストやメディア関係者から、「日本車メーカーにも関わらず、日本よりも早くアメリカでこのクルマを発表するのはけしからん」との意見を受け、日本国内でのメディア向け試乗会が前倒しとなった。

1989年2月 事前試乗会(ハワイ)にて、平井主査(右)と福田本部長

シカゴショーから10日後、ハワイ・オアフ島にてアメリカのメディア向け事前試乗会が行われ、日本から送り出した15台の北米仕様MX-5ミアータが試乗車として提供された。拠点となったアロハスタジアム(アメリカンフットボール専用競技場)をベースとして、オアフ島を半周回るドライブコースは風光明媚で、オープンカーを試乗するにはうってつけのロケーションであった。また、スタジアムのパーキングロットには臨時ジムカーナコースが作られ、立花らが腕を振るってMX-5ミアータの多様な楽しみ方をメディア訴求していた。その後、同年5月から北米向けMX-5ミアータは出荷が始まった。

「ユーノス」ブランドの発足

トヨタ、日産、ホンダが先行する日本国内での新車販売の世界で、それまで5%程度だったマツダの占有率を10%に押し上げるという「B10計画」が国内営業本部では進められており、フォードブランドのマツダ車を販売するため1981年に設立されたオートラマに続き、ヨーロピアンテイストのマツダ車を販売するネットワークとして「ユーノス」ブランドを1989年に立ち上げた。既存マツダディーラーだけでなく異業種からも参入を募り、全国133店舗で販売網をスタートし、その専売車種第一弾が「ユーノス・ロードスター」となった。ロードスター人気で、一時各店舗は活性したが、その後、ユーノスコスモ、ユーノス100、ユーノス300、ユーノス500、ユーノス800、ユーノスプレッソなどの専売車をリリースするものの、チャンネル再編により1996年にはマツダブランドに統合されている。

1989年7月3日、日本でも神奈川県箱根にて、ユーノスロードスターのメディア向け事前公道試乗会が開始され、同日「ユーノスロードスターは、9月1日より全国のユーノス販売会社から発売」と発表された。リリースには、車両価格は、ベースグレードが消費税別170万円で、7月5日から電話で予約を受け付けるとされていた。また、特設会場での予約は、7月29日から8月6日まで開設する全国46箇所の予約会で受け付けることとなった。その予約会には、購入希望者が殺到。月販目標1000台のこのクルマは、一夜にして納車数ヶ月待ちの人気車となったのである。

1st-GENERATION ROADSTER

第2章　初代NAロードスター

1989年9月、事前に人気が沸騰した「ユーノスロードスター」(NA6CE型)は、予定通り予約会で商談が成立したオーナーの手元へ、次々と手渡されていった。同年に日本国内だけで9,300台をデリバリー、アメリカを主体とした海外マーケットには約34,000台が出荷される人気車となった。翌1990年は96,000台、1991年にも63,000台を生産するなど、長い間新車効果が続いた。

その間、ロードスター/MX-5オーナー有志による愛好クラブが世界各国で自然発生し、クラブミーティングや合同ツーリングなどのイベントが自主的に開催されている。

1990年代のマツダは、1990年に20B型3ローターエンジンを搭載したユーノスコスモを発売すると、1991年6月にルマン24時間レースでマツダ787Bが総合優勝を果たし、同年9月にはアンフィニRX-7を発売。1992年にはV6型2.5Lエンジンを搭載したMX-6、軽ミッドシップクーペであるオートザムAZ-1など多数の新型車両を発売した。

1990年代前半の日本はバブル経済に沸き、あちこちで大規模な商業施設や観光開発が盛んとなり、市民生活も豊かになった。一方、その後、株や不動産投機の急速な減退を機に、一気に反転不況となる。販売チャンネル拡大と商品拡充を進めてきたマツダも、1995年を境に縮減に転じ、1996年には資本提携先の米フォードが出資比率を33.4%に引き上げて、事実上フォードの傘下となる。同年6月にヘンリー・ウォレス社長が就任した。ユーノスチャンネルやアンフィニ店はマツダまたはマツダアンフィニに統合された。

一方、オートフリートップ装着車が人気を呼んだボンゴフレンディや自由形ワゴンのデミオ、新型カペラワゴンなど新機軸商品を発売し、業績回復に努めた。1998年には、モデルチェンジした2代目ロードスター(NB6C、NB8C)を発売した。

初代NA型ロードスターは、1960年代に欧州で人気を博した伝統的ライトウェイトスポーツカー(LWS)を最新の技術で蘇らせ、人とクルマが一体となって走る歓びを感じられる「人馬一体」感覚のクルマを目指して開発された。スポーツカーとしての絶対性能重視ではなく、「使い切る楽しさ」に重きを置いているのが特徴だ。また、当時のプレミアムブランドだったユーノスチャンネルから販売されたことから、日本では「ユーノスロードスター」の名前で親しまれた。初代ロードスターは、1989年9月から1997年12月まで販売され、1990年3月には4速オートマチックを新規設定、1993年には従来のB6型1.6Lに代えてBP型1.8L　DOHCエンジンへパワーユニットを変更するなど、時代の要請にあわせて改良を加えながら、ライトウェイトスポーツとしての本分を見失うことなく、後世へとその志をつないでいった。9年間で全世界累計431,506台を生産した。

商品コンセプト

初代NA型ロードスターは、「ドライバーとクルマが人馬一体となって自然のなかを駆け巡り、走る歓びを全身で感じるライトウェイトスポーツを目指して開発されている」と当時の技術資料に記されている。太陽の光や風を感じることのできるオープン2シーターボディ、そしてライトウェイトスポーツの伝統であるフロントエンジン後輪駆動を採用し、その後今日の第4世代まで継続してその形式を継承している。開発前の検討段階では、前輪駆動やミッドシップレイアウトも候補にあがったが、軽快で素直な操縦性に加えて二人でのショートトリップを可能にするためのラゲッジスペースなどを考慮し、最終的にフロントエンジン・後輪駆動を採用している。

[人馬一体を実現するための目標]

① **一体感：ドライバーが路面の状況とクルマの性能のバランスをクルマに問いかけながら、人とクルマが一体となってクルマを操る楽しさを実現すること。**
② **ダイレクト感：すべての操作が打てば響くようにドライバーの意のままに反応するクルマとすること。**
③ **タイト感：常に適度な緊張感を醸し出すこと。**
④ **走り感：走りの絶対性能はもちろんのこと、それ以上にドライバーの体感性能を優先すること。**

さらに「ライトウェイトスポーツの命である軽量化を徹底する」「"本物"であること。すなわち、10年経っても陳腐化することなくオーナーの所有する喜びを提供すること」も開発の重要なテーマとして設定されている。また、人馬一体を感じるために、クルマの各部をどう作り込むかを検討した「フィッシュボーンチャート」(特性要因図)が平井敏彦主査の指示によって作られ、クルマ全体の「感性（フィーリング）」に統一感を持たせる試みがなされている。

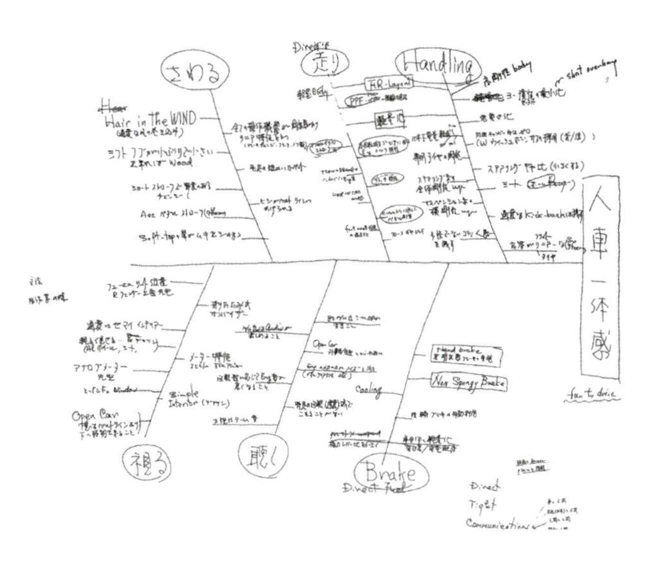

ロードスターのパッケージング

NA型初代ロードスターのボディサイズは、全長3,970mm、全幅1,675mm、全高1,235mmでホイールベースは2,265mmである。ライトウェイトスポーツの真骨頂である軽快で素直な操縦性を実現するため、ヨー慣性モーメントの最小化と前後重量配分の最適化が図られている。エンジンや45L燃料タンクなどの重量コンポーネントは可能な限りホイールベース内に収めるとともに、アルミ製のボンネットフードやラジエター、軽量バッテリーなどを採用。前後のオーバーハングを軽量化し、2名乗車時に50：50の前後重量配分になるように設計されている。また、個々の部品を軽量化するとともに、重心位置を下げるためにレイアウトにも細心の配慮が施されている。

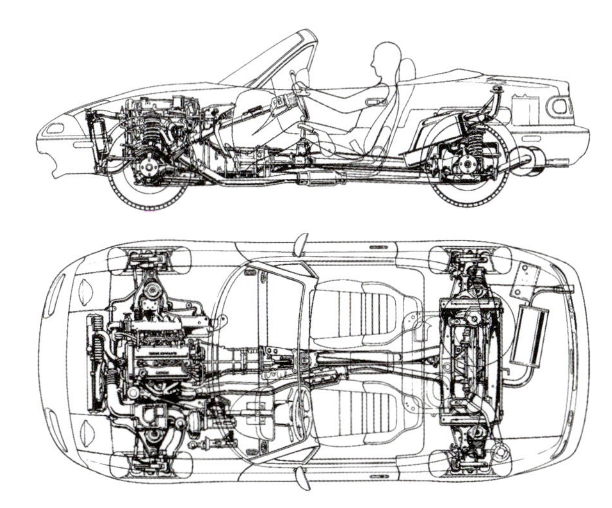

ときめきデザイン

初代NAロードスターのスタイリングは、スポーツカー本来の目的である気持ちよく走るための機能を優先させ、無駄のないジャストサイズを求めて開発されている。当時マツダ社内で提唱された「クルマはもっと心ときめくものではならない」という「ときめきのデザイン」は、日本らしい美しさを求めたもので、線に頼らない光と影のリフレクションをデザインの根幹としており、この考えは現在のマツダ「魂動」デザインにも継承されている。

エクステリアのデザインには、日本の古典芸能である能面にみられる輝き、張り、緊張感を取り入れている。ボディは全体が連続した曲面で構成されており、どこをとっても独立した面を持たない。オープン走行時のコクピットへの風の巻き込みを適正化させるため、フロントウインドーの傾斜角、サイドアウターミラーの形状、大きさ、位置などを検討し、最適化を図っている。リトラクタブルヘッドランプは、1985年に発売されたFC3S/3C型サバンナRX-7と同様、当時のマツダのスポーツカーアイデンティティでもあり、また視認性の高いリアコンビランプとハイマウントストップランプなどが特徴的なテールエンドを造形している。発売当初のボディカラーは赤、青、白（クラシックレッド、マリナーブルー、クリスタルホワイト）の3色のみで、日本市場にはシルバー（シルバーストーンメタリック）が追加設定された。

インテリアは、スポーツカーに乗り込む際のときめきや一種の緊張感を演出するため、日本の伝統的茶室をイメージしたシンプルでタイトな空間となっている。ライトウェイトスポーツらしいインテリアを構成する要素としては、大径で視認性の高いメーター、すっきりとしたデザインのT字型インストルメントパネル、ホールド性の高いハイバックシートなどがあげられる。なお、シートファブリックは黒だったが、パターンは日本の畳柄を選んでいるという。

人馬一体実現の要となったシャシー設計

「操って楽しいクルマ」を実現するため、まずクルマの基本レイアウトを素性の良いものにし、スポーツカーとして十分な操縦性能を備える必要があった。そのために、下記の5つのテーマを設定し、これをシャシー領域の担当者だけではなく開発者全員で共有。全員がクルマの基本レイアウトの重要性を認識しつつ、各領域を作り込むという重要な指標となった。

・フロントエンジン後輪駆動であること
・ライトウェイトであること(車両重量は1トン前後に)
・前後重量配分は50：50であること
・ヨー慣性モーメントが小さいこと
・重心高が低いこと

ロードスターのサスペンションは一から設計されたもので、前後とも足回りのセッティングに自由度のあるダブルウィッシュボーンを採用している。これにより、走行中の対地キャンバー角の変化を抑えることができ、素直でコントロールしやすいハンドリングを実現している。また、ユーザーがチューニングする楽しみを味わうため、アライメント調整など足回りのセッティングが思いのままにできる設計にこだわっているのも特徴だ。

当初はダブルウィッシュボーンによる重量増とコストを懸念する声があったが、ストラットサスペンション並の重量とコストで設計することを目標としたことで、実現に漕ぎつけている。まさに、平井主査とシャシー設計担当の貴島孝雄の執念が会社を動かしたのである。従来のテスト方式の見直しやコンピューターによる当時最新の構造解析を行い、軽量ながら強度・耐久性が最適な部品設計を実現。さらに、各サスペンションアームやクロスメンバー部品のプレス用金型を左右共通化し、コスト削減にも成功している。

ステアリングはラック＆ピニオン式で、ダイレクト感を高めるためにラックの直径を大径化して剛性を向上。パワーアシスト式とマニュアル式が設定され、それぞれのギア比とロックトゥロックは、パワーアシスト式が15：1、2.8回転で、マニュアル式が18：1、3.3回転となっている。

ブレーキは油圧式で、フロントはベンチレーテッドディスク、リアはソリッドディスクブレーキを採用。ヨー慣性モーメントを低減するため、キャリパーの位置を車両の中心側へ配置するなど工夫がなされている(フロントは車軸後方、リアは車軸前方)。

初代NAロードスターのタイヤサイズは185/60R14、ホイールは標準がスチール製で、オプションには7本スポークのアルミ製が設定されている。当初は8本スポークが検討されたが、軽量化と動的なイメージを重視して7本が採用されたという。タイヤは往年のライトウェイトスポーツカーを想起させるクラシックなトレッドパターンにこだわり、軽快なドライビングフィールと乗り心地のバランスを追求。さらに同サイズの標準的なタイヤに比べて約10%の軽量化を図っている。

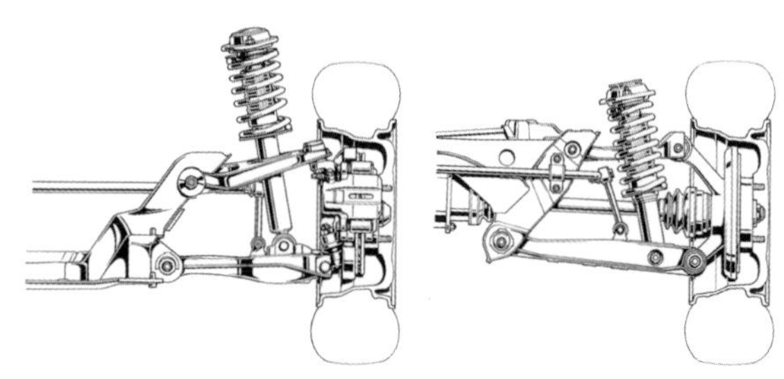

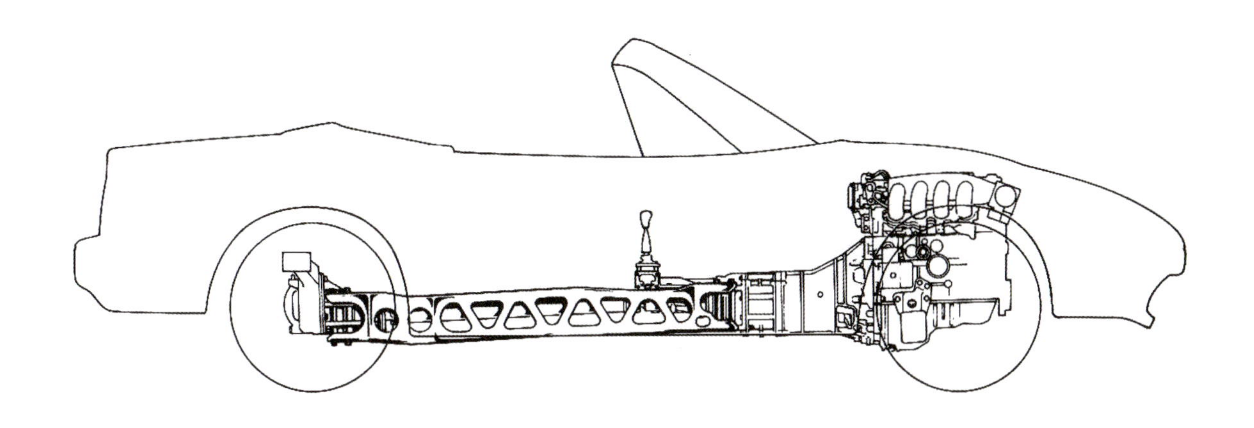

ダイレクト感を生む
パワープラントフレーム(PPF)

フロントエンジン後輪駆動は、エンジンからタイヤまでの経路が長く、駆動系がたわむことによるトルクの伝達遅れがあるため、アクセルペダル踏み込み後のレスポンスはフロントエンジン前輪駆動に譲る部分がある。ダイレクトなスロットルレスポンス実現のため、マツダで初めてトランスミッションの後端部とディファレンシャルギアケースの前端部を結合させるパワープラントフレーム(PPF)が採用されている。これにより、ドライブトレイン全体をひとつの構造体とすることができ、アクセル操作に対するタイヤの駆動力の応答性が高まり、ダイレクト感は飛躍的に向上する。また、PPF採用による重量増加を極力少なくするため、材料はアルミニウム合金の展伸材とし、強度を確保しながら応力集中の少ない重量軽減穴を多数設けた軽量構造となっている。PPF単体の重量は、4.3kg、ボルトなどを含めても4.9kgに収まっている。

感性を刺激するパワートレイン

パワートレイン開発では、ドライバーの感性を刺激する「走り感」の実現と、ライトウェイトスポーツらしいエンジン本体とエンジンルームの機能美を追求している。

BF型ファミリア用のB6型横置きエンジンをベースに、フロントエンジン後輪駆動用に新開発したB6-ZE(RS)型1.6L DOHC縦置きエンジンを搭載。最高出力120ps/6,500rpm、最大トルク14.0kg-m/5,500rpmを発生する。強化された鋳鉄製シリンダーブロックと

アルミ鋳造のシリンダーヘッドを備え、ボア×ストロークは78 × 83.6mm、圧縮比は9.4：1で、電子制御式燃料噴射システム(EGI)を装備。動弁系の改良、フルバランスのクランクシャフト、軽量コンロッドの採用などにより、レッドゾーンは、ファミリアの7,000rpmから7,200rpmに引き上げられている。パワーを体感するまでのプロセスを重要視し、鋭いレスポンスかつレッドゾーンまで気持ちよく伸びる高回転型のトルク特性を実現。また、1993年7月の商品改良を受け、全モデルが最高出力130ps/6,500rpm、最大トルク16.0kg-m/4500rpmを発生するBP-ZE(RS)型1.8Lエンジンへと変更されている。

5速マニュアルトランスミッションにドライバーの意思を伝達するシフトレバーのストロークは、当時国内量産車最短の45mmとし、素早く確実なシフトワークを可能にしている。素早くシフト操作をしてもスムーズさを失わないよう、シンクロメッシュには大型のシ

ンクロナイザーコーンが採用され、クラッチも大幅にイナーシャが低減されている。また、時にはパワースライドの醍醐味を味わえるように、ビスカスカップリング式のリミテッドスリップデフ（LSD）を標準装備。発売当初はマニュアルトランスミッションのみだったが、1990年3月に4速オートマチックを追加している。

アルミ製オイルパンの採用や、排気マニホールドや排気管をステンレス化するなど、徹底した軽量化も実施。メカニカルノイズやこもり音を低減するいっぽうで、スポーツカーらしい排気音を実現するため、サウンドにこだわったチューニングを施している。また、エンジン特性にふさわしい造形美を実現するため、ヘッドカバーはDOHCの2本のカムシャフトを強調した専用のデザインとし、アルミ素材の美しさを生かすため、鋳造した状態から表面を加工しない仕上げとなっている。

軽量と高い剛性を両立したオープンボディ

初代NAロードスターのスチール製モノコックボディは、フルオープンのクルマとしては極めて高い剛性を持っている。高剛性を確保しながら軽量化を図るという相反目標を達成するため、当時の最新のコンピューター技術を駆使し、綿密な応力解析や実験を行なった結果である。材料は強度よりも剛性が重要な部分には普通鋼板を、剛性よりも強度が重要な部分には板厚の薄い高張力鋼板を使用。また、フロントおよびリアのメインフレームをバンパーからキャビンまで水平に通すことで、衝突時のダメージを軽微に抑えるなど、修理の容易性にも配慮されている。また、ボディ本体だけではなく、ヨー慣性モーメントに関わるオーバーハング部分の部品を徹底的に軽量化。先端にあるバンパーのエネルギー吸収体には、新開発されたブロー成形レインフォースメント（樹脂製の中空成形）を採用している。また、ボンネットはアルミ製である。

ソフトトップの開発には、ファミリアカブリオレやRX-7カブリオレなどのモデルで得た知見を活かしながら、英国のインターナショナル・オートモーティブ・デザイン社（IAD）から派遣されたエンジニアの協力を得て、高い信頼性と実用性をもった設計を実現している。軽量かつシンプルな構造のソフトトップは、開閉のしやすさに配慮されており、バックウインドーは軽量化のため塩化ビニール製となっている。また、シールドモールドコンパウンド工法で仕上げたディタッチャブルハードトップ（DHT）をオプション設定。美しいデザインや耐候性を高めるアクセサリーとして人気を集めた。ガレージ内収納のため、専用のスタンドラックまで用意されていた。また、北米向けには、マツダ車として初めて運転席エアバッグを装備。当時最新の安全法規への対応も行なわれている。

モデルサイクル期の変遷

1989年9月〜1997年12月

「ユーノスロードスター」新発売

1989年9月1日発売

【価格】 1,700,000円

マツダの販売組織として(株)ユーノスが1989年9月1日に営業を開始。同時にスタートした全国の「ユーノス」特約店で「ユーノスロードスター」を発売した。機種は、5MTの標準車のみ。車重は940kg。外板色は、クラシックレッド、マリナーブルー、クリスタルホワイト、シルバーストーンメタリックの4色を設定。オプションのDHTは、クラシックレッドかブラックの2色を別途オプションとして用意した。パワーステアリング、パワーウィンドウ、MOMO製本革ステアリング、14インチアルミホイールがセットとなったスペシャルパッケージがセットオプション(税別150,000円)となっていた。月間販売計画は、1,000台。

ユーノスロードスター「Vスペシャル」発売

[機種追加] 1990年7月26日発表　8月25日発売

【価格】 2,122,000円〜2.347,000円

【仕様】ユーノス創業1周年を記念して“ユーノスロードスター「Vスペシャル」”を機種追加。独特の濃緑カラー(ネオグリーン)の外板色とシート、ドアトリム、シートベルトなどの内装にタン色を組み合せた。本革シートや木製パーツの採用により、より上質で落ち着いた大人の味わいを持つクルマとなっている。従来オプションであったパワーステアリング、パワーウィンドウ、14インチアルミホイール、CDプレーヤーを標準装備。ステアリングホイール、シフトノブ(5MTのみ)をNARDI製ウッドパーツとし、パーキングブレーキグリップには南米ベリー材ウッドを採用した。2色のみだったDHTに、新たにブルー、ホワイト、シルバーおよびネオグリーンを追加し、全外板色対応となった。

1989　1990　1991

「ユーノスロードスター」に オートマチック車を追加

[機種追加] 1990年2月21日発表　3月15日発売

【価格】 1,740,000円

【仕様】4AT(ロックアップ付4速オートマチック)仕様車。エンジンは専用チューニングが施され、最高出力は110ps/6,000rpm、14.0kg-m/4,500rpmに。車両重量は標準車+30kgとなった。月間販売計画を400台とした。

Vスペシャル“ブラック”

J-LIMITED

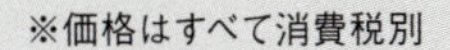

※価格はすべて消費税別

「J-LIMITED(サンバーストイエロー)」、「Vスペシャル“ブラック塗装”」発売

[特別仕様車および商品改良] 1991年7月30日発表　8月26日発売

【販売台数】 J-LIMITED 800台限定

【価格】 J-LIMITED　1,900,000円(5MT)
〜2,095,000円(5MT DHT) 4ATは+40,000円
Vスペシャル“ブラック塗装” 2,157,000円(5MT)
〜2,352,000円(5MT DHT) 4ATは+40,000円

【特別装備】 ユーノス創業2周年記念車として、「J-LIMITED」と「Vスペシャル“ブラック塗装”」の2車種を設定した。限定800台の「J-LIMITED」は、“サンバーストイエロー”特別専用外板色で塗装。イエロー塗色のDHTを用意したところ、注文が殺到し抽選となった。NARDI製ウッドステアリングホイール、同シフトノブ(5MTのみ)、ウッド製パーキングブレーキグリップを装備している。あわせて、「Vスペシャル」に“ブリリアントブラック塗装”を機種追加。これまでのネオグリーンに加え、ブリリアントブラックを外板色に加えた。この商品改良を機に、全車にトランクオープナー、シートベルトテンションリリーバー、オーディオ下部の小物入れを設定。一部機種に電動式アンテナ、運転席側パワーウィンドウのワンタッチ化、ディタッチャブルハードトップに熱線プリント・トップシーリングを追加採用している。標準車の4AT設定を廃止、ABS付車を設定した。

Sスペシャル

創業3周年記念ロードスター「Sスペシャル」発売

[機種追加] 1992年7月29日発表　9月1日発売

【価格】 2,033,000円（5MT）

【特別装備】 専用ビルシュタイン社製ダンパー、BBS社製新デザインアルミホイール、フロントサスタワーバー、ステンレス製スカッフプレート、キックプレート、NARDI社製本革巻ステアリング、NARDI社製本革巻シフトノブ、リアスポイラーを装着。運転席SRSエアバッグシステムがディタッチャブルハードトップ、センソリーサウンドシステム（ソフトトップオープン、クローズおよびワイドの切り替えで最適な音場を実現する）とセットオプションで選択可になる。外板色は、クラシックレッドとブリリアントブラックの2種類。内装はいずれもオフブラック系ファブリックを採用している。

センソリーサウンドシステム

1992

ユーノスロードスターの安全装備を充実

[商品改良] 1992年8月19日　発表/発売

全車に安全対策を充実、「Vスペシャル」の装備を一部追加

【価格】 1,735,000円（標準車）
　　　　2,182,000円（Vスペシャル5MT）

【仕様】 全車に乗員の側突安全性を高めるサイドインパクトバー、シートの表皮材に難熱材を採用。運転席SRSエアバッグシステム（メーカーオプション）はABS（アンチブレーキロックシステム）とDHT（ディタッチャブルハードトップ）とのセットオプション。ただし、Sスペシャルは、DHTとセンソリーサウンドシステムとのセットオプション。「Vスペシャル」にステンレス製キックプレートを採用した。

ユーノスロードスター「Sリミテッド」発売

[特別仕様車] 1992年12月18日発表　1993年1月3日発売

【販売台数】 1,000台限定

【価格】 2,350,000円（5MT）

【ベース車】 Sスペシャル

【特別装備】 専用のチューニングサスペンション（ビルシュタイン社製専用ダンパー他）、フロントサスタワーバー、NARDI社製革巻ステアリング、同革巻シフトノブ、キックプレート、シートに赤系色の本革を採用。ドアトリム、シートベルト等内装色にはシートに合わせた赤系色を採用している。BBS社製デザインアルミホイール（ゴールドタイプ）、センソリーサウンドシステムを標準装備し、Vスペシャル同様インパネ上部及びメーターフードに「プロテイン塗装を施した。外板色は、ブリリアントブラック塗装のみ。2月2日には、Vスペシャルにセンソリーサウンドシステムが標準装備となる。車両価格は、+58,000円の2,240,000円（5MT）。

Sリミテッド

※価格はすべて消費税別

「ユーノスロードスター」、全車に1.8Lエンジンを搭載

[商品改良] 1993年7月20日発表　9月1日発売

【価格】　1,755,000円〜2,400,000円

【主な変更点】発売から3年10ヶ月が経過し、時代の要請による環境保護と安全性向上を図りながら、クルマを操る楽しさを徹底追及し、スポーツカーに求められる運動性、快適性をバランスよく実現する商品改良を行った。まずは、全車にBP型1.8L DOHCエンジン採用（総排気量1,839cc、最高出力130ps/6,500rpm、最大トルク16.0kg-m/4,500rpm）を搭載し、パフォーマンスアップを図った。また、フロントパフォーマンスロッド、U字型リアパフォーマンスロッド、左右シートベルトアンカー間を結合するブレースバーを設けて車体の剛性向上を果たした。また、サスペンションを改良し、約1kg軽量化された新デザインのアルミホイールを採用し、路面追従性を高めている。ブレーキディスクローターのサイズを拡大し、ブレーキの倍力装置の能力向上などで制動力もアップしている。5MT車にはトルセンLSDを採用。オートマチック車には電子制御4段ATを採用し、1速/2速/3速を任意に固定できるホールドモード機構を備えた。外板色は、ラグナブルーメタリックをSスペシャルに追加し、標準車にシャストホワイトを追加（マリナブルー、クリスタルホワイトは廃止）した。

ベージュ色ソフトトップ、バフ仕上げのアルミホイールを採用したVスペシャルタイプⅡを機種追加した。VスペシャルIIの価格は、5MTで2,400,000円。快適装備として、ドアトリム（左右）のデザインを変更しドアポケットを設置、電動リモコンドアミラー装着車を設定した。環境保護対応として、大気中のオゾン層を破壊しない新冷媒R134aをエアコンに採用した。

VスペシャルタイプII

1993

1994

ユーノスロードスター「JリミテッドⅡ」発売

[特別仕様車] 1993年12月16日発表　1994年1月2日発売

【販売台数】 800台限定

【価格】 2,030,000円（5MT）、2,080,000円（4AT）

【特別装備】　1991年9月に発売した特別仕様車J-LIMITEDの第2弾。1.8L化し、車体剛性向上などを施したスペシャルパッケージ車をベースに、サンバーストイエローの外板色とフロントウインドー回りのAピラーを黒色に塗装。ホールド製の高いヘッドレスト独立型バケットタイプシートを装備している。CDプレーヤーやAM/FM電子チューナー付きカセットデッキに、高音がのびるツイーターと中低音を強調するドアスピーカーを採用したハイグレードオーディオ、ピレリ社高性能ラジアルタイヤ「P700-Z」などを装着した。

ユーノスロードスター「RSリミテッド」発売

[特別仕様車] 1994年7月20日発表　9月1日発売

【販売台数】 500台限定

【価格】 2,215,000円（5MT）

【特別装備】　ユーノス創業5周年記念特別仕様車。Sスペシャルをベースに、最終減速比を4.100から4.300に変更して、加速性能を高めている。また、レカロ社製フルバケットシート、15インチのポテンザRE010タイヤ（サイズ195/50R15）、BBS社製15インチアルミホイールを装着し、走行性能をさらなる向上を狙った。FD RX-7に使われているモンテゴブルーマイカ（深い青緑色）を外板色に採用している。5MTのみの設定で、500台限定。

ユーノスロードスター「Gリミテッド」発売

[特別仕様車] 1994年12月15日発表　1995年1月3日発売
【販売台数】 1,500台限定
【価格】 1,898,000円 (5MT)
　　　1,948,000円 (4AT)
【ベース車】 パワーステアリング、パワーウィンドウ装着の標準車
【特別装備】 サテライトブルーマイカの外板色と紺色ソフトトップでカラーコーディネイト。ヘッドレスト可動式でサポート製の高いバケットタイプシートに滑りにくい高級人工皮革「エクセーヌ」を採用。新タイプのモモ社製本革ステアリングホイール、高性能ドアスピーカーシステムの採用などで特別感を強調している。同時に、既存機種の標準車にブリリアントブラックを、VスペシャルとSスペシャルをシャストホワイトを外板色として追加設定した。

Gリミテッド

ユーノスロードスター、一部商品改良

1995年8月22日発表/発売
【価格】 1,690,000円~2,450,000円
【主な変更点】 通称"1800シリーズ2"へと進化。BP型1.8Lエンジンは、慣性モーメントを16%軽減する軽量フライホイールを採用し、アクセルの応答性を改善。空燃比を最適化することで高回転域でのトルク、馬力を向上。数値には出ない操作感の進化を果たしている。最終減速比を4.300に統一することで、胸のすく加速感を共有することとなった。ネオグリーンを標準車の外板色として追加設定、モンテゴブルーマイカをSスペシャルタイプⅠ、SスペシャルタイプⅡに採用、またSスペシャルタイプⅡは15インチタイヤ、BBS社製アルミホイールが標準装備となった。リアオーナメントの色変更。

1995

ユーノスロードスター「Rリミテッド」発売

[特別仕様車] 1995年2月8日発表/発売
【販売台数】 1,000台限定
【価格】 2,175,000円 (5MT)
【ベース車】 Sスペシャル
【特別装備】 RSリミテッド同様に最終減速比を4.300とし、加速性能を向上した。「ポテンザRE010」15インチタイヤ (195/50R15)、BBS社製15インチアルミホイールを採用。一方、サテライトブルーマイカ外板色とダークブルーソフトトップを組み合わせ、内装には、赤色本革シート、赤色ドアトリム、赤色フロアカーペットなどでファッショナブルな色使いに。NARDI社製ウッドステアリングホイール、NARDI社製ウッドシフトノブなども。5MTのみで1,000台限定。

コンビネーションA
コンビネーションB

ユーノスロードスター「VRリミテッド」発売

[特別仕様車] 1995年12月18日発表　1996年1月2日発売
【販売台数】 「コンビネーションA」700台限定
　　　　「コンビネーションB」800台限定
【価格】 2,080,000円 (5MT)
【ベース車】 SスペシャルタイプⅠ 5MT
【特別装備】 BILSTEINダンパー、フロントサスタワーバーなどで足回りを強化したSスペシャルタイプⅠをベースとしたVRリミテッドは、1996年の新春初売りモデルとして企画。外板色の違いにより、「コンビネーションA」と「コンビネーションB」の2種類が設定された。「コンビネーションA」は、アールヴァンレッドマイカ外板色にタン色ソフトトップ、トープ/ブラック内装色の組み合わせで、「コンビネーションB」はエクセレントグリーンマイカ外板色とダークグリーン色ソフトトップ、ブラック内装色の組み合わせとなっている。「コンビネーションA」には、トープ(薄茶色)、「コンビネーションB」にはブラックの本革シートを採用した。195/50R15タイヤ、5本スポークアルミホイール、アルミ製シフトノブ、パーキングレバー、シフトプレートは両モデル共通。本革シートにロードスターロゴを刺繍。

ユーノスロードスター「B2リミテッド」、「R2リミテッド」発売

[特別仕様車] 1996年12月18日　発表/発売
【販売台数】「B2リミテッド」1,000台限定
「R2リミテッド」500台限定
【価格】R2リミテッド(5MT) 2,098,000円
B2リミテッド(4AT) 1,993,000円
【ベース車】Mパッケージ車(B2リミテッド)
Sスペシャルタイプ I(R2リミテッド)
【特別装備】ファッション性を高めた「B2リミテッド」とスポーツ製を高めた「R2リミテッド」をそれぞれ限定発売。あわせて全車に運転席SRSエアバッグシステムを標準装備した。「B2リミテッド」はMパッケージ車をベースに、トワイライトブルーマイカ外板色、紺色ソフトトップ、バフ仕上げの14インチアルミホイール、クロームメッキドアミラーなとで、外装の深い色合いと光沢のあるシルバーとのコントラストが特徴だった。軽快感のあるモケット製バケットシート、FM/AM電子チューナー付きフルロジックカセットデッキと一体型CDプレイヤーを採用。一方、「R2リミテッド」は、BILSTEIN社製ダンパーなどで足回りを強化したSスペシャルタイプIをベースに、高性能195/50R15タイヤと5本スポーク専用アルミホイール、赤色本革シート、ドアトリムの一部やカーペットにも赤を採用し、ホワイトの外板色とあわせてファッション性を強調したモデルとなった。両車ともMOMO社製本革巻きステアリングホイールを採用した。

R2リミテッド

B2リミテッド

ユーノスロードスター「SRリミテッド」発売

[特別仕様車] 1997年8月22日　発表/発売
【販売台数】700台限定
【価格】1,898,000円(5MT)、1,978,000円(4AT)
【ベース車】Mパッケージ車
【特別装備】「SRリミテッド」はMパッケージ車をベースに高級感のある専用の装備を採用した特別仕様車。室内はヌバック調生地を採用、外板色にはシャストホワイトと専用色のスパークルグリーンメタリックを設定。5MT車にはトルセンLSDを装備した。バケットシートには、ヌバック調生地と本革を組み合わせ、ヌバック調生地ドアトリム、専用メーターグラフィック、クロームメッキメータリング、NARDI社製の本革巻きシフトノブ(5MTのみ)を採用した。バフ仕上げ14インチアルミホイール、クロームメッキドアミラー、FM/AM電子チューナー付きCDプレイヤー+4スピーカーを装備。このクルマが初代NAロードスター最後の特別仕様車となった。

※価格はすべて消費税別

ロードスターの世界観を拡大したメーカーの実験工房「M2」

株式会社M2は、マツダの商品企画の実験工房として東京都世田谷区砧の環状八号線沿いに1991年12月に設立した企画・販売子会社である。元「オフライン55」プロジェクトの加藤昌勝、車両実験研究部の立花啓毅が中心となって、設立に漕ぎ着けている。商品企画において、商品企画の担当者がゲストとのダイレクトコミュニケーションの中からクルマの新しい価値創造を目指すことを目的に掲げていた。M2ビルには、開発スタッフが常駐しており、来場者はM2がプロデュースする特別仕様車や試作車などに直に触れることができた。また、スタッフはその感想や要望などを直接ユーザーから聞き取ることができるため、新しいヒントの発掘やマーケットリサーチにも有効な機能であった。気鋭の建築家・隈研吾氏によって設計された斬新なデザインのM2ビルには、ミーティングルームや展示スペース、ドライビングギアやグッズ類の直販コーナーなどがあり、またマツダファンによる自発的なオーナーズクラブの拠点としての活用も積極的に促していた。

M2 1001

[特別仕様車] 1991年12月発売

M2は、最初のオリジナル車両として、初代NAロードスターをベースにした「M2 1001」を1991年12月に発表・発売した。メーカー自身がチューニングを施したハイパフォーマンス特別仕様車として人気が集中し、300台の限定台数に対して800件以上の応募があり、抽選によって短期間のうちに完売となった。

【販売台数】 300台

【価格】 3,400,000円

【装備】 最高出力130ps/6,500rpm、最大トルク15.1 kg-m/5,500rpm、圧縮比10.7のB6改型エンジンには軽量フライホイールや4-2-1排気マニホールド、スポーツマフラーを装着。専用ECUによるエンジンパフォーマンスが大きな特徴であった。また、専用開発のサスペンションは、ハードながらしなやかなフィールを実現。195/50-15 タイヤを組み合わせている。パワーステアリング、パワーウインドー、エアコンも排除した走り性能重視の装備となっており、メーターユニットやシートなどインテリアにも専用設計の部品が多数採用された。4点式アルミロールバー、専用フロントバンパー、車高の変更などにより寸法諸元はベース車と異なり、全長3, 980mm、全幅1,675mm、全高1,225mm、車重960kgとなっている。無鉛プレミアムガソリン仕様、5MT車のみ。

M2 1002

[**特別仕様車**] 1992年11月発売

初代NAロードスターをベースにしたM2モデルの第2弾。「M2 1001」が走り重視のスパルタンモデルだったのに対し、ジェントルなイメージの大人のスポーツカーを演出した。ただし、300台の限定台数に対して、実売となったのは100台にとどまった。5MT車のみ。

【販売台数】 100台
【価格】 3,000,000円
【装備】 最大の特徴は、上質なアイボリーのレザー張りインテリアである。色の妙味と、職人技の出会いによる「心ときめくスポーツカー」として企画された。アイボリー色本革仕様のシートは柔らかく質感の高いものを採用。ドアグリップ、シフトレバーブーツ、サイドブレーキレバーブーツにもアイボリーの本革を使用している。ソフトトップもアイボリー色で統一している。外装は、専用フロントスポイラーと専用アルミホイール以外は控えめで、エンジンや足回りはほぼNAロードスター標準車と同様であった。M2 1001と同じダークブルーメタリックのM2専用外板色を採用している。

M2 1028

[**特別仕様車**] 1994年2月発売

初代NAロードスター1.8L車(NA8CE)をベースにしたM2モデルの第3弾「M2 1028」は、M2 1001以上に走り重視の仕様となっている。しかしながら、価格を抑えたこともあり、限定300台はほどなく完売となった。無鉛プレミアムガソリン仕様、5MT車のみ。

【販売台数】 300台
【価格】 2,800,000円
【装備】 BP型1.8Lエンジンの圧縮比アップ、専用カムシャフト、専用エキゾーストマニホールド、専用ECUなどでプレミアムハイオク仕様140psにチューニング。－9kg軽量ディタッチャブルハードトップ(DHT)を装備しながら、標準DHT装着車と比較して50kg軽量化を実現。ソフトトップを廃止し、アルミ製ロールケージ、アルミ製トランクリッド、FRP製軽量バケットシート、アルミ製ブレースバー、鍛造アルミホイールなどを採用。DHT装着時でもリニアなハンドリングの実現にこだわった。専用サスペンションによって車高25mmダウン。牽引フックまでアルミ製とするこだわりだった。エンジンにも専用チューニングが施され、より軽快な吹け上がりを実現していた。

M2は、発売した3車種以外にもロードスターを題材に様々な企画を練っていた。「M2 1006」は初代NAロードスターにルーチェ用3.0L V6エンジンを搭載したワイドボディ車だったが、商品化までは至らずであった。また、ルーフのある二人乗りクーペとして「M2 1008」を試作し、注目を集めた。ロードスターベースのクーペは、のちに福田元デザイン本部長の指揮のもと、マツダE&Tが少量生産特別仕様車(NBロードスターベース)として商品化に成功している。同様に初代ロードスターに通常の手動装置だけでなく、片手で操作可能な変速機構を備えた「M2 1031」は車椅子利用者も楽しめるスポーツカーとして企画され、実際に走行可能なモデルも製作された。こちらものちに、マツダE&Tが受注生産車として商品化を実現している。

M2は、既存のマツダ車を使った実験的提案や、未来車の提案など全方位で企画を作り、直接ユーザーの意見を聞くという活動を行っていた。ライフステージに応じてインテリアのサイズバリエーションを選択できる、スペース効率の高いパノラマトールボーイとして企画した「M2 1024」は、のちにマツダから「ボンゴフレンディオートフリートップ」として商品化が実現している。

様々な実験プロジェクトを通して新しい方向性を見出し、多様な次世代商品企画・提案を行ったM2だったが、マツダ本体の事業統合により、1995年に活動を停止している。

※価格はすべて消費税別

TOPICS

ロードスターファンミーティングが各地で誕生

ロードスターの30年間は、このクルマを愛するファンが集い、仲間となってお互いを刺激しあい人生を謳歌してきた日々の積み上げである。初代ロードスターの発売直後から、有志によるオーナーズクラブが世界各国で産声をあげ、ミーティングや走行会などで集う機会を作っている。日本では、1990年から秋に山梨県清里高原で開催されている「清里ミーティング」や1993年に始まった「軽井沢ミーティング」などが、毎年継続開催されている。また、1996年には、全国のファンクラブの情報センターとしての機能をもつ、ロードスターファンのための会員組織「ロードスタークラブオブジャパン（RCOJ）」が設立され、各地でのミーティングの主催や運営サポートを担当している。これらのクラブやミーティングは、マツダが支援して実現しているのではなく、ファンや有志によって継続的に開催、運営されているのが大きな特徴である。

2019年はロードスター30周年にあたり、毎年各地で行われているファンミーティングは一層熱が入った。

清里ミーティング(2018) 山梨県北杜市

ロードスタージャンボリー(2019) 大分県由布市

OASISロードスターミーティング(2019) 兵庫県姫路市

SUGOロードスターパレードラン(2019) 宮城県村田町

オープン中部ミーティング(2017) 岐阜県郡上市

ほくりくミーティング(2019) 新潟県上越市

「笑顔、逢える」ロードスター軽井沢ミーティング

北陸新幹線軽井沢駅前の軽井沢プリンスホテルおよびスキー場駐車場を会場に、全国各地からロードスターオーナーが集う「ロードスター軽井沢ミーティング」。毎年5月末に開催されるこのイベントは、初回の1993年（当時の会場は北軽井沢の浅間園駐車場だった）から数え、2019年で27回目となった。ロードスター30周年を祝う同年は、各世代ロードスターが合計1,074台、参加者は2,173名が集まっている。マツダ社員やOB、役員までもが広島から愛車のロードスターで集まり、ボランティアとして運営協力している。もちろん、誘導や進行、事務局業務などは、全てロードスターオーナー達自身が担当している。実行委員長としてイベントを切り盛りしている高橋優一さんに話を伺った。

「私の地元は茨城県の水戸ですが、水戸でpeaというロードスターのオーナーズクラブがあり、初代ロードスター(NA6CE)を買ってからお世話になっていました。その後、RCNという軽井沢ミーティングを最初に立ち上げたクラブと関わり、1993年の第1回ミーティングから何らかの形で携わってきました。過去には違法改造車排除の問題や、近隣住民にご迷惑をお掛けするなど色々ありましたが、スタッフの情熱とマツダさんの協力、そして何よりも参加してくれた皆さんの理解と協力のおかげで連綿と続けてこられました。本当に感謝です。

運営委員長になったのは2014年からですが、歴史あるこのイベントに泥を塗るわけにはいかないので、緊張しますね。これまでこのミーティングを続けてこられた原動力はキャッチコピーにもなっている、皆さんの「笑顔に逢える」ことですね。軽井沢近辺ですれ違ったロードスター同士は必ず手を振ってくれるし、会場内にいる皆さんはみんな笑顔があふれんばかりです。もちろん、だれも何も強制はしていないし、自然発生的な一体感なので、何物にも代えがたいですね。あ、もちろん他のロードスターミーティングでも笑顔に逢えるし、楽しさもあるので、ここが特別でという意味ではないですよ。参加された方に配っているアンケートに「何人で参加しましたか」という設問があるのですが、自分は毎回1,200名と書いています。参加した方全員が仲間と思っていますから。

ロードスターという希有のクルマが誕生した時に自分がその時代にいて、ロードスターと共に歩んでこられたのは本当にラッキーだったと思います。ロードスターと出会えたのは20歳くらいの頃だと思いますが、一目惚れして購入資金を一生懸命貯め、1991年に念願のロードスターを購入しました。それがこの愛車です。標準車でパワステもエアコンも付いていないクルマですが、とても気に入っています。結婚して長男が生まれて、確か2000年だったと思いますが、今でも続いているペダルカーレースに長男を出場させ、優勝しちゃいました。それが一番記憶に残っていることですね。実はそれからの夢は親子揃って、ロードスターに乗って軽井沢ミーティングに参加する事になりました。

2019年の会場は2,170名で賑わった

そしてついに2018年、長男、次男揃って3台で参加することができました。子供達もそれぞれNAとNBに乗っています。もちろん二人ともボランティアスタッフとして参加してくれています。男二人はうまく洗脳できましたね。心残りは長女で、残念ながらロードスターに興味は無いみたいで、先日免許は取りましたが、ラパンだったかな、に乗っています。実は家内もNDに乗っているのです。これからのロードスターに期待するのは、やはり変わらないでいてほしいという事ですね。コンセプトもサイズも価格も。時代の流れの中で、安全装備や電子制御などの介在が増えるのは仕方ないとしても、「人馬一体」は貫いてほしい。息子二人の名前に「馬」を付けたのもそんな想いからです。ハタから見るとただの競馬ファンと思われているようですが(笑)」。

長男　拓馬さん(21歳)

ペダルカーの事は正直あまり覚えていませんが、父から散々聞かされていたので記憶に埋め込まれたという感じですね。でもロードスターの素晴らしさを教えてくれましたし、自分で運転してみるとその感覚はやはり特別で本当に楽しいです。このNBロードスターにはずいぶんと走り方のイロハを教えてもらいました。

次男　亮馬さん(19歳)

まだロードスターについて自分で語れるほど経験が無いので父や兄の受け売りになってしまいますが、このNAロードスターには100%満足しています。それにロードスターを介してこんなにたくさんの人たちと知り合いになれて、社会的な視野も広がりました(笑)。ミーティングに参加されている方を見ると、自分と同じ世代が男女の隔たり無く、ロードスター(それもNAが多い)に乗っている方が多くてビックリしています。切実な思いとしては、古いクルマの税金を高くするのは、やめてほしいです。毎年5月が怖いです(笑)。

斎藤茂樹主査も軽井沢デビュー

これが恒例のペダルカーレース

山本修弘ロードスターアンバサダー

笑顔が溢れかえる

貴島さん、福田さんも登場

ショーモデル

クラブレーサー　1989年

MX-5ミアータがワールドプレミアした1989年シカゴオートショーに出展。マツダUSAが企画したこのショーモデルは、6インチの大型スポイラーや透明な樹脂製カバーに覆われた固定ヘッドライトのほか、BILSTEIN製ダンパーなどを装備し、パフォーマンスアップをアピール。自動車専門誌の「ロード&トラック」誌は、このクルマを「Dee-Lish(美味しい)」と表現し、紹介した。

Mスピードスター　1995年

2シーターオープンカーのエンジンルームにいかに高性能ユニットを収めるかにチャレンジしたこのモデルは、200psを発生するスーパーチャージャー付き1.8Lエンジンを搭載。さらに高性能サスペンションと大径ブレーキを使用し、5本スポークホーイルと215/50ZR15タイヤを組み合わせることで、特別なドライビングフィーリングを提供する。発表されたシカゴオートショーでは、この低重心のレーシングインスパイヤモデルに多くの賞賛が集まった。

海外の主な特別仕様車

BBR TURBO

1990 英国

マツダUKがブロンディブリティッシュレーシング社と提携して企画した150psのターボ車。850台。

LE MANS

マツダ787Bのルマン24時間レース優勝を記念してリリース。150psのBBRターボを架装。24台。

SUNBURST YELLOW

Jリミテッドに採用したサンバーストイエローを活用。北米では1,519台が出荷された。

Miata Limited Edition

1.8L 5MT。ブリリアントブラック外板色に赤色内装の限定車。アメリカとカナダで合計1,505台を登録。

MONACO/MERLOT

MONACOはレーシンググリーンの外板色とし、MERLOTはワイン色の外板色。

HARVARD

シルバーストンメタリックの1.8L車。15インチホイールとレザー内装、レザーステアリングを装備。500台。

MONZA

ブリティッシュグリーン(ネオグリーン)の1.6L 5MTモデル。15インチホイールを装備。800台。

DAKAR

1.8L 5MT車をベースにトワイライトブルー外板色とグレーレザー内装、15インチホイールを装着。400台。

初代ロードスターレストアサービス開始

2017年8月、マツダは、初代NA型ロードスターのレストアサービスを開始すると発表。あわせて、2018年から廃盤となったNAロードスター用部品の一部を復刻販売するパーツ再供給を始めると宣言している。その中で、メーカーであるマツダがオーナーと直接面談し、個々のクルマの状態や要望に合わせたサービスを実施すると記されている。作業を行うマツダ社内の施設は、テュフラインランドジャパン株式会社よりクラシックカーガレージ認証を取得している。パーツ再供給は、発売から20年以上を経過したため供給終了となっている初代ロードスターの一部パーツを復刻するもので、2018年初頭より販売を開始することを発表した。パーツはオリジナルの状態にこだわり、初代ロードスター発表当時と同等のビニール生地のソフトトップなどを再現し、乗り味にこだわったブリヂストン製タイヤSF325(185/60R14)、NARDI製ウッドステアリング/シフトノブを現在の技術で復刻している。

サービスを開始するにあたっては、サプライヤー各社、専門ショップやファンクラブのオーナーなど、多方面とのディスカッションを重ねてメニューや価格を設定している。申込受付開始に先立って横浜と広島で実施した事前説明会には、600名以上のオーナーから申込を受け付けるなど、強い関心を集めた。専用WEBページより申込んだ希望者とレストア担当者が面談し、個別の要望やクルマの状態に合わせてサービス内容を決定する。基本メニューの料金は250万円(税込)で、希望および車両の状態によってオプションメニューを追加し、その都度相談の上作業見積もりを行う、としている。

基本メニューはボディとエクステリアの改修で、車両の診断、全塗装、ドア、エンジンフード、トランクリッドを含む外板パネルの新品交換、ランプ/ワイパー等の

交換、復刻ソフトトップへの張替、小ダメージの板金処理が作業項目となっている。そのほかにオプションとして、インテリアメニュー(インパネ/トリム類改修、シート表皮張替、カーペット交換など。70万円から)、エンジン・パワートレインメニュー(エンジンオーバーホール、吸排気部品交換、冷却系部品交換、トランスミッション交換、ドライブシャフト交換など。80万円から)、シャシー・サスペンションメニュー(サスペンション交換、ブッシュ類交換、ベアリング類交換、ブレーキ部品交換など。40万円から)に加えて、エアコン関連部品の交換、オリジナルアルミホイールや復刻タイヤへの交換などのオプションメニューが用意されている。

このレストアサービス対象車は、1.6Lの初代ロードスターの標準車、スペシャルパッケージ、Vスペシャル、Jリミテッドとなっている。ボディカラーは初代1.6L車販売時に提供していた全7色が対象。1.8L車やM2を含む特別仕様車については対象外となっている。レストア作業に当たるのは、マツダの車両開発を受託するマツダE&T社で、レストアプロジェクトに従事するのはマツダおよびマツダE&Tから集められた高度な技術を有するエンジニアたちだ。開始当初は、年間6台程度の作業実施、完成を予定。サービス施工内容および新品交換部品に関しては、1年1万キロ保証を付けている。

このプロジェクトでリーダーを務めるロードスターアンバサダーの山本修弘は、「NAロードスターのレストアプロジェクトを通じて、古いクルマを大切にする日本の自動車文化に貢献できるようにしたいな、と思っています。NAロードスターはグローバルで42万台作りました。日本では12万台販売しています。そのうち、現在でも2万2,000台が現役で車検を通っており、ロードスターを大事に乗ってもらっています。そのようなお客様の想いに、私たちは応えなければいけない。テュフラインラントジャパンという団体のクラシックカーガレージ認証をいただき、第三者のお墨付きをもらって私たちはレストア事業を進めています。ここまでやっとたどり着きました。お客様やサプライヤー様のご協力があったからこそ、スタートできたと思い感謝しています」と語っている。

オーナーが今後もロードスターに乗り続けられるように、マツダは供給を終了していた約170点もの部品を復刻し2018年1月より順次販売開始している。復刻したパーツの例として、ブリヂストン製タイヤSF325(185/60 R14)は、最新の製造技術や素材を用いながらも発売当時のトレッドパターンやウォール部デザインを復刻し、乗り味も再現するため、マツダ三次自動車試験場にて造り込みを行っている。また、ソフトトップは、発売当時と同じドイツ製ビニール生地が入手できないため、同様の風合いの素材をアメリカから取り寄せて新たに製作。当時より厳しい品質基準をクリアしている。その他の復刻パーツは、NARDI製ウッドステアリングホイール、NARDI製ウッドシフトノブ、アルミホイール、ホイールセンターキャップ、ガラスガイド、フロアマット、シートベルト、復刻ラベルセットなど。

ブリヂストン復刻タイヤとENKEIアルミホイール

ソフトトップはアメリカ産

NARDIステアリングとシフトノブ

SPECIFICATIONS

主要諸元

初代ロードスター（1989年9月〜1997年12月）

ボディタイプ		2ドア・オープン			
車名・型式		**ユーノスE-NA6CE** ＊1		**マツダE-NA8C** ＊1	
エンジン		B6-ZE［RS］型 ＊1		BP-ZE［RS］型 ＊1	
トランスミッション		5MT	4AT	5MT	4AT（EC-AT）
駆動方式		2WD（FR）			

■ 寸法・重量

全長・全幅・全高	mm	3,970 x 1,675 x 1,235		3,955 x 1,675 x 1,235	
室内長・室内幅・室内高	mm	935 x 1,320 x 1,025			
ホイールベース	mm	2,265			
トレッド 前/後	mm	1,405/1,420			
最低地上高	mm	140			
車両重量	kg	940	1,000	990	1,020
乗車定員		2			

■ 性能

最小回転半径	m	4.6			
10モード燃費（運輸省審査値）	km/L	12.2	10.2	12.4	10.2
60km/h定地燃費（運輸省届出値）	km/L	18.5	18.3	18.9	18.8
ステアリング形式		ラック&ピニオン式			
ステアリング倍力装置形式		エンジン回転数感応式（パワーステアリング装着車）			
サスペンション懸架方式 前/後		ダブルウィッシュボーン式			
ショックアブソーバー 前/後		筒型複動式			
スタビライザー 前/後		トーションバー式			
主ブレーキ方式 前		ベンチレーテッドディスク			
主ブレーキ方式 後		ディスク			
ブレーキ倍力装置		真空倍力式			
タイヤ 前/後		185/60R14 82H ＊2			
ホイール 前/後		14 x 5.5JJ		14 x 6JJ ＊2	

■ エンジン

型式		B6-ZE［RS］型		BP-ZE［RS］型	
種類		水冷直列4気筒DOHC16バルブ			
内径x行程	mm	78.0 x 83.6		83.0 x 85.0	
総排気量	cc	1,597		1,839	
圧縮比		9.4	9.0	9.0	
最高出力（ネット）	ps/rpm	120/6,500	110/5,500	130/6,500	
最大トルク	kg-m/rpm	14.0/5,500	14.0/4,500	16.0/4,500	
燃料供給装置		電子制御燃料噴射装置			
燃料およびタンク容量	L	無鉛レギュラーガソリン・45		無鉛レギュラーガソリン・48	
クラッチ形式		5MT 乾式単板ダイヤフラム式 4AT 3要素1段2形相トルクコンバーター EC-AT はロックアップ機構付き			
変速比	1速	3.136	2.841	3.136	2.458
	2速	1.888	1.541	1.888	1.458
	3速	1.330	1.000	1.330	1.000
	4速	1.000	0.720	1.000	0.720
	5速	0.814	—	0.814	—
	後退	3.758	2.400	3.758	2.400
最終減速比		4.300		4.100 ＊2	

＊1 1993年7月に車名・型式をユーノスE-NA6CEからマツダE-NA8Cに、エンジンをB6-ZE［RS］型からBP-ZE［RS］型に変更
＊2 1995年8月に最終減速比4.300に変更(5MT)、タイヤ195/50R15及びホイール15 x 6JJを追加設定

DIMENSIONS

四面図

単位（mm）

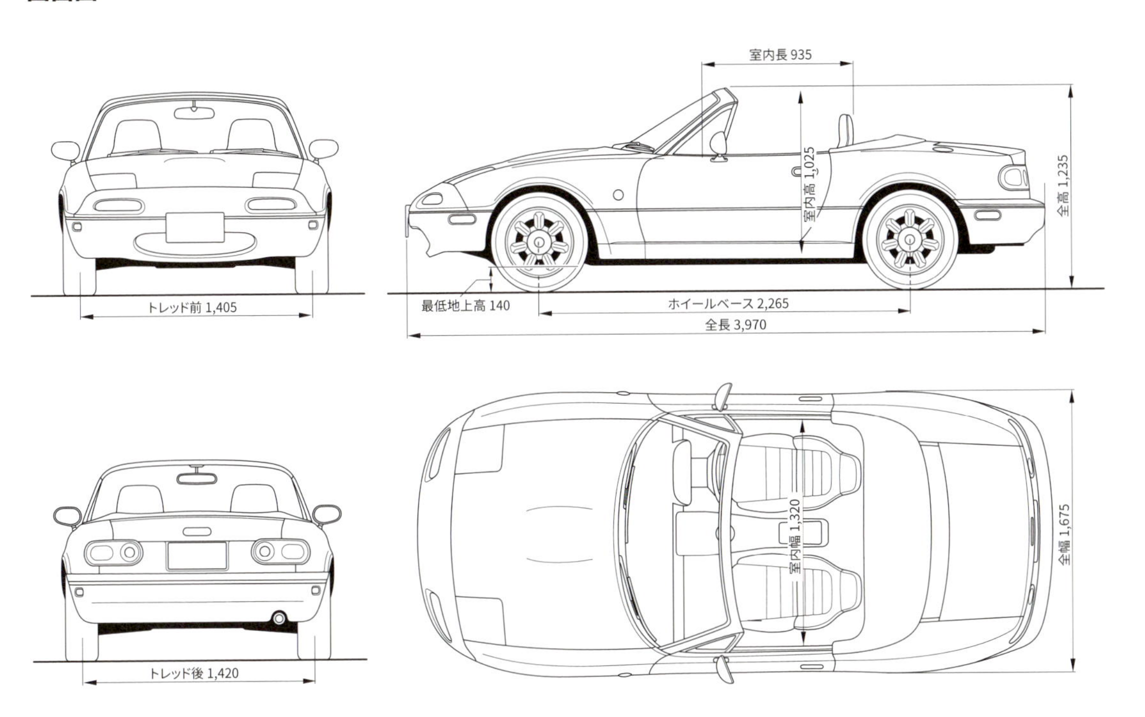

だれもが、しあわせになる。

街の通りを、はじめて見る小さなスポーツカーが、幌を開けてそれは元気に走っていく。セダンの男が振り返る。歩道をいく女性が立ち止まる。見慣れた街の風景が、いっぺんに華やぐ。2人しか乗れないし、バゲッジもそうは積めないし、ひょっとすると、人とは少し違って見えるかもしれないけれど、走らせる楽しさは、これがいちばん。ドライバーとスポーツカーのそんな軽やかな気分が、きっと、だれもの心をときめかせるのだろう。ユーノス ロードスター。基本は、小振りのオープンボディ、タイトな2シーター、FR。機械であることを超え、心の通いあった馬を操るように駆ける「人馬一体」の楽しさを純粋培養した、新時代のライトウェイトスポーツ。お届けするのは、人とクルマの新しいときめきを創造するまったく新しいカーチャネル「ユーノス」。このクルマを手に入れるほんの少しの勇気を持てば、きっと、だれもが、しあわせになる。

人馬一体、ということ。

ユーノスロードスターの開発を担当した主査の名刺には、勢いのある筆で「人馬一体」と書かれている。「人車」ではない。あくまでも「人馬」である。馬の力をフルに引き出すため、愛情と努力を注ぐことを惜しまない乗り手。そして、乗り手のわずかな動きをたちどころに察して反応し、乗り手の心とひとつになって大地を思いのままに駆けめぐる馬。乗り手と愛馬との間に通う、そうした一体感こそ、ドライバーとスポーツカーを結ぶいちばんの絆であるとの思いが、「人馬一体」という言葉には、込められている。このプロジェクトのために、すべての主要スタッフが工場内にある川沿いのロフトにこもり（彼らはそこを愛着を込めてリバーサイドホテルと呼ぶ）、寝起きをともにして取り組んできたのも、スペックでは表わしきれない「人馬一体」感を、いかに具現化するかということだった。過給機構をいっさい持たない自然吸気DOHCエンジン、P.P.F.（パワープラントフレーム）でドライブトレイン系を一体化したFR、4輪ダブルウィッシュボーンサスペンション、ヨー慣性モーメントを極小に抑えた軽量設計と低重心レイアウト、高剛性オープンボディ、そしてタイトな2シーター。すべては、絶対的なスペックやハイメカニズムより、クルマの性能をフルに引き出して走る楽しさを求めた結果だ。「人車一体」ではなく「人馬一体」。ユーノスロードスターのステアリングを握って、その絆の心地よさを感じとってほしい。

中島美樹夫
水彩画イラスト集に登場した
ロードスター Ⅰ

仙台在住の高齢のご婦人からマツダに寄贈された初代ロードスター

中島美樹夫
マツダ・デザイン部OB。
2代目コスモ、初代RX-7からユーノスコスモにいたる、数多くのマツダ名車のエクステリア/インテリアデザインを手がけた。定年後はフリーランスの水彩画イラストレーターとして活動している。

ドイツ・ハイデルベルグのホテル前に佇むMX-5

富士24時間レース連続クラス優勝を果たしたST-5仕様ロードスター

千葉県佐倉市のチューリップ畑と風車

スーパー耐久ST-4クラス仕様のNCロードスター

英国で人気が高かったNB型MX-5とハイクレアキャッスル

友人の思い出のクルマと北海道・宗谷岬

2nd-GENERATION ROADSTER

第3章 | 2代目NBロードスター

2代目NBロードスターが誕生した1998年の日本は、長野冬季オリンピックが開催され、6月にはサッカーワールドカップフランス大会に日本代表が初出場、大相撲では若乃花・貴乃花の若貴兄弟横綱時代が到来するなど、スポーツが注目された年であった。また、マイクロソフトWindows98とアップルiMacが相次いで発売され、本格的なインターネット時代へと急速に向かっていった年でもある。また、音楽CDの売り上げが過去最高を更新し、ピークを迎えた。

2001年に21世紀となり、日本はミレニアム景気を迎えた。2002年にはサッカー日韓ワールドカップ大会が開催され、小・中学生は空前のサッカーブームとなる。2001年に小泉純一郎政権が発足すると、「聖域なき構造改革」が推進され、郵政事業や道路公団の民営化などが進められる。また、世界的にデジタル機器の需要が広がり、ネット社会の拡大に伴ってIT(情報技術)産業が躍進を遂げていく。

マツダは、2代目NBロードスター発売から1年後の1999年1月にロードスター10周年記念車を世界統一スペックで発売。同年10月には、オーナーズクラブ主体によりマツダ三次自動車試験場で「ロードスター10周年ミーティング」が開催される。同年12月には、マーク・フィールズ氏が社長に就任。2002年4月には、新しいブランドメッセージである「Zoom-Zoom」を展開。それにあわせて、5月には初代アテンザを発売し、8月にはデミオがフルモデルチェンジされて2代目となる。同年、惜しまれながらFD3S RX-7が販売終了となり、代わって2003年4月にRENESIS エンジンを搭載するRX-8を発売。同10月には初代アクセラを発売するなど、プロダクトラインアップの一新を図っていった。2004年3月には、ロードスターが生産累計70万台を突破。二人乗りスポーツカーとしての生産台数世界一のギネス認定を受け、その後も記録を更新し続けている。

初代NAロードスター発売から8年が経過した1998年、2代目NBロードスターは登場した。初代は発売から時間が経っても色褪せない魅力があり、多くのファンに支持され続けてきた。そこで2代目は、その初代の基本設計やコンセプトを継承しつつ、最新の技術をもってライトウェイトスポーツとしての魅力をさらに高め、より多くのファンに楽しみを提供するという「Lots of fun」を目標として開発がスタートした。2005年のフルモデルチェンジまで全世界で約29万台を販売。多くのファンを生んだ初代のタスキを受け取り、さらにオープンエアドライビングの楽しさを膨らませ、3代目へとしっかり引き継ぐモデルとなった。

「魂」を受け継ぎ、「身体」を鍛える

初代ロードスターは、自然の音や風を感じながら走る爽快感や、クルマと一体になって走る歓びが得られる人馬一体のオープン2シーターのライトウェイトスポーツとして、世界中の多くのファンから強い支持を受けてきた。2代目の開発に際して開発の指針となったのは、初代の「魂」を受け継ぎながら「身体」を新たに最新技術で作り直し鍛え上げるということであった。基本コンセプトの見直しはせず、当時関心が高まりつつあった安全性や快適性などを取り込み、クルマとしての魅力を高めることで、ロードスターの楽しみをより多くのファンに提供することを目指している。初代NA型が培ってきた「Fun」をさらに拡大するため、「Lots of fun」という商品コンセプトを設定している。

① **Fun of Open Air Motoring（オープン走行の楽しさ）**
より手軽にオープン走行が楽しめること。冬季や高速走行時でも快適に爽やかなオープン走行が楽しめること。

② **Fun of Sports Driving（走る楽しさ、操る楽しさ）**
人とクルマが一体となって、ドライバーが自分の手足のようにクルマをコントロールできる「操る楽しさ」を創りだすこと。エンジン音、排気音が心地良いサウンドであること。

③ **Fun of Styling（スタイリングを眺める楽しさ）**
ひと目でロードスターとわかるエクステリアであること。コクピットに身を置いた瞬間から胸の高まりを感じさせるインテリアであること。

初代から継承されたパッケージの重要性

ロードスターの「操る楽しさ」を実現するため、もっとも重要な要素はパッケージである。初代で提唱した人馬一体を実現するための指針となった、コンパクトなボディサイズ、適度にタイトな室内空間、フロントエンジン後輪駆動、前後ダブルウィッシュボーン・サスペンション、パワープラントフレーム（PPF）などは、2代目NB型にも同様に採用されている。

2代目NBロードスターはプラットフォームを共通する初代とほぼ同サイズで、全長3,955mm、全幅1,680mm、全高1,235mmでホイールベースは2,265mmとなっている。前後重量配分はスポーツカーとして理想である50：50（2名乗車時）を維持。さらに、操舵した際のクルマの回頭性を向上するため、さらにヨー慣性モーメントを低減している。クルマの重心からコンポーネントまでの距離が大きくなるほどヨー慣性モーメントも大きくなるため、重量物をできるだけホイールベースの内側に置き、車体の中心に寄せて配置。ヘッドランプユニットをリトラクタブル式から固定式としたことで、左右あわせて約5.6kg軽量化している。さらにリトラクタブル機構のスペースを活用し、エンジンの吸気位置をヘッドランプ裏に設置することで、エンジン性能も向上している。また、バッテリー及びスペアタイヤをトランクルーム床下に収納して低重心化を図りつつ、トランクルーム容量は大幅に拡大している。容量は従来の124Lから144Lとなり（VDA）、9インチのゴルフバッグが2個収納できる。

デザインの継承とモダナイズ

初代NAロードスターのなめらかな曲線を持つボディや表情のあるフロントマスクは、多くのファンの心を捉えてきた。2代目NB型では、初代のイメージを尊重し、ひと目でロードスターと分かるようなデザインモチーフを継承しながらモダナイズすることを目標としてデザインされている。クルマを人の顔に例えると、ヘッドランプまわりを「目」、エアインテークを「口」として見ることができ、とくに初代はその表情が際立っている。2代目では、ヘッドランプを従来のリトラクタブル式から固定式とすることで、さらにはっきりと「目」を印象づけている。また、大きな楕円型のエアインテークを受け継ぎつつ、開口面積を19％拡大して冷却性能も高めている。また、ボディに抑揚をつけてダイナミックな躍動感を表現することで、ドライバーがボディの四隅を認識しやすくなり、運転中のクルマの挙動をより把握できるようデザインされている。

インテリアは初代のようにタイトな空間とすることで心地よい緊張感を演出しながら、シンプルななかにも時代に応じたデザインを取り入れ、機能的リファインを施している。T字型のインストルメントパネルや丸型のエアコン吹き出し口形状などは継承しつつ、より立体的な造形とすることで、スポーティなイメージを強めている。一方、グローブボックスやドアポケット、コンソールボックスなど収納スペースを拡大し、センターコンソールには当時常識となっていたカップホルダーを新設している。また、オープン走行時の風の強い巻き込みを考慮して、エアロボードを装着。オープン・エア・モータリングをより楽しく満喫できるような工夫を取り入れている。

熟成されたシャシー

初代NAロードスターの「人馬一体」感を実現する要となった前後ダブルウィッシュボーンは、2代目NB型にも引き継がれ、さらに熟成されている。フロントサスペンションはジオメトリーを全面的に変更し、リアサスペンションはストローク量を増大。また、フロントとリアともにトレッドを拡大し、ダンパーとコイルスプリングの入力分離化を行っている。これらにより、高速走行安定性や優れた路面追従性実現し、乗り心地の良さも高まっている。また、1800RSにはよりハードな専用サスペンションを採用。前後ダンパーにはビルシュタイン社製を採用して減衰の応答性を向上している。フロントにタワーバーを装着することで、サスペンションユニットおよびボディ前部の剛性を高めている。

1.6Lエンジンの復活と新技術の採用

2代目NB型ロードスターのパワーユニットには、BP-ZE(RS)型1.8LとB6-ZE(RS)型1.6Lの直列4気筒DOHCエンジンの2種類が設定されている。両エンジンとも吸排気系の改善などを行い、出力とトルクを向上させながら、低回転域から高回転域までスムーズに吹け上がるエンジン特性と、ドライバーの意志に瞬時に応えるアクセルレスポンスを実現している。特に、1.8Lユニットには大きな変更が加えられており、インテークに可変吸気システムを採用することで、回転域に応じて効果的な吸気が可能となっている。また、吸気ポート形状が変更され、吸気流速とタンブル流を最適化することで、より安定した燃焼を実現。4-2-1排気システムの採用により、残留ガスを減らしノッキングを起こさない工夫が取り入れられている。ボア×ストロークは、83.0mm×85.0mmとショートストローク化され、圧縮比は9.0から9.5に高められている。最高出力は、145ps/6,500rpm、最大トルクは16.6kg・m/5,000rpmを発生。エンジンパワーを使い切る楽しみを提供するために復活した1.6Lユニットは、最高出力125ps/6,500rpm、最大トルク14.5kg・m/5,000rpmを発生する。

1.8Lエンジンには新開発のアイシン製6速マニュアルトランスミッションを、1.6Lエンジンには改良された5速マニュアルトランスミッションを組み合わせている。6MTは5速直結タイプで、エンジンの高回転域での伸びや加速力などを引き出し、よりスポーティな走行を可能にした。いずれのトランスミッションも手首を返すだけでカチリと決まるショートストロークタイプのシフトを採用している。また、新開発の4速オートマチックトランスミッションは、よりスポーツカーにふさわしいシフトフィールとシフトスケジュールに改良され、セレクターレバーのプッシュボタンを押すことでギアが固定できるホールドモードを備えている。

ディファレンシャルギアには、左右のトラクションを常に最適に制御する“トルセン”LSDを採用している。

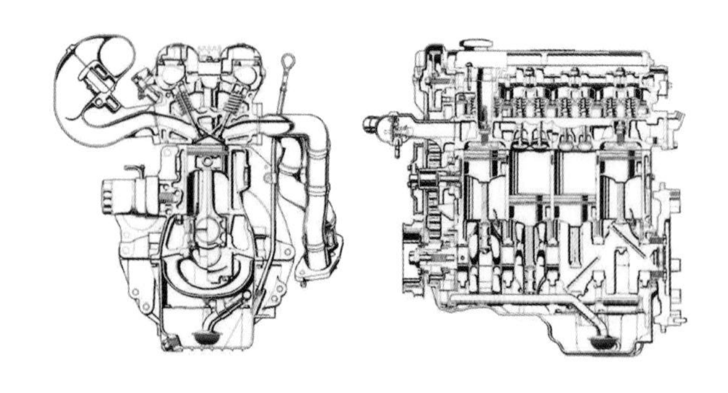

剛性を高めたボディと幌の改良

操縦安定性を高めるためにボディ構造を見直し、もっとも効果的な箇所だけに補強材を追加することで、重量増を最小限に抑えながらボディ剛性を向上している。初代で採用したアルミ製ボンネットは、クルマの運動性能を向上させる手段として2代目NB型にも継承されている。

ソフトトップのリアウインドーは、従来の塩化ビニール製からくもり防止のためのリアデフォッガー付きガラス製に変更したことで、後方視界と経年劣化を大幅に改善。また、ファスナーを廃止したことで開閉操作がより簡単にできるようになり、シール性を向上したことで雨水の侵入や風切り音を大幅に低減。さらに、骨格や格納機構の見直しで、ソフトトップ全体の重量低減も実現している。

「Lots of fun」を実現した2代目NB型

「Lots of fun」(多くの愉しさ)というテーマを掲げた2代目NB型ロードスターは、動力性能やデザインのブラッシュアップを実施したほか、乗員の快適性や安全性を向上させ、オーディオシステムには“BOSE”を初採用するなど、様々な角度から楽しさを追求している。さらに発売後も2001年にロードスターとして初めてモータースポーツ入門用ベース車両「NR-A」を設定し、インターネットでカスタマイズできるウェブチューンロードスターやターボ付きエンジンを搭載した限定車を販売。3代目へとモデルチェンジする2005年まで、ファンに多くの楽しさを提供し、ロードスターの世界観をより拡げたモデルとなった。

東京モーターショーで2代目ロードスターがワールドプレミア

第32回東京モーターショーの一般公開を数日後に控えた1997年10月22日、幕張メッセのマツダスタントにて、ユーノスロードスター改めマツダロードスターとなった2代目NB型ロードスターがワールドプレミアされた。メインステージには、エボリューションオレンジマイカ色のデビューカーが、またシャシー下面を見せるため斜めに固定されたグレースグリーンマイカ外板色の1台が展示されていた。マツダブースの他の展示車は、小型SUVのコンセプトカーやMPV、カペラワゴン、デミオEVなどが並び、日本マーケットの主軸がセダンやスペシャルティからミニバンなどのユーティリティカーやハイブリッドカーなどに移りつつある時流を反映していた。他メーカーのスタンドを眺めると、スポーツカーがメインテーブルに乗っているところはマツダ以外には皆無であった。

マツダスタンドのパンフレットには、「新型マツダロードスターが東京モーターショーでワールドデビューします。このクルマは、伝統に最新技術を組み合わせたライトウェイトスポーツの正統を語っています」と記されていた。

ターンテーブルに載せられた新型マツダロードスターRS
(エボリューションオレンジマイカ)

ダブルウィッシュボーン式サスペンションやパワープラントフレーム(PPF)などを見せるため斜めにディスプレイされた本革仕様のVSグレード

モデルサイクル期の変遷

1998年1月〜2005年7月

新型「マツダロードスター」発売

1998年1月

2代目ロードスターは、安全装備を充実したモデルであった。四輪アンチロックブレーキをAT車に標準装備し、MT車にもオプション設定した。また、サイドシルの剛性をあげ、ドア内部に2本のサイドインパクトバーを装備。運転席/助手席のSRSエアバッグは全車が標準装備となった。事故の際に拘束力を高め、一定の荷重がかかるとロードリミッターによって胸部にかかる衝撃を緩和する安全性の高いシートベルトを採用した。

機種構成は、1.6L車が標準車、Mパッケージ、装備充実モデルのスペシャルパッケージの3種類で、標準車は5MTのみ。その他は5MTと4EC-ATが選べた。1.8L車はスペシャルパッケージ、ビルシュタインダンパーなど専用サスセッティングを施したRS、タン色ソフトトップ、同色内装のウッドステアリングなどを装備したVSの3種類で、RSは6MTのみで、それ以外は6MTか4EC-ATがチョイスできた。外板色は、エボリューションオレンジマイカ、グレースグリーンマイカ、トワイライトブルーマイカ、クラシックレッド、ハイライトシルバーメタリック、ブリリアントブラック、シャストホワイトの7色。価格は、1600標準車が1,770,000円、1800RS(6MT)が2,295,000円、1800VS(6MT)は2,395,000円、1800VS(4AT)は2,443,000円であった。

1998 1999

「ロードスター10周年記念車」発売

[特別仕様車] 1998年12月15日発表　1999年1月4日発売

【販売台数】 7,500台限定(日本500台、北米3,150台、欧州3,700台、豪州150台)

【価格】 2,483,000円(国内)

【ベース車】 1800RS 6MT メーカーオプション装着車

【特別装備】 専用色(イノセントブルーマイカ)、ブルーソフトトップ&トノカバー、光沢バフ仕上げアルミホイール、NARDI社製本革巻青黒ステアリング&シフトノブ ほか

NB型2代目ロードスターは1998年1月に発売されたが、早くもその年の12月にはロードスター10周年を記念した特別仕様車が発表となり、1999年1月に発売された。「ザ・ベスト・オブ・ロードスター」のキャッチフレーズでまとめられたこのモデルは、BILSTEINダンパーを標準装備する1800RS(1.8L 6MT BOSEサウンドシステム付き)をベースとし、FD3S型RX-7に設定されていたイノセントブルーの外板色、光沢バフ仕上げを施したアルミホイールを装着。内装色は、黒を基調としながら、外板色と強調するブルーを組み合わせたツートーンとし、メーター周りのクロームメッキリング、センターコンソールパネルにはカーボン調素材を配していた。ステアリングホイールは、NARDI社製を採用し、シフトノブとシフトブーツもブルーという凝りようだった。シートは、着座面とシートバックにブルー素

「ロードスターNRリミテッド」発売

[特別仕様車] 2000年1月18日発売
【販売台数】 500台限定 【価格】 2,516,000円
【ベース車】 1800S 6MT
【特別装備】 専用色（アールヴァンレッド）、ベージュソフトトップ&トノカバー、本革バケットシート、NARDI社製ウッドステアリング&ウッドシフトノブ ほか

NB型2代目ロードスターは2000年7月にフェイスリフトされるため、このNRリミテッドは、初期型最後の特別仕様車だ。深みのあるアールヴァンレッドの専用外板色、それに合わせたベージュのソフトトップが外観上の特徴となっている。内装もベージュに統一されており、シートもベージュの本革バケットシートだ。専用木目調センターパネル、ウッド製パーキングブレーキレバーなど、上質感にこだわった内装となっている。インナードアハンドル、メーターリング、パーキングブレーキレバーボタンにクロームメッキを施し高級感を強調し、メーターパネルはホワイトを採用した。このほか、バフ仕上げ15インチアルミホイール、パワードアロック、電動リモコン格納式カラードドアミラー、アールヴァンレッド塗装のストラットタワーバー、BOSEサウンドシステムなど豪華装備満載だった。イグニッションキーグリップも専用のベージュ色仕上げだ。

2000

材を配したバケットタイプのハイバックシートを採用。アルカンターラ生地を使うことで、着座感が改善されていた。ブルー色の専用キー、シリアルナンバーを刻んだオーナメントを装備。さらに、オーナー認定証、セイコー社製オリジナル腕時計などを含むギフトセットが成約者にプレゼントされた。また、このモデルは一部を除き世界統一仕様とし、日本仕様、北米仕様、欧州仕様、豪州仕様が初めて同一スペックで出荷されている。なお、国内仕様のみ、BP型エンジンは、ピストン、コンロッド、フライホイールなど一部のエンジン部品の重量バランスに注目して厳選されたものを組み込んでおり、吹け上がりや加速の伸び、レスポンスの良さなどが追求されていた。

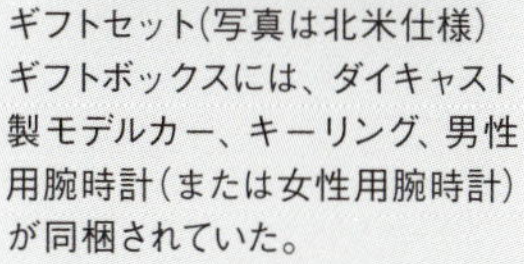

ギフトセット（写真は北米仕様）
ギフトボックスには、ダイキャスト製モデルカー、キーリング、男性用腕時計（または女性用腕時計）が同梱されていた。

※価格はすべて消費税別

「ロードスター」をビッグマイナーチェンジ

2000年7月18日

NB型発売から2年6ヶ月後、ロードスターは初のフェイスリフトを含むビッグマイナーチェンジを遂げ、NBシリーズ後期型(NB2)となった。商品改良の概要としては、フロントバンパーおよびヘッドランプのデザイン変更。1.8Lエンジンに吸気バルブタイミングを最適化するS-VT機構を採用することで、全域にわたりエンジンフィーリングと出力（145psから160ps）の向上。1.8Lエンジンは無鉛プレミアムガソリンが指定となった。ボディフレームの補強、クロスメンバー追加によるボディ剛性の強化とサスペンション性能、ブレーキフィール及び制動性能を高めることにより、走りの質感を一段と向上。サポート性能を高め、クルマとの一体感を向上させた新ハイバックタイプバケットシートの採用など。全車に白色メーター文字盤を採用。RSグレードに赤黒内装を与えたRS-IIを新設定。

この商品改良により、車両価格は、1,839,000円（1.6L 5MT）〜2,438,000円（1.8L VS 4EC-AT）となった。

2001

「ロードスターYSリミテッド」発売

[特別仕様車] 2000年12月22日 発売

【販売台数】 700台限定

【価格】 1,797,000円（5MT）4ATは+143千円

【ベース車】 1600M 5MT

【特別装備】 専用色（ブラックマイカ）、NARDI社製黒/チタン色ステアリング&シフトノブ、ブラックアウトヘッドライトベゼル　ほか

YSリミテッドは、若いドライバー向けに「気軽に楽しめるオープンスポーツカー」というロードスターの特徴をさらに追求した特別仕様車。ベーシックな1600Mを基に、センターパネルやドアトリムの一部をチタン調としたほか、NARDI社製本革巻ステアリングと本革巻シフトノブを黒とチタン調のツートーンとし、若々しい印象に仕上げている。専用外板色のブラックマイカのほか2色（ピュアホワイト、サンライトシルバーメタリック）を設定。ブラックアウトしたヘッドライトベゼルが外観上の特徴。全車に標準装備の運転席&助手席SRSエアバックのほか、キーレスエントリーシステムとパワードアロックを追加し、4AT車にはEDB付き4W-ABSを装備している。「YSリミテッド」のYSは英語のユースフルとスポーツの略。

※価格はすべて消費税別

「オートカラーアウォード2001グランプリ」獲得

2001年1月

2000年7月のビッグチェンジ時に追加した外板色「クリスタルブルーメタリック」が、社団法人日本流行色協会が設定する「オートカラーアウォード2001」のグランプリを受賞した。1999年11月から2000年10月までの一年間に国内で発売されたクルマの中で最も優れたカラーデザインに授与されるもので、「審美性」「企画性」「社会性」において優れたカラーデザインをグランプリとして選定している。

「クリスタルブルーメタリック」は、後期型NBロードスターのメインカラーとして設定され、カタログや広告などに活用された。7色設定されている標準外板色の中で、クリスタルブルーメタリックは2000年7月から12月までの間で、販売構成比23%を記録している。

「ウェブチューンドロードスター」受注開始

[ウェブ専用カスタマイズ車] 2001年2月　受注開始

時代を反映し、インターネットを通じて仕様の選択ができる日本初のサービス「web-tuned@Roadster」が2001年2月に導入された。専用webページに登録すると、エンジン、トランスミッション、内装など4,160通りの組み合わせの中から、好みに合わせて選択することができた。初代NA型で人気を博したサンバーストイエローをウェブチューンの専用色として設定。先着450台限定。

「マツダスピードロードスター」発売

[特別仕様車] 2001年5月発売

【販売台数】 200台限定

【価格】 2,548,000円(6MT)

【ベース車】1800RS 6MT

【特別装備】 専用色(スターリーブルーマイカ)、オリジナルエアロキット(フロントエアダムスカート、サイドスカート、リアアンダースカート、リアスポイラー)、減衰力4段調整式ダンパー、専用エキゾーストマニホールド、スポーツマフラー、強化エンジンマウント&デフマウント、ゴールド色専用アルミホイール、ヘッドランプベゼル、フロントフォグランプ、シート、ステアリング、シフトノブなどに青色ステッチの採用ほか

1.8L RS(6MT)をベースにマツダスピードがチューニングした専用装備を施し、「走る楽しさ」を高めた意欲的モデルだった。性能向上、外観個性化のほか、MP3対応マルチコントロールCDレシーバー+4スピーカーを装備。

「ロードスターMVリミテッド」発売

[特別仕様車] 2001年12月発売
【販売台数】 300台限定
【価格】 2,098,000円(5MT) 4ATは+50千円
【ベース車】 1600SP 5MT
【特別装備】専用色(チタニウムグレーメタリック)、新デザイン15インチアルミホイール、専用色トノカバー、アルミ調センターパネルとシフトプレートベゼル、本革シフトノブとパーキングブレーキほか

「MVリミテッド」は、ファッション性や内外装の質感を重視するユーザーをターゲットとしている。1600 SPをベースに、専用色のチタニウムグレーメタリックの外板色を採用、ブラウンレッドの内装色と組み合わせることで、個性的でファッショナブルなスタイルとした。また、本革シートやアルミ調パネル、アルミ製ペダルセット(5MT車のみ)などにより、上質感も高めている。これらの装備を採用しながら、ベース車からの価格アップを抑えている。

2002

モータースポーツベースグレード「NR-A」発売

[機種追加] 2001年12月発売
【価格】 2,048,000円
【ベース車】1600 5MT
【特別装備】 BILSTEIN社製ダンパー、ラジエター容量アップ、リミテッドスリップデフ、ボディ強化パーツ　ほか

日常使用とサーキットユースを両立するレースベース車

1.6L DOHCエンジンを搭載するNR-Aは、BILSTEINダンパー、フロント大径スタビライザー、LSD(リミテッドスリップデフ)、4W-ABS、専用メーター、エンジンおよびデフマウント強化、15インチタイヤおよび新デザインアルミホイールの採用や大径ブレーキの強化、ラジエター容量の拡大、ボディ補強パーツ(フロントサスタワーバー、トラスメンバー、パフォーマンスロッド)などを特別装備している。また、インテリアには、NARDIステアリングホイール(赤/黒)、赤色シートを採用。快適装備として、パワーステアリング、パワーウインドウ、マニュアルエアコン、熱線プリント式リアデフォッガー付きリアガラス、電動リモコン式カラードドアミラーが標準装備となっている。ディーラーオプションとなっているマツダスピードNR-Aパック(6点式ロールケージ、4点式シートベルト/シートベルトアンカー、前後大型牽引フック)を装着することで、ロードスター・パーティレースなどJAF(社団法人日本自動車連盟)公認NR-Aカテゴリー(自動車登録番号標付車両によるレース)のワンメイクレースなどに出場できる。ボディカラーは、クリスタルブルーメタリック、ピュアホワイト、サンライトシルバーメタリック、ブリリアントブラック、サプリームブルーマイカ、クラシックレッドの6色であった。

「ロードスター」商品改良

2002年7月9日

VSグレードに上質なスポーツテイストの「コンビネーションA」とシックなテイストの「コンビネーションB」を新設定した。ブラックレザーシートのブラック内装とベージュレザーシートのベージュ内装をあらたに採用し、ソフトトップ素材を内装色にあわせた高級感のある撥水加工済みの布仕様とした。安全性向上のためチャイルドシートアンカーを採用し、外板色にスプラッシュグリーンマイカとガーネットレッドマイカを追加し、クリスタルブルーメタリックは廃止となった。

衝突時に頭部への衝撃力軽減のためAピラートリムの形状を変更した。MとNR-A以外の全車に撥水ドアガラスと撥水ドアミラーを標準装備。AT車にステンレス製スカッフプレートを装備。また、1.6LモデルにメーカーオプションとしてBOSEオーディオの選択が可能となった。

車両価格1,839,000円（1.6L M 5MT）～2,446,000円（1.8L VS 4CE-AT）。

1800 VSコンビネーションA

1800 VS コンビネーションB

1800 VS
コンビネーションB内装

2003

「ロードスターSGリミテッド」発売

[特別仕様車] 2002年12月発売

【販売台数】 400台限定

【価格】 2,150,000円（1.6L 5MT）
2,450,000円（1.8L 6MT）

【ベース車】 1600NR-A/1800RS

【特別装備】 専用色（セリオンシルバーメタリック）、ブルー布ソフトトップ、新デザイン専用アルミホイール（1.6Lは15インチ、1.8Lは16インチ）、撥水加工クロス製バケットシート、ブルー色専用ドアトリム、NARDI社製本革巻きステアリング、パワードアロック&トランクオープナー付きキーレスエントリー　ほか

「SGリミテッド」は、BILSTEINダンパー、大型ブレーキ、トルセンLSDなど充実した走りの装備を持つ1600 NR-Aと1800RSをベースに、専用色のセリオンシルバーメタリックの外板色を採用、ブルー基調の内装色/ソフトトップを組み合わせた。アルミ調パーツ、本革巻ステアリング、BOSEサウンドシステムなどにより、特別仕立てのコクピットを演出している。

※価格はすべて消費税別

「ロードスター」商品改良

2003年9月18日

内外装のリフレッシュをメインに各機種を商品改良した。インパネおよびドアトリムまわりにアルミ調パーツを採用し、スポーティかつエレガントなイメージとした。また、エアロボードに2インチツイドラー(スピーカー)2個を内蔵し、布シート(ブラック)のシート表皮を変更、またレザーシートは上質感のあるパイピング加工本革シートを採用した。新デザインの16インチアルミホイールを採用。ロードスターの音響特性に最適な専用設計を施したBOSEサウンドシステムをさらにグレードアップ。6スピーカーシステムを225Wでドライブする。また、外板色としてチタニウムグレーメタリックII、ラディアントエボニーマイカ、ストラトブルーマイカの3色を新設定した。全車運転席サンバイザーにバニティミラーを採用。車両価格1,850,000円(1.6L M 5MT)~2,448,000円(1.8L VS 4CE-AT)。

1800 RS

アルミ調パーツを多用した内装

ロードスタークーペ Type A

ロードスタークーペ Type E

ロードスタークーペ/ロードスタークーペ Type S

「ロードスタークーペ」発売

[**特別仕様車**] 2003年10月9日発売 【受注生産】

【価格】 2,350,000円(1.6L 5MT)
~3,100,000円(1.8L Type A 6MT)

【ベース車】 1600SP/1800RSほか

【特別装備】 オリジナルクーペボディ、
リアクォーターウィンドー ほか

「ロードスタークーペ」は、NB型ロードスターをベースにファストバックルーフをもつクーペスタイルとした。マツダE&T社が、元マツダデザイン本部長だった福田成徳の指揮のもと、ハンドメイドでモデリングし、CAD技術で仕上げたデザインは、スポーティさとダイナミズムを備えたレトロモダンなスタイリングが特徴である。クローズドボディの開発にあたり車体構造から見直しを行っており、このため標準ロードスターと比べてボディ剛性をさらに向上させる一方、重量増は約10kgに抑えている。ベーシックなデザインのロードスタークーペ(1.6L 5MT)と同Type S(1.8L 6MT)、伝統的なレースカーを想起するオーセンティックデザインのType A(1.8L 6MT)、落ち着きのあるエレガントなデザインを採用したType E(1.8L 4EC-AT)の4タイプを設定。Type AとType Eには、フロントグリルなどそれぞれ専用のボディパーツを架装する本格的なカスタムメイド車であった。ロードスタークーペとType Sには、ピュアホワイト、サンライトシルバーメタリック、クラシックレッドの3色を設定。Type AとType Eにはライトニングイエロー、ベロシティレッドの2色が用意された。なお、Type Aは250台、Type Eは150台の限定生産だった。

「ロードスターターボ」発売

[特別仕様車] 2003年12月24日発売

【販売台数】 350台【価格】 2,570,000円(1.8L 6MT)

【ベース車】1800RS【特別装備】インタークーラー付きターボ、専用ラジエター、専用色ベロシティレッドマイカ、専用BILSTEIN社製ダンパー、ローダウンサスペンション、専用17インチタイヤおよび17インチアルミホイール、フロントおよびリアスポイラー、リアアンダースポイラー、専用レッド×ブラック/クロスインテリア、駆動系強化ほか

低回転域からレスポンスよく立ち上がり、高回転域までのワイドレンジでフラットなトルクを発生するインタークーラー付きターボエンジンを搭載。ベース車と比べ20%以上のトルク向上を実現している。また、専用のレッド塗装ヘッドカバー、専用ラジエター、イリジウムプラグ等を採用。トルクアップに対応し、強化クラッチおよびトランスミッション、強化ドライブシャフト&プロペラシャフト、トルセンLSD、専用マフラー等を採用。また、最終減速比を3.909から4.100に変更し最適化した。205/40R17タイヤおよび17インチアルミホイール、BILSTEIN社製ダンパー、ローダウンサスペンションを採用。ブレーキキャリパーはシルバー塗装となった。専用フロントおよびリア&リアアンダースポイラー、スモークドヘッドランプベゼル、ターボ専用オーナメント、本革巻ステアリングおよびシフトノブ、アルミペダルセット等の専用インテリアを採用。また4種類のインテリアパッケージ(標準のレッド×ブラック/クロスのほか、ブラック/クロス、ベージュ/本革、ブラック/本革・レッドステッチをメーカーオプションで選択可)を設定した。外板色は、ターボ専用色であるベロシティレッドマイカをはじめ、ピュアホワイト、サンライズシルバーメタリック、グレースグリーンマイカの4色を設定。マツダスピードカップサーキットトライアル競技に参戦可能な装備を施したサーキットトライアル仕様も登場した。車重は1,120kg。1.8Lターボエンジンは、最高出力172psを6,000rpmで発生し、最大トルクは21.3kg-mであった。

2004

レッド×ブラックインテリア

インタークーラー付き1.8Lターボエンジン

サーキットトライアル仕様

※価格はすべて消費税別

「ロードスター10周年ミーティング」を三次試験場で開催 1999年10月

1999年10月、マツダの三次自動車試験場（広島県）にて、「ロードスター10周年ミーティング」が行われた。全国から1,000台、1,600人ものロードスターとファンが集まり、一周4.3kmのテストコース周回路を埋め尽くした。ロードスターファンのための会員組織「ロードスタークラブオブジャパン（ROCJ）」を主体としたロードスター10周年ミーティング実行委員会の主催のもと、マツダ社員もイベント運営のスタッフとして多数参加。開会宣言は、当時専務取締役だったマーク・フィールズ（のちに社長に就任）が、「ここにいるマツダ社員全員、皆様と共にロードスターの10回目のアニバーサリーを祝うことができ、誇りに感じています。皆様のおかげでロードスターの生産累計は、本年50万台を超えました。これからも一緒にロードスターを楽しみましょう」と挨拶。ロードスター初期の開発に関わったメンバーなどによって思いが語られたほか、全国各地約80クラブの代表がスピーチ。開発ドライバーふたりによるツインジムカーナ走行なども行われた。海外のMX-5オーナーズクラブUK（英国）からも参加があった。また、商品企画・デザイン推進担当常務取締役マーティン・リーチが、「本日は数多くのロードスターに出会うことができました。あと10年すれば、また20周年ミーティングでみなさんとお会いできるでしょう。ロードスターは永遠です」とフォーエバー宣言をした。この周年ミーティングは、以後恒例行事となっていく。

「ロードスターパーティレース」がスタート 2002年5月

2002年5月、第一回「ロードスターパーティレース」が茨城県の筑波サーキットで開催された。このレースは、2001年12月に発売されたNB型ロードスターNR-Aによるワンメークレースで、6点式ロールケージ、4点式シートベルトや牽引フックなどの安全装備と指定タイヤを装着した登録番号付き車両であることが参加条件だ。公平を期すため、車両の改造などは厳しく制限されている。また、フェアで安全な競技を徹底するため、「他車と接触するとノーポイント」などの競技規則を設けているのが特徴である。第一回レースには、クラブマンクラス24台、エンブレムクラス21台、マスターズクラス16台の合計61台が集まった。なお、ロードスターNR-AはNC型、ND型にも設定され、ロードスターパーティレースは以後絶え間なく続けられている。

ロードスターが生産累計70万台を達成 2004年3月5日

2004年3月5日にロードスターは生産累計70万台に到達した。初代NAロードスターの生産開始から14年11ヶ月で達成。70万台目は、北米仕様のMX-5ミアータ・1.8Lターボで、外板色はベロシティレッドマイカであった。ロードスターの生産は、2000年5月に531,890台に達し、2人乗り小型オープンスポーツカー生産台数世界一としてギネス認定されており、後日70万台でもギネス認定されている。

ショーモデル

2000年SEMAショーに「モノポスト」を出展

「mono-posto（モノポスト）」は、イタリア語でシングルシーターを意味する。このモデルは、「人馬一体」をドライバーの観点から表現したもの。ボンネットフードのエアインテークや低いウインドースクリーン、アルミ製ロールバーを備えたレトロデザインになっている。搭載するエンジンは、BP型1.8LをベースにHKS製ターボチャージャー、インタークーラー、専用吸排気マニホールド、ステンレスマフラーなどを装着し最高出力190 ps/6,100rpm、最大トルク330Nm/4,100rpmを発生する。

「MX-5 MPS」が2001年フランクフルトショーに登場

当時マツダは、スポーティモデルにMPS（マツダパフォーマンスシリーズ）の名称を付与しており、MX-5 MPSは量産化検討を視野に入れたスタディモデルだった。4連独立スロットル、ハイカムなどで最高出力200ps/7,000rpm、最大トルク196Nm/6,000rpmを発生するBP-VE型1.9Lエンジンを搭載し、アルミ製ボディレインフォースメント、車高調整式専用サスペンション、7J x 17インチホイール（5穴）、鋼板造形のオーバーフェンダー付きエアロキットを装着。

海外の主な特別仕様車

GT

1998 スイス/ベルギー

110psの1.6L車と140psの1.8L車に設定。DHT付き。レーシーなストライプが特徴。50台。

CALIFORNIA

2000 英国

1.6L標準車にサンバーストイエローの外板色と専用アルミホイールを装備。1,000台。

JASPER CONRAN

2000 英国

ファッションや食器デザイナーのジャスパー・コンランとのコラボ限定車。シリアルナンバー入り400台。

ANGELS

2002 英国/スペイン

チャーリーズ・エンジェル「フルスロットル」映画とのコラボ限定車。英国500台、スペイン100台限定。

INDIANA

2003 英国

1.8L車。伝統的ライトウェイトスポーツをイメージ。ガーメットレッド外板色、ベージュ内装。250台。

ESCAPE

2003 スペイン

1.6L 5MTトゥルーレッド外板色、ブラック内装。センターコンソール周りにヘアラインメタル加飾。

MAZDASPEED Miata

2004 アメリカ

1.8Lターボエンジン搭載。178ps 6MT。日本ではロードスターターボ、豪州ではMX-5 SEとして販売。

DYNAMIC

2004 オランダ

ヴェロシティレッド外板色、レッドレザーシート、専用16インチENKEIホイールなどを装備。

IMPULS

2005 ドイツ

15インチホイール、ベージュ革シート、ウッド調ステアリング、シフトノブ、ハンドブレーキ。1,500台限定。

証言者たち

変える必要のあるものを徹底的に見直した2代目NBロードスター

元NBロードスター開発主査／山口東京理科大学教授
貴島孝雄

初代ロードスターのシャシー設計を担当したのち開発主査に任命された貴島孝雄は、2009年にマツダを定年退職し、現在は山口県山陽小野田市にある山口東京理科大学工学部機械工学科の教授として、将来の日本のもの造りを支えるエンジニアの卵たちを相手に教鞭を執っている。初代NA型、2代目 NB型、3代目NC型ロードスターだけでなく、FD型RX-7の開発主査も務めた貴島教授は、マツダの主なスポーツカーの開発を牽引した人物として知られている。その貴島教授が、最初に全責任を負って一から開発を指揮したNB型ロードスターについて、次のように語っている。

「私は初代ロードスターのシャシー設計を担当したので、ずいぶん長い間ロードスターと付き合ってきました。初代のまとめ役だった平井さんが退職されることになり、私がNAロードスターの開発主査を務めることになったのは、1993年のことです。その後、商品改良や特別仕様車の設定などを経て、1994年にはNBロードスターの検討がスタートしていきます。最初にその話があった時に、大ヒットしたクルマのモデルチェンジは大抵うまくいかないので、失敗するのではないかと心配しました。しかし、初代ロードスターは、世界中から愛されていたので、良いところはキャリーオーバーし、改良の余地があるものは徹底的に見直しすればよい、デザインや装備などをモダナイズしていこう、という方針が決まれば、あとはそれに向かって進むだけでした。

欧州の法規制が変更され、リトラクタブルヘッドランプが使用できなくなることがわかっていたので、ヘッドランプ周りは新設計することになりました。この規制は欧州のみのものなので、アメリカや日本では初代をそのまま継続して販売し、欧州だけフロント周りを変更する案も浮上しましたが、ロードスターで2車種持つのは難しいと判断。その時代の最高の技術を入れて作るのがマツダのスポーツカー造りのポリシーなので、やはり世界共通で全面的に刷新することに決定しました。

初代NA型が全世界で43万台以上販売されたことで、これまでスポーツカーに触れたことのなかった層にもファンが増えました。すると、目指したライトウェイトスポーツという商品性に高い評価をいただくと同時に、より快適性を求める声も聞こえてきました。アメリカで行われたIQS（イニシャル・クォリティ・サーベイ）というユーザー調査では、初代に対しては「ドアハンドルが小さくてつけ爪が剥がれる」、「ゴルフバックが入るトランクが必要」という指摘もありました。全部を聞き入れるわけにはいきませんが、2代目NBの開発に際し、第一に決定した“初代の基本コンセプトは変えない”という方針に則し、より多くの方々にロードスターの楽しさを提供するため、それら快適性を求める声にも耳を傾けていこうということになりました。

当時はキーレスエントリー、質の良いオーディオやフルオートエアコンも装備しなければならず、ロードスターオーナーとは言え大多数の方々が快適性を求める時代となっていました。トランクルームも機能しないといけません。一方では、少数派ながらもジムカーナやサーキット走行をするような方のニーズにも応えなければなりません。両者の整合性を取るのが非常に難しかったですね。そんな中、固定ヘッドランプやダックテール形状を採用した外観デザインは、アメリカ案を取り入れたものになりました。マタノさんや福田さんの意向が入っていると思いますが、リアフェンダーの盛り上がりは英国のジャガーDタイプにも通じる曲線となっています。それだけではないはずですが、ヨーロッパで

はむしろNA型よりも高い評価を得て、販売台数も好調を続けました。私の専門領域であるシャシーでは、キビキビ走ることに重点を置いた初代NA型に対して高速安定性の向上を求める声がヨーロッパから上がっていたので、NB型では、サスペンションの剛性をあげ、キャスター角を5度つけ、キャスタートレールを16mm拡大しました。また、ロールセンターを下げたことでタイヤの内輪がしっかり接地するようになり、あわせて直進安定性の向上に寄与しています。

シャシー設計の基本はNA型を踏襲していますが、この2点の変更で大分ハンドリングの印象が変わっているはずです。その結果、ヨーロッパ、特にクルマの評価にうるさい英国でNBロードスターが好評価を得たことが嬉しかったですね。英国の自動車専門週刊誌「AUTO CAR」が2003年に行った「英国のベストハンドリングカー」という特集で、NBロードスターが見事1位になったんです。それによると、F1ドライバーやロータスのビークルダイナミクスの専門家、評論家やテスターなどの評価チームが32台の代表的なスポーツモデルを総合評価し、7台が最終選考に残りました。さらに、絞られた結果、ファイナリストの2台にNBロードスター(MX-5英国仕様)が指名され、最終的に最優秀と認められました。もう1台のファイナリストは、ポルシェ911 GT3(996型)です。300ps以上のパワーがある3.6L水平対向DOHCエンジンを搭載したスポーツカーの代表ですよ。価格も2,000万円以上します。一方ロードスターは300万円以下の価格だし、1.8Lエンジンはわずか146psです。彼らの結論は、"ポルシェ911 GT3は言うまでもなく、非の打ちどころのないスポーツカーである。エリートドライバーがサーキットで走らせたら、最高のパフォーマンスを発揮するだろう。しかし、MX-5(ロードスター)は女性でも若者でも誰もが乗れ、しかも一般公道で走って楽しいクルマだ。よって、マツダMX-5を英国のベストハンドリングカーとして認定する"というものでした。私はハンドリングが専門だったので、この評価は非常に嬉しかったのをよく覚えています。もちろん、リトラクタブルヘッドランプをやめ、固定式にしたことでクルマの先端部分の軽量化が実現し、ヨー慣性モーメントが減ったことでハンドリングに好影響を与えたこともあると思います」。

貴島教授が技術を語る時、とても優しい表情で、とても楽しそうに見える。しかし、一方、大学で学生と対峙すると厳しい表情になるという。山口東京理科大学工学部「貴島教室」の学生たちは、ここ数年日本自動車技術会が主催する学生フォーミュラ選手権に参加している。自分らで企画したフォーミュラマシンで、完成度を競い、成果をプレゼンテーションする競技会だ。クルマが速ければ勝てる試合ではない。また、同大学に優勝経験はないが、ベストハンドリングカーを育てた教授の指導を受ける学生たちは幸せだ。「日本のもの造り」の将来は、決してまだ捨てたものではないだろう。

証言者たち

新たな
マーケティング手法を取り入れた
NBロードスター

マツダモーターオブアメリカ会長兼CEO

毛籠勝弘

現在北米では、日本でスタートした「ブランド価値経営」を実践すべく、マツダ本社でグローバルマーケティング・セールス担当執行役員だった毛籠（もろ）勝弘がマツダモーターオブアメリカ（マツダノースアメリカンオペレーションズMNAO）の会長兼CEOとして送り込まれ、腕を振るっている。地域ごとのマーケット特性や販売慣習も異なる全米の特約ディーラーを巡り、プレミアムブランドのあり方や新しい店舗デザインの必要性を説いて回っている。地元資本によるディーラーの多いアメリカでは、それぞれ個性も強い。彼らにフィロソフィを説き、さらなる投資を求めるのは骨がおれる仕事に違いない。多忙を極める毛籠会長に、当時38歳の彼が導入を担当したNBロードスターについて聞いた。

「今から20年前のことになりますが、2代目NBロードスターは、導入からマーケティング副主査として担当しました。NA型ロードスターは人気が高かったものの、デビューから数年経つと流石に需要は落ちてきます。また、多くのマニュファクチャラーからも競合車が多数リリースされるなど、市場がさほどホットでない中、後継車種であるこのクルマの企画を立ち上げました。予想通り支持していただけるファンの皆様の数も増え出したので、NBはスポーツカーとしての性能を上げることが課題でした。また、それをいかにマーケティングし市場導入していくかが、私に課せられた命題で、需要を掘り起こすことがポイントでした。マーケットを刺激して需要を掘り起こすと、エンスージアスティックなお客様の心に響くはずと仮定しました。大凡どれぐらいの台数を販売するかの明確な目標を立て、そのためにどんな需要をどれぐらい掘り起こさなければならないかを徹底的にプランして、それを実行して商品のヒットを作り出すということに専念しました。導入時に配車するクルマのボディカラーも、それまでは市場ごとにバラバラだったのですが、初めてローンチカラーという概念を取り入れました。導入時のイメージを統一したかったからです。それまでスポーツカーといえばレッドという固定概念がありましたが、NBロードスターに採用したのは、「エボリューションオレンジマイカ」というボディカラーでした。販売店側からは、売れ残るとか中古車価格が崩れるとかの反対意見が出ましたが、イメージ統一の大事さを根気よく説得し押し通しました。

また、このクルマからグローバルにマーケティングを管理し、導入を手がけるマーケティング副主査というポジションが設定されました。これは全く新しい施策でした。ヨーロッパはヨーロッパの、アメリカにはアメリカの、そして日本には固有のマーケットの事情というものがあるのですが、それをひとりのマーケッターが把握することで全体が見渡せるということです。それぞれの事情を理解した上でチームディスカッションし、最終的な仕様を決めるという進め方を採ったのです。NAの導入の時とはだいぶ事情が異なり、理屈をきちんと構築したおかげでシステマティックに導入していくことができました。マツダでは、1996年の2月に海外営業と国内営業が編成替えとなり、グローバルマーケティングという組織になっていました。MX-5ミアータ/ロードスターがグローバルに取り組みやすい車種だったこともあり、マツダ初のグルーバルマーケティング副主査に私が指名されることとなったのです。それを起点に、今日のようにマツダが様々な施策をグローバル視点で見ていくという流れになったと言えるでしょう。当時、マツダはフォードと協業していた時代ですが、彼らもロードスターの収益性を認めブランドアイコンになりうる車種と見ていたので、コンセンサスは自然に得られていました。

2002年には、マツダ初のモータースポーツベース車種であるNR-Aというグレードを日本市場専用に設定しました。日本では、ナンバー無しのレースカーを所有するというのはかなり限られた方達のみに許されるという事情がありました。気軽にサーキット走行を楽しむためには、日本ではナンバー付き車両でないと広がっていかないと考えられていました。アフォーダブルで、気軽にレースを楽しむにはどうすべきか。日常使いと共有できないといけませんし、ロールケージのような安全装備も必要です。管理団体の認証を得てこれを導入し、筑波サーキットを中心に行われることになっていたロードスター・パーティレース向けに出荷すると、一定数のお客様がその考えを理解していただけることがわかりました。そのため、このグレードはその後NCロードスター、そして最新のNDロードスターにも引き継がれているので、私としては嬉しい限りです。NDロードスターは、東日本、北日本、西日本のシリーズを合わせて100台近くのオーナーの皆様がレースを楽しんでいると聞いています。自動車メーカー自身が参加型モータースポーツ仕様車を開発・育成し、お客様をケアするということは、特にモータースポーツ入門を検討する方には安心感が高いのだろうと思います。

そのほかの特別な思い出としては、「ロードスター10周年記念車」(1999年)の設定が挙げられます。当時、特別仕様車、限定車についての社内の取り決めが現在ほどなかったこともあり、NBロードスター導入時にやり残したことをロードスター10周年を契機にグローバル展開しようというのがこのクルマの成り立ちです。1998年にNBは市場導入しましたので、ローンチから1年というまだ新車効果が続いている中での導入となりました。例えば、6速トランスミッションは全世界に導入したかったのですが、様々な事情でできていませんでした。BILSTEINのショックアブソーバーもそうです。仕向け地によって乗り味を変えていたのですが、ロードスター開発チームの中で究極のダンパーセッティングというのを示したかったわけです。グローバルにひとつの統一スペックでベストなものを提供したいという思いを形にしました。NB導入後に貴島さんとふたりで欧州、アメリカに反響を聞いて回ろうということになりました。最初はアメリカで、6速ミッションを試してもらうために特別に組み込んだ車両を仕立てました。

その後、ドイツと英国に行き、現地の方々のお話を伺いました。それらのヒアリング結果をもとに、構想を練りました。マーケティング上は、カタログなども含めて全世界統一でやろうということになりました。それまで、アメリカ人は欧州仕様の足は硬くてマッチしない、逆のパターンも好みが違うとお互いに言っていたのですが、私たちが究極のスペックを示したら、ちゃんと受け入れてもらえたんですね。光沢仕上げのホイールも当初は双方から反対意見がありました。しかし、ボディカラーもRX-7に設定していたイノセントブルーを指定したのですが、ネガティブなコメントは市場のどこからも聞こえてこない。内装もブルーに統一し、腕時計やオーナメント、キーまでも特別なものを用意しましたが、いずれも好評でした。おかげで7,500台というグローバル販売台数は、計画通りに達成しました。やはり特別感が高いからでしょうか、今でもこの10周年記念車を大切に乗り続けていただいているお客様は多いと聞きます。先日のシカゴショーにもオーナーの方からこの10周年車を展示車としてお借りしたのですが、そのクルマはピカピカに磨き上げられており、いまだに愛されていることがわかり感激しました。

マツダ人生の中では、私は長い間グローバルマーケティングを担当しています。アメリカに来る前は日本でマーケティングを担当し、その前にはマツダヨーロッパでも販売とマーケティングを担当しました。その間、営業という職種も単にクルマを売るという考え方から、マーケティング施策に則ってイメージを作り上げていくことに様変わりしています。そして、今やロードスター/MX-5ミアータというクルマがマツダを代表するブランドアイコンとなっていることを考えると、20年前にNBロードスターのマーケティング副主査を任されたことは、とても感慨深いですね」。

証言者たち

初代ミアータのエッセンスを残し、少しだけ「マスキュライン」に。

MNAOオートモーティブデザイン・ダイレクター
ケン・セイワード

ケン・セイワードは、現在マツダUSAのカリフォルニアデザインスタジオのダイレクターを務めている。日欧のスタジオと連携し、常に次期開発車両やコンセプトカーのデザイン開発を推進し、全米各地で行われているオートショーでは、マツダスタンドのデザイン・レイアウトなども監修している。さらには、マツダUSAのオフィシャルレースチームである「マツダチーム・ヨースト」がIMSAスポーツカー選手権で使用しているプロトタイプレースカー「マツダRT24-P」のデザインにも関わっている。現在彼がこの職にあるのは、マツダUSAで初めて手がけたNB型MX-5ミアータのエクステリアデザインを担当したことに端を発している。

NBロードスター/MX-5ミアータの開発主査である貴島孝雄は、デザイン主査の林浩一と、「2代目ロードスターは、少しスポーティで男性的なデザインを取り入れよう。アメリカはもちろんのこと、LWSの故郷である英国やヨーロッパでも人々を惹きつけるクルマにしよう」と話していた。そこに登場するのが、ケン・セイワードである。ケンは「私は、1990年にマツダUSAに入社しましたが、それ以前はクライスラーでダッジ・バイパーデザインチームのリーダーを務めていました。当時マツダでは、初代MX-5ミアータがローンチしたばかりでしたが、初代ミアータの生みの親であるトム・マタノ、マーク・ジョーダン、ウー・ハン・チンらと共に働き、彼らは次期モデルであるNBミアータに向けた私の仕事を手助けしてくれました。特にトムは、2シーターロードスター(バイパーRT10)のデザイン開発経験をもつ私が、エクステリアデザインのプログラムをリードするのが適切だと判断してくれたのです。だから、私が第2世代ミアータのスケッチを描くように指示された時、育ての父親として彼らの子供を育てなければならないという大きな責任を負うことになったと感じました。ポップアップライトが欧州の新安全規定に適

ソウルレッドプレミアムにペイントされたマツダRT24-P

応しなくなることを受けて、私は初代ミアータのエッセンスを維持しながら、もう少し男性的なデザインに進化させるべき、と考えました。実は「少し男性的に」するのは難しく、筋肉モリモリのボディビルダーのようにしてはならず、引き締まったトライアスロン選手のような佇まいにまとめるよう注意しました。新たな固定式ヘッドランプの見た目のインパクトを最小限とし、初代のデザインキャラクターをなるべく維持するよう努めました。

生産車の最終デザインを見た時は、とても嬉しかったことを覚えています。それは、トム・マタノの示唆やガイドが大きく反映されていたし、FD RX-7のチーフデザイナーだった佐藤洋一のそれも同様でした。彼のガイドや経験に基づく「トキメキデザイン」言語が、私たちが目指すべきデザインターゲットのキーだったからです。それは、私がこのクルマをデザインするにあたり、最初にペンを取ってペーパーに向かった時からのターゲットなのです。正直言って私が最終デザインの一要素に過ぎなかったとしたら、きっとプロダクションカーをみても完全に満足はしなかったと思います。例えばそれが、リアライセンスプレート取り付けエリアの輪郭だけとか、リアトランクロックの位置決めだけだったとしたらです。フェアな言い方をすれば、最終デザインは、まさに私が頭に描いていたイメージ通りだったのです。しかし、早くも2001年に迎えたマイナーチェンジで実現したNB2のフロントデザインこそが、私が最初に意図した“よりアグレッシブな”イメージとぴったり合致します」。

初期のスタディスケッチ

プロダクション化に向けより現実的に

リアビューもほぼ最終のデザインとなっている

SPECIFICATIONS

主要諸元

2代目ロードスター（1998年1月～2005年8月）

ボディタイプ	2ドア・オープン					
車名・型式	**マツダGF-NB6C**			**マツダGF-NB8C**		
エンジン	B6-ZE［RS］型			BP-ZE［RS］型		
機種名	**標準車**	**M パッケージ**	**スペシャルパッケージ**	**S**	**RS**	**VS**
トランスミッション（ ）は4AT	5MT	5MT（EC-AT）		6MT（EC-AT）	6MT	6MT（EC-AT）
駆動方式	2WD（FR）					

■ 寸法・重量

項目	標準車	M パッケージ	スペシャルパッケージ	S	RS	VS
全長・全幅・全高 mm	3,955 x 1,680 x 1,235					
室内長・室内幅・室内高 mm	865 x 1,355 x 1,025					
ホイールベース mm	2,265					
トレッド 前/後 mm	1,405/1,430		1,415/1,440			
最低地上高 mm	135					
車両重量 （ ）はAT kg	1,010	1,020（1,040）		1,030（1,060）	1,030	1,030（1,060）
乗車定員	2					

■ 性能

項目	標準車	M パッケージ	スペシャルパッケージ	S	RS	VS
最小回転半径 m	4.6					
10・15モード燃費（運輸省審査値） km/L	14.8	14.2（12.0）		13.0（11.4）	13.0	13.0（11.4）
60km/h定地燃費（運輸省届出値） km/L	20.3	20.3（19.1）		19.0（19.0）	19.0	19.0（19.0）
ステアリング形式	ラック&ピニオン式					
ステアリング倍力装置形式	－	インテグラル式パワーステアリング				
サスペンション懸架方式 前/後	ダブルウィッシュボーン式					
ショックアブソーバー 前/後	筒型複動式					
スタビライザー 前/後	トーションバー式					
主ブレーキ方式 前	ベンチレーテッドディスク					
主ブレーキ方式 後	ディスク					
ブレーキ倍力装置	真空倍力式					
タイヤ 前/後	185/60H14 82H				195/50R15 82V＊	185/60H14 82H
ホイール 前/後	14 x 5 1/2JJ		14 x 6JJ		15 x 6JJ＊	14 x 6JJ

■ エンジン

項目	標準車	M パッケージ	スペシャルパッケージ	S	RS	VS
型式	B6-ZE［RS］型			BP-ZE［RS］型		
種類	水冷直列4気筒DOHC16バルブ					
内径x行程 mm	78.0 x 83.6			83.0 x 85.0		
総排気量 cc	1,597			1,839		
圧縮比	9.4			9.5＊		
最高出力（ネット） ps/rpm	125/6,500			145/6,500＊		
最大トルク kg-m/rpm	14.5/5,000			16.6/5,000＊		
燃料供給装置	電子制御燃料噴射装置					
燃料およびタンク容量 L	無鉛レギュラーガソリン・48					
クラッチ形式	5MT/6MT 乾式単板ダイヤフラム式　EC-AT 3要素1段2相形（ロックアップ機構付き）					
変速比（ ）はAT 1速	3.136	3.136（2.450）		3.760（2.450）	3.760	3.760（2.450）
2速	1.888	1.888（1,450）		2.269（1.450）	2.269	2.269（1.450）
3速	1.330	1.330（1.000）		1.645（1.000）	1.645	1.645（1.000）
4速	1.000	1.000（0.730）		1.257（0.730）	1.257	1.257（0.730）
5速	0.814	0.814（－）		1.000（－）	1.000	1.000（－）
6速	－			0.843（－）	0.843	0.843（－）
後退	3.758	3.758（2.220）		3.564（2.220）	3.564（2.220）	3.564（2.220）
最終減速比	4.300			3.909（4.100）	3.909	3.909（4.100）

＊ 2000年7月にタイヤ205/45R16 83W、ホイール16 x 6 1/2JJ、圧縮比10.5、最大出力160ps/7,000rpm、最大トルク17.3kg-m/5,500rpmに変更

DIMENSIONS

四面図

単位(mm)

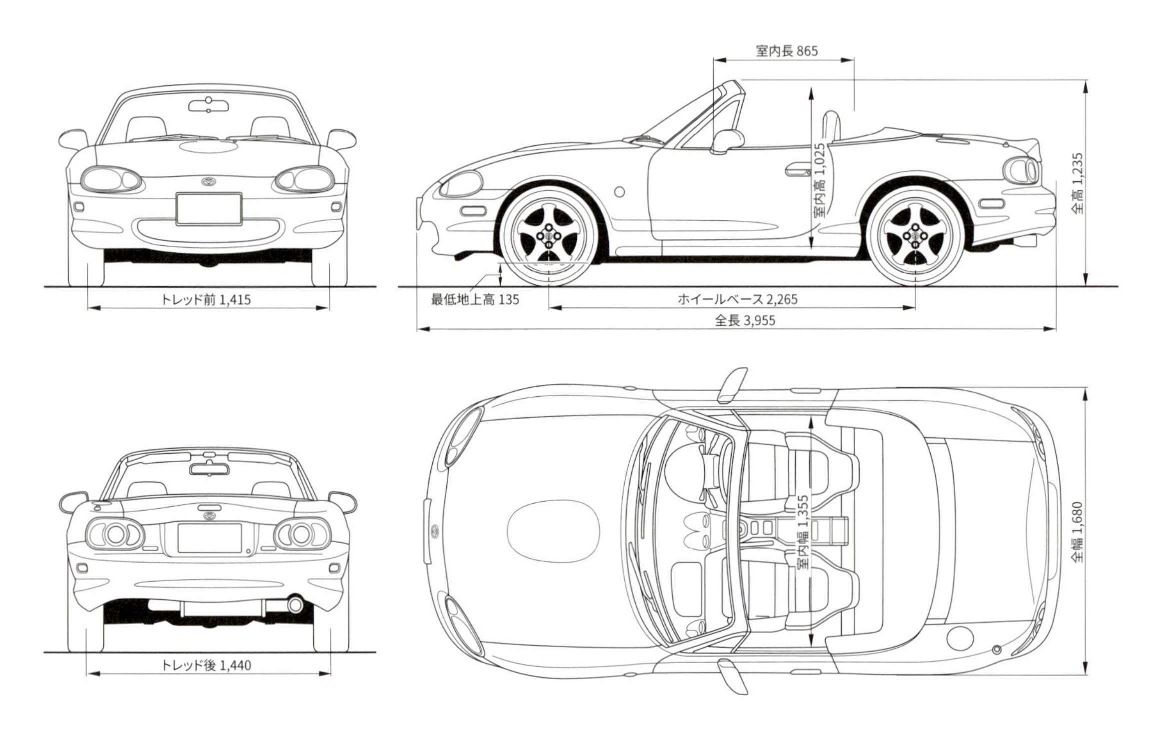

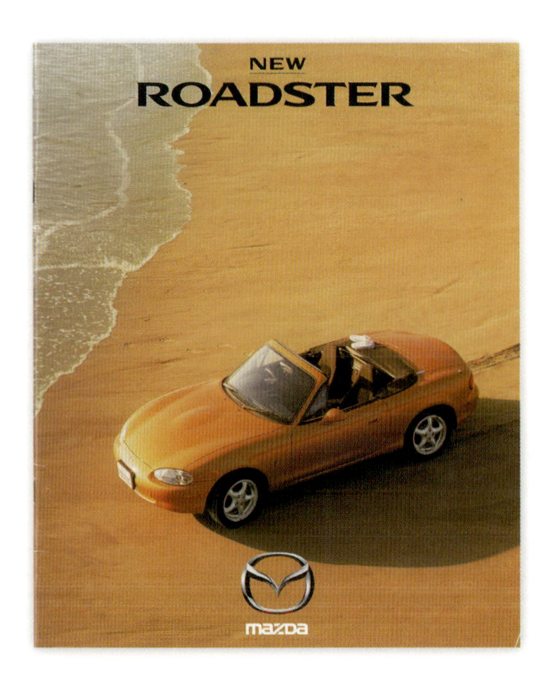

3rd-GENERATION ROADSTER

第4章　3代目NCロードスター

3代目ロードスターが生まれた2005年の日本は、2月にセントレア中部国際空港が開業、3月から9月まで愛知県で愛・地球博が開催され、盛んに海外からの観光客誘致が行われた。流行語になった小泉純一郎首相による「小泉劇場」を背景に人気を得た自由民主党が衆議院選挙で圧勝し、郵政民営化法案が可決。一方、日本の総人口が戦後初めて減少に転じ、少子高齢化社会の始まりとなった。2006年以降は、大手銀行の合併や東京ミッドタウンの開業、地下鉄副都心線の開業、東海北陸道の全線開通など、プチバブル景気を迎える。欧米で人気となったiPhone 3Gが日本にも導入され、スマートフォン時代の先駆けとなる。しかし、2008年9月のリーマンショックに端を発した株暴落で、日本経済は再び混迷の時代を迎えることとなった。

マツダでは、2006年3月にアテンザが発売から4年1ヶ月にして累計100万台生産を達成(マツダ車としての最短記録)。同年のデトロイトショーおよびニューヨークショーでは、相次いでCX-7、CX-9のショーカーを出品し、来るべきSUV時代の到来を予見した。同年5月には、山口県に美祢自動車試験場を開所。8月にはアクセラが、9月にはデミオが相次いで生産累計100万台を記録している。2007年3月には技術開発の長期ビジョン「サステナブルzoom-zoom宣言」を策定。7月には、デミオをモデルチェンジした。2008年11月にはフォードがマツダ株を13％残して売却。山内孝氏が14代社長に就任した。2009年6月にはアクセラをフルモデルチェンジし、2代目となった。2010年に新世代技術SKYACTIVテクノロジーを発表し、いよいよ商品ラインアップを第六世代商品群に差し替える時が来た。2011年には、フランス・ルマンにて、マツダのルマン24時間レース総合優勝20周年セレモニーが行われ、20年ぶりに英国人ドライバー、ジョニー・ハーバートの手でマツダ787Bがサルトサーキットを疾走した。

3代目NCロードスターは、初代NA型と2代目NB型で確立したスタイルを継承しながら、最新の技術を駆使してより高度なパフォーマンスと楽しさの融合を図ることで、革新的な進化を目指し開発されたライトウェイトスポーツである。時代の要請に応えながら、完全に刷新された3代目NC型は、貴島主査リーダーシップのもとでロードスターの基本となる「人馬一体」などの精神を受け継ぎながら、1からロードスターの魅力を見直している。2005年に出荷が開始され、翌年にはロードスター初となる電動格納式パワーリトラクタブルハードトップ(PRHT)が追加されると、さらに新たなファンを生み出している。楽しみの幅を広げる一方で、ロードスターの本質を極め、確立したモデルとなった。

コンセプトの再構築

初代NA型と2代目NB型は、アンダーボディなど基本パッケージをほぼ共有していたが、3代目NCロードスターは最新技術でほぼ全ての部品が新設計されることとなった。初代の発表から十数年を経てロードスターを一新するにあたり、現代のクルマの在り方におけるひとつのアイコンとしてのポジションを確立しながらも、ライトウェイトスポーツの伝統的なコンセプトを進化させることに焦点を置いている。

3代目NC型の開発では、初代と2代目に関わった開発メンバーはほぼ入れ替わって若手が多数加わっていたため、チーム全員でもう一度コンセプトを正しく理解して共有することからプログラムがスタートしている。合計100名近い開発メンバーに対してフォーラムと呼ばれる勉強会を実施し、各自がコンセプトを理解し、自らの領域で人馬一体コンセプトの実現にどう取り組んでいくかを宣言。それをコンセプトブックとしてまとめ、メンバー全員が座右の書とすることとしている。また、初代NA型、2代目NB型に加えて競合車・ベンチマーク車を繰り返し試乗して、ロードスターの「継承すべきもの」と「進化させるべきもの」を洗い出すためのコンセプトトリップを数回実施している。さらに初代NA型から開発の指針としていたフィッシュボーンチャートを再構築。ロードスターを構成するすべての要因を「走る」「曲がる」「止まる」というクルマの基本3要素に加え、さらに「視る」「聴く」「触る」という5感の3要素とし、人馬一体を実現するために何をすべきかを開発メンバー全員が共有し、各自の担当領域に臨むこととなった。

ドライバーとクルマとが心を通いあわせて走る一体感を意味する「人馬一体」、これこそがロードスターの真髄である。また、スタイリングを眺める楽しさ、意のままにクルマを操る楽しさ、手軽にオープン走行する楽しさなど、人の感性を基準としてロードスターの楽しみを広げる「Lots of Fun」も継承されている。

コモンアーキテクチャーを先取り

2002年に発売された4シーターロータリースポーツのRX-8は、マツダのスポーツカーを牽引していくモデルとして新しいシャシーが与えられていた。マツダの

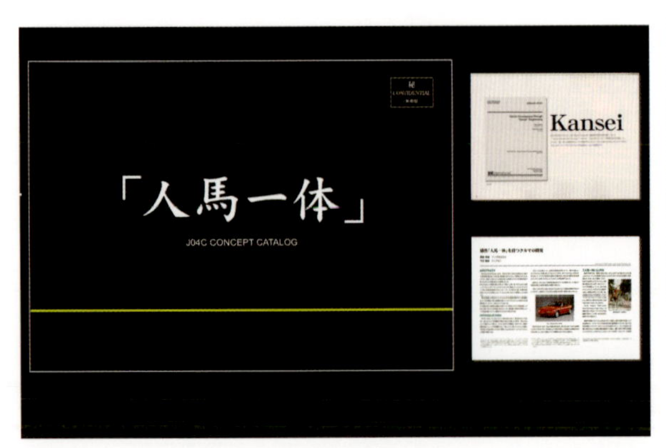

NCロードスター人馬一体コンセプトカタログ

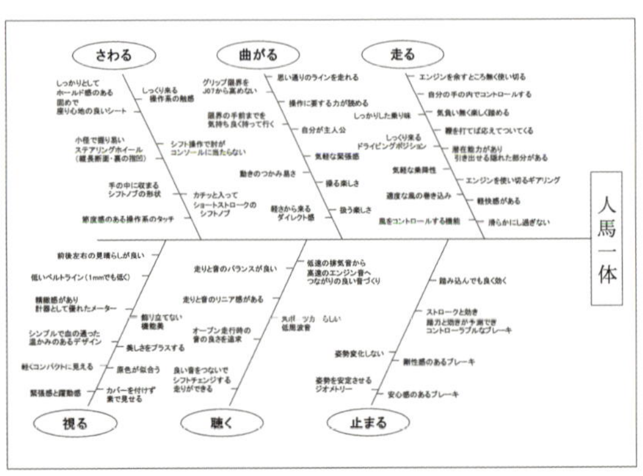

NCロードスターのフィッシュボーンチャート

スポーツカーとして共通のDNAを持つロードスターも、その経験を財産として技術や構造を活用している。しかし、このふたつのスポーツカーで共有する主要部品は存在せず、それぞれにとってベストなレイアウトや部品として設計されている。

フロントミッドシップレイアウト、フロントエンジン後輪駆動であることや、50：50の前後重量配分などマツダのスポーツカーとして重要な部分はRX-8と共有しながら、ロードスターらしい独自のダイナミック性能や軽快感を実現するために、ボディ、シャシー、パワートレイン、電子機器などはすべてロードスター専用設計となっている。

また、3代目とRX-8はマツダ独特のフレキシブルな混流製造ライン（マツダ宇品第1工場）で生産することで、生産や設備投資面でも効率化が図られている。例えばRX-8のボディフレーム治具は、370mm短いロードスターのホイールベースに適応できるように設計されており、組み立てラインにおいて溶接基準点を合わせることで共通の治具として活用できる。溶接ロボットをはじめとする機械は、綿密なコンピューター制御により各モデルの違いを判別して自動的に適応できるようにプログラムされている。共有しているのは、サスペンションが取り付けられるサブフレームのボディ側締結ポイント、サスペンションタワーの位置などである。これらによって、3代目NC型ロードスターは、RX-8と生産ラインを共有しながらも、異なるホイールベース、車幅、トレッド幅を採用することが可能となっている。マツダではこれを、「アーキテクチャー（基本骨格）の共有」と呼んでおり、両車はそれぞれ専用設計であり、主要構成部品を共有する「プラットフォーム共有」ではないと説明している。このアーキテクチャーの共有は、現在マツダが進めている「スモール」と「ラージ」のふたつのアーキテクチャーに分類するコモンアーキテクチャーの考え方につながっている。FF駆動方式の小型乗用車は、相似形に設計し、製造機器の制御やツールの入れ替えで大小を使い分けることで、設計・生産コストを下げることができる。「ラージ」ではフロアトンネルをもつFR駆動方式のスポーツカーやプレミアムカーを生産することができる。いずれもラインアップ全体を縦串に貫いて企画する「一括企画」が前提となっている。

最適な軽量化と大幅剛性アップを果たした衝突安全ボディMAGMA

3代目NCロードスターは、衝突安全規制や環境性能対応など求められる要件によって、前の2世代モデルと比較してボディサイズ拡大を余儀なくされている。しかし、極端に重量が増加すると走行性能が低下し、人馬一体が目指す方向とは相反することになる。そこで3代目NC型開発の最重要項目は、軽量化であった。車両のあらゆる領域において1グラムでも削減できる余地がないかを徹底的に検証する「グラム作戦」を推進。グラム単位で部品の重量を算出して軽量化に取り組んでいる。アルミボンネットやアルミ製PPFは継承し、エンジンブロックやトランクリッド、フロントサスペンションコントロールアーム、リアハブサポート、リアブレーキキャリパーなど大物部品にアルミ製を採用。またエンジンヘッドカバーやインテークマニホールドのプラスチック化、フロントスタビライザーの中空化、シートフレームの高張力鋼板化などの軽量化策を織り込み、車両の全ての部品に対して削減できる部分がないか3Dモデルや試作車、試作部品で徹底的に抽出し検証している。ルームミラーのデザインを簡素化することで84g減量し、フランジの切削やファスナーの短縮など極めて細かいものも含め、多くの軽量化案を採用している。その結果、車両重量は2代目NB型と比較して約10kgの増加に抑えられている。

また、当時最新鋭のCAE技術を駆使し、軽量化構造の追求と超高張力鋼板と高張力鋼板の効果的な使い分けを行い、ボディ剛性の確保と軽量化の両立を図っており、2代目NBモデルに対して、曲げ剛性で22%、ねじり剛性で47%を向上しながら、ホワイトボディの総重量は1.6kg軽量化となっている。従前は性質の異なるアルミ材とスティール材の溶接による接合は困難とされていたが、高速で回転する特殊な溶接ツールを使うことで、アルミ製トランクリッドに鋼板製スタッドプレートを溶接する摩擦点溶接を世界で初めて採用している。

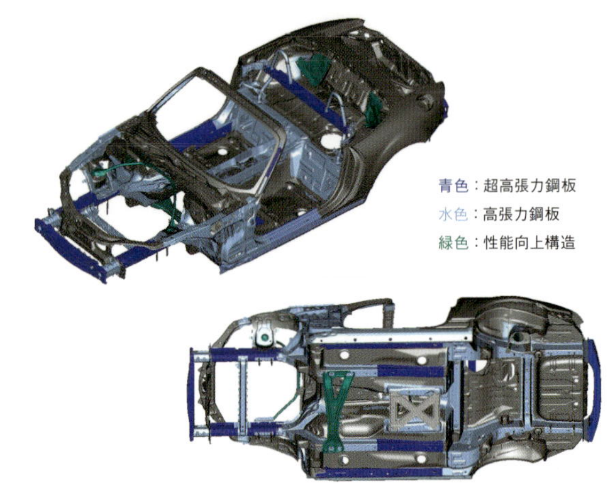

超高張力鋼板及び高張力鋼板の使用部位

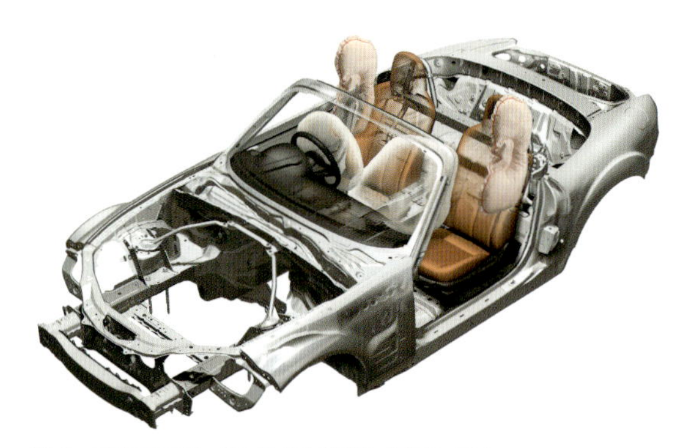
計4ヵ所のエアバッグシステムを備えた安全ボディ

重量配分をさらに追求

意のままにクルマを操ることができるコントロール性実現のため、ロードスターは初代NA型から一貫して2名乗車で車両の総重量の前後重量配分を50：50にすることにこだわっている。車両の重心をできるだけ低く、ヨー慣性モーメントを可能な限り小さくするよう、車両レイアウトが考慮されている。空調ユニットを小型化することでエンジンの中心位置をNB比135mm後方に移動し、バッテリーをトランク内からエンジン前方に移すことで車両重心からバッテリー間の距離を265mm短縮。床下の燃料タンクをより前方、そして下方に設置することで、ヨー慣性モーメントの低減に加えて低重心化も図っている。3代目NC型は2代目と比較して、車両全体の重心高を18mm低下、ヨー慣性モーメントは2%低減されている。

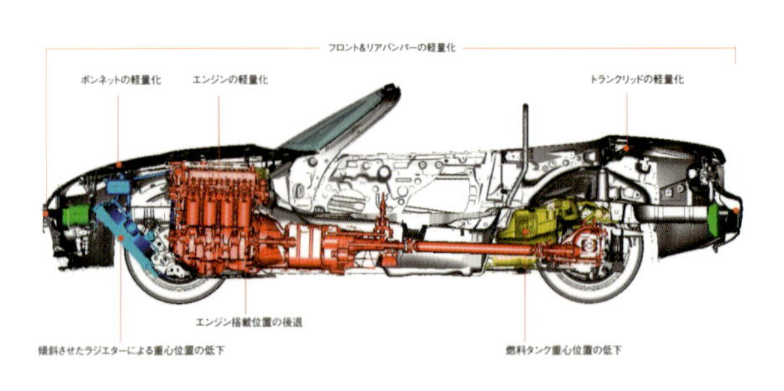

最適化した前後重量配分

また、居住性の改善のため、ホイールベースは2代目NBから65mm拡大し2,330mmとなったが、全長は40mm拡大の3,995mmにとどめている。全幅はサイドエアバッグの採用などのため40mm拡大している。コンパクトであることはライトウェイトスポーツの基本要件であり、これらの改善を織り込みながらサイズの拡大を最小限に抑えている。

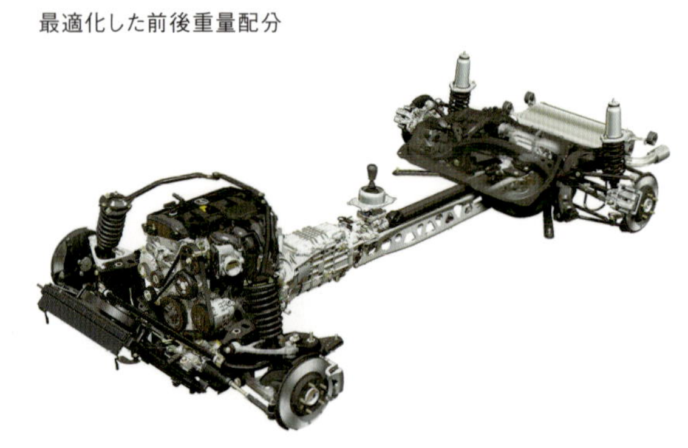

パワーユニットは
全車MZR直列4気筒2Lエンジンに刷新

3代目NC型では、機敏でリニアに応答し運転して楽しいクルマとするためにエンジン体系を一新し、LF-VE型2.0L直列4気筒エンジンを採用している。アテンザやアクセラなどに採用のFF用MZRエンジンをベースにフロントミッドシップ後輪駆動搭載に対応し、吸気側S-VT（シーケンシャル・バルブタイミング）、高圧縮ピストン、VIS（可変吸気システム）などを採用。最高出力は、125kW（170ps）/6,700rpm（AT車は122kW（166ps））、最大トルクは189Nm（19.3kg-m）/5,000rpmを発生する。2,500回転以上で最大トルクの90％以上、トップエンドでは95％以上を達成するなど、低回転域から高回転域まで伸びやかなトルクフィールを実現した。また、欧州仕様には最高出力93kW（126ps）/6,500rpm、最大トルク167Nm（17.0kg-m）/4,500rpmを発生するL8-VE型1.8L直列4気筒エンジンも設定されていた。

トランスミッションは、専用の6速マニュアルトランスミッションを内製で新開発し、スポーツ走行に最適なクロスレシオに設定したうえで、クイックなショートストロークを実現するため、1～4速のすべてにトリプルコーンシンクロを採用。また、慣性を低減するため、3・4速のシンクロナイザーリングをカウンターシャフト上に配置している。そのほかに、改良を加えた5速マニュアルトランスミッションと6速アクティブマチックオートマチックトランスミッションを設定している。この電子制御式6速ATは、従来の4速ATに対し、1速の低速化とトップギアの高速化を行い、力強い発進加速と燃費性能、高速走行時の静粛性の両立を実現している。さらにステアリングを握ったままでシフトアップ/ダウンができるステアリングシフトスイッチを設定している。

軽快感と安定性を両立したハンドリング性能

人馬一体のキビキビとした軽快なハンドリング性能を実現するために、NC型ではフロントはドライバーの意思に対して忠実に反応するダブルウィッシュボーン式を、リアには安定性を最大限確保するため、新たに5本のロングリンクを持つマルチリンク式サスペンションを設定した。フロントは、コントロールアームをアルミ製としてバネ下重量を低減し、さらにタイヤのストロークに応じたトーキャスター、キャンバーのリニアなコントロールを可能にしている。リアは、アンチダイブ、アンチリフト効果を正確に発揮するように設定し、加減速やブレーキ操作に左右されない安定した操縦安定性能を実現している。またブレーキはリニアでダイレクトかつコントローラブルな制動性能を実現するため、ローター径のアップとともにペダルの低レバー比化、ブレーキブースターのサイズアップなどを行なっている。また、車両のダイナミック特性から感じる「人馬一体」感のテイストを統一するため、「統一感タスク」と呼ばれるエキスパートチームを編成。感覚的な領域についての定量化と育成を行っている。統一感の基準はハンドリングの代表特性であるゲイン（操舵に対する車両応答の早さ）と操舵力（ステアリング操作力）のバランスポイントを定量化して設定し、それをベースにパフォーマンスフィール、アクセル、ブレーキ、クラッチの操作力/操作フィール、シート のホールド性能などの目標値を設定し、統一感の実現を行っている。

リアサスペンション

フロントサスペンション

オープンエアドライビングの楽しさを拡大

Z型に折れて格納される新しいソフトトップは、中央に設けた1つのハンドルを操作するだけで開閉できる構造となった。アシストスプリングの働きにより、ソフトトップを締める際もシートに座ったまま軽い力で操作できるようになっている。また、快適なオープン走行を楽しむために、三角窓を小型化して継承するとともに、エアロボードは風の巻き込みをコントロールするメッシュタイプとし、逆流風の進入を大幅に低減している。空調システムでは、新しくウエストルーバーを設定。ルーフオープン時には運転席、助手席の膝下などにエアコンからの風を導くようになった。また、ソフトトップの開閉状態を認識し、最適な音響特性に自動調整する専用のBOSEオーディオシステムも採用している。

デザインイメージの継承と進化

3代目のデザイン開発は、世界中で広く人気を集めた初代および2代目のデザインの特徴を改めて認識するところから始まっている。これらロードスターの象徴的な造形であるサイドビューのショルダーラインとプロポーションを継承するとともに、ピュアなライトウェイトスポーツの本質をよりモダンに表現している。

エクステリアのデザインには、「シンプル」「コンテンポラリー」「ファン」「フレンドリー」という、ピュアなライトウェイトスポーツの本質を捉えた4つのキーワードを掲げ、新しさのなかにシンプルでわかりやすいデザイン創出を目指している。キャラクターラインよりもサーフェイスの動きや表情によってスポーツカーならではのアスレティックなかたまり感を表現することに注力し、光と影のリフレクションを効果的に取り入れて、見る角度によってさまざまに表情を変えるダイナミックなフォルムを追求している。

インテリアデザインは、「心地よい開放感とタイト感の絶妙なバランス」をコンセプトに掲げ、ライトウェイトオープンスポーツを運転する歓びをより高めることを目指している。従来同様にT字型インストルメントパネルを採用し、センターバックボーンの骨格を強調するセンターコンソール、そして水平と垂直で構成した明快なラインで剛性感とスポーツカーらしさを表現している。

ジュネーブショーでNC型ロードスターを発表

2005年3月にスイスで開催されたジュネーブ国際モーターショーで、新型ロードスター/MX-5として、3代目NCロードスターがアンヴェールされ、全容が明らかとなった。その後、同年5月にはメディアやジャーナリスト向けの先行国際試乗会を米ハワイ島で実施。この時、アメリカ、日本、ヨーロッパのロードスター/MX-5ファン代表を招いて特別に試乗させている。発売前のモデルを一般のファンユーザーに試乗させることは当時珍しく、ユーザーファーストの対応が話題となった。8月には、両国国技館で発表会を実施している。また、この時、4月のニューヨークショーで発表された特別仕様車である「3rd Generation Limited」が世界限定3,500台(うち日本国内は500台)で発売開始となった。

5月 事前試乗会(ハワイ)

5月 ハワイ事前試乗会で試乗するファン

モデルサイクル期の変遷

2005年8月～2015年5月

新型「ロードスター」を発売

2005年8月25日 発表/発売

NC型3代目ロードスターは、初代から継承する「人馬一体」の開発コンセプトを基に、軽量・コンパクトな新開発2.0L MZRエンジンの採用、徹底したボディの軽量化、重量配分の最適化、最新の環境および安全要件対応を行うことによって、ライトウェイトオープンスポーツとしての性能を更に向上させている。発売ニュースリリースの中で、貴島孝雄開発主査は、「新型ロードスターの真髄は、馬と乗り手が心を通い合わせて走る"人馬一体"という言葉に表されます。ドライバーがクルマと会話をするように、お互いの動きを確認し合いながら走る歓びを、様々な形で実感させてくれる"Lots of Fun"なクルマです。このクルマが与えてくれる人の感性に訴える楽しさを、少しでも多くのお客様に体験していただきたいと思います」と語っている。

機種構成は、標準車ロードスター、トルクセンシング式スーパーLSD、フロントサスタワーバー、BILSTEIN社製ダンパー、17インチタイヤ＆ホイールを備えた6MTのみのRS、サドルタン色の内装と本革バケットシートを備えたVSの3種類で、標準車は5MTと6AT、VSは6MTと6ATが選べる。外板色は、ブリリアントブラック、マーブルホワイト、トゥルーレッド、ノルディックグリーンマイカ、サンライトシルバーメタリック、ギャラクシーグレーマイカ、ウィニングブルーメタリック、カッパーレッドマイカの8色が設定された。価格は、ロードスター（5MT）が2,200,0000円、RS（6MT）が2,500,000円、VS（6AT）は2,600,000円。月間販売計画台数は360台だった。

「ロードスター3rd Generation Limited」発売

[**特別仕様車**] 2005年8月25日　発表/発売

【販売台数】 3,500台限定（うち国内は500台）

【価格】 6MT　2,750,000円

【ベース車】 RS 6MT

【特別装備】 専用外板色ベロシティレッド、BILSTEIN製ダンパー、フロントサスタワーバー、専用アルミホイールを装着。フロントAピラー、グリルガーニッシュ、ヘッドライトベゼル、ドアノブなどをクロームメッキに加工し、本革シートとドアパネルは、レッドとブラックの2トーン仕様になっている。また、アルミヘアライン調のインストルメントパネル、専用シフトノブやステンレススカッフプレートなど装備をした。7スピーカーのBOSEサウンドシステムも標準装備。マツダとして発売記念特別仕様車は異例だが、標準車同様に6月からオフィシャルウェブサイトで予約受注が行われていた。

※価格はすべて消費税込み

「マツダロードスター」が「2005-2006日本カー・オブ・ザ・イヤー」を受賞

2005年11月9日

日本カー・オブ・ザ・イヤー実行委員会が主催する「2005-2006日本カー・オブ・ザ・イヤー」は、2代目NC型マツダロードスターが受賞した。マツダ車の受賞は、1982年のカペラ以来23年ぶりのことであった。当時開発副主査だった山本修弘は、「貴島さんの"みんなでカー・オブ・ザ・イヤー(COTY)の獲得を目指そう"の掛け声を目標として開発に取り組んでおり、困難に直面した時には、マネジメントからCOTYを取りたくないのか、と激励されたものです。選考会でCOTYを獲得した時、受賞式では自然に涙が溢れ出ました」と当時を振り返っている。

左から藤富PT副主査、貴島主査、山本開発副主査、金澤専務

喜びの表情を見せる貴島主査

2006

「ロードスター日本カー・オブ・ザ・イヤー受賞記念車」発売

[特別仕様車] 2005年12月26日発表 2006年1月中旬発売

【価格】 2,694,500円(6MT) 2,700,000円(6AT)

【ベース車】 RS 6MT VS 6AT

【特別装備】 本革製バケットシート及びドアトリム、クロス製ソフトトップ(ブラック)、専用デカール、BOSEサウンドシステム+6連奏CDチェンジャー+7スピーカー、アドバンストキーレスエントリーシステム、フロントフォグランプ、スカッフプレート。外板色/インテリアカラーは、カッパーレッドマイカ/ブラックレザー、ブリリアントブラック/レッドレザーのセットオプション。「Vスペシャル」にステンレス製キックプレートを採用した。

3代目NC型ロードスターの「2005～2006日本カー・オブ・ザ・イヤー」受賞を記念した特別仕様車。この「日本カー・オブ・ザ・イヤー受賞記念車」は、新しい内外装カラーの組み合わせの採用に加えて、本革製バケットシート、クロス製ソフトトップ、BOSEサウンドシステムなどの特別装備により、ロードスターの質感をさらに高めた仕様となっている。

モータースポーツ入門用ベース車両
「ロードスターNR-A」発売

[**機種追加**] 発表　2006年3月23日　発売　4月上旬

【価格】 2,300,000円

【ベース車】 標準車5MT

【追加／変更装備】 車高調整機構付BILSTEIN社製ダンパー、トルクセンシング式スーパーLSD、本革巻きステアリングホイール、アルミ製ペダル、フロントサスタワーバー（カウル結合タイプ）、16インチスチールホイールほか。外板色は既存のロードスターカラー体系内の6色から選択。メーカーオプション：16インチアルミホイール、ディーラーオプション：ロールバーセット、ロールバープロテクター、前後牽引フック。

NR-Aは、2005年フルモデルチェンジしたNCロードスター標準車をベースにしたレース仕様ベースモデル。先代NB型のレース仕様ベースモデル「NR-A」を2001年12月から販売しており、登録ナンバーが取得できる仕様や、リーズナブルな価格設定等により、モータースポーツに関心のあるユーザーから好評のモデルとなっている。

「ウェブチューンロードスター」発売

[**特別仕様車**]

NC型ロードスターのラインアップに、アイテムの選択自由度を拡大したWebカスタマイズモデル「ウェブチューンドロードスター」が2006年4月13日より、マツダが運営する「Web Tune Factory（ウェブチューンファクトリー）」において展開されたもの。同サイトは、国内自動車メーカー初の受注生産サイトとして2001年2月に開設。「カスタマイズする楽しさ」を提供するサイトでもあり、特別仕様車を含む22種類のマツダ車がラインナップされていた。

「ウェブチューンドロードスター」では、ブラックのクロス製ソフトトップなどカタログモデルには設定のない装備の選択や、カタログモデルではセットオプションとして提供されている装備の単品選択が可能となっていた。また、特定の機種に組み込まれている標準装備を単品アイテムとして選択することも可能であり、ユーザーの多様なニーズに応えると同時に、Web上で手軽に「カスタマイズする楽しさ」を提供していた。なお、「ウェブチューンドロードスター」は、「Web Tune Factory」のシステムを利用した商談支援ツール「Web Tune Factory@Dealer」を使うことによって、各販売店においてもカスタマイズ・商談・購入できる仕様となっていた。

■「ウェブチューンドロードスター」の概要

【対象機種】 ロードスター全機種（NR-Aを除く）

【装備選択における特長】

- 「クロス製ソフトトップ（ブラック）」、「ステンレス製スカッフプレート」、「フロントフォグランプ＋ブラックベゼル」といったカタログモデルでは設定のない装備の選択が可能。
- 「SRSサイドエアバッグシステム（頭部保護機能付）」、「撥水機能（フロントガラス／ドアガラス／ドアミラー）」など、カタログモデルではセットオプションとして設定されているアイテムの単品選択。
- カタログモデルでは「VS」（6AT）のみの設定である「ステアリングシフトスイッチ」を、標準車（6AT）に装着。

【価格】 2,200,000円～

※価格はすべて消費税込み

「ロードスター、パワーリトラクタブルハードトップ」発売

［機種追加］2006年8月23日発表/発売

【価格】 2,400,000円〜2,800,000円

2006年8月、ロードスター初のパワーリトラクタブルハードトップ（PRHT）車が機種追加となっている。ロードスターユーザーの市場調査によると、「オープン走行が気持ちいい」という好評を得られる一方で、電動化や静粛性の向上に対する強い要望が上がっていた。また、女性ユーザーからは、幌の開閉で手が汚れるという意見や、年配のユーザーからは電動開閉によってより気軽にオープンエアを楽しみたいという声もあったという。ロードスターらしいRHTとは何かを検討した末、軽量コンパクトでシンプルな機能美、爽快感、低いベルトラインなどロードスターの基本要件をPRHTでも受け継ぐべきと判断。欧州車など当時のRHTを採用するオープンカーは、ルーフをトランクに収納する形式が主流となっていたものの、トランクやルーフに大掛かりなリンク機構が必要になって重量がかさみ、軽快感が失われる懸念があることに加え、オープン、クローズでの重心移動量が大きく、操縦安定性にも大きな影響が出ることが分かった。そこで、人馬一体感を損なわない形式として、ルーフをフロントルーフ、ミドルルーフ、リアウインドーガラスに3分割し、従来ソフトトップを収納していたシートバック後方のキャビンスペースへ収納する構造を採用した。この格納スペースの上部に設けられたリアデッキカバーが、ルーフ開閉の操作に連動して持ち上がり、操作終了後に定位置に戻る。中央のセンターロックを解除し、ボタンを押すだけで開閉することができる。コンパクトなリンク機構とモーター駆動制御によって、当時では世界最速の12秒という開閉時間を実現。また、オープン時も標準車と同容量のトランクルームを100%使用できる実用性にも配慮している。

※価格はすべて消費税込み

■「パワーリトラクタブルハードトップ（PRHT）」の主な特長

「人馬一体」の走りを実現する小型軽量の高剛性ボディを造り込むため、ルーフ部を軽量コンパクトにするとともに、3分割電動格納ルーフの採用により拡大した開口部に対応して、重量増を抑えながら効果的な補強を施し、ソフトトップモデルと同等のボディ剛性を確保。サスペンションにも専用チューニングが施されている。構成部品を最小限とすることで、重量増はソフトトップモデルに比べて37kg増に抑えられている。また、車両寸法は、クローズ時の全高がソフトトップモデルより約10mm高くなったことを除き、ソフトトップモデルと変わらないコンパクトさを保っている。さらに、低く流れるようなショルダーラインを持つ独特のサイドシルエットなど、初代モデルから継承する、ひと目でロードスターとわかる個性的なスタイリングを実現した。外板色は、既存の5色および新色の「ストーミーブルーマイカ」から選択できる。パッケージオプションとして、17インチ高輝度塗装アルミホイールを中心とした「プレミアムパッケージ」が標準RHT（6AT）とRS RHT（6MT）に設定されている。

「ロードスターBlaze Edition（ブレイズエディション）」発売

［特別仕様車］2006年12月22日発表　2007年4月発売

【価格】 ソフトトップ6MT 2,840,000円/6AT 2,870,000円、RHT 6MT 3,040,000円/6AT 3,135,000円

【ベース車】 ソフトトップ「RS」（6MT）および「VS」（6AT）、RHT「RS RHT」（6MT）および「VS RHT」（6AT）

【特別装備】 専用BBS社製鍛造17インチアルミホイール、専用クロームパーツ（サイドマーカー、フロントグリルガーニッシュ、アウタードアハンドルカバー）、専用クリアタイプパーツ（ヘッドランプターンランプ、サイドマーカーレンズ、ハイマウントストップランプ）、ブラッククロスソフトトップ（ソフトトップモデルのみ）、フロントフォグランプ＋フォグランプベゼル（ブラック）、専用サンドベージュレザーシートおよびドアトリム、サンドベージュ色本革シート、同色ドアトリム（合成皮革素材）、専用ステアリング本革巻＆パーキングブレーキレバー本革巻（ベージュ色ステッチ入り）、専用シフトブーツ（ベージュ色ステッチ入り/6MTのみの装備）、専用エアベントベゼルリング＆メーターリング（ブライトアルミ調）、デコレーションパネル（ブライトアルミ調）、ステンレス製スカッフプレート、外板色は、専用色「ラディアントエボニーマイカ」、または、新たに標準モデルに採用された濃緑系の「ハイランドグリーンマイカ」の選択が可能。

“ブレイズ（Blaze）”は、「きらめき」、「強い光」、「燃え立つような色彩」という意味の英語。存在感のあるBBS社製鍛造アルミホイール、各部に採用したクロームパーツおよびクリアタイプパーツ、濃いボルドー系の専用外板色「ディアントエボニーマイカ」などを特別装備。一方で、サンドベージュ色と黒色の革素材を多用しながら、アルミ調パーツをアクセントとして用いる質感の高い内装とすることにより、スポーティかつエレガントな仕様としていた。

2007

「ロードスターマツダスピードM' z Tune」発売

［特別仕様車］2007年4月6日 発表/発売

【価格】 3,150,000円

【ベース車】 ソフトトップ RS（6MTのみ）

マツダE&T社の企画によるコンプリートモデル。他のマツダ車同様に全国のマツダ販売会社を通じて発売した。「ロードスターマツダスピードM' z Tune」は、スポーツ志向のユーザー向けのコンプリートモデルである。ロードスター「RS」（6MTソフトトップ）をベースに、専用ECU、専用フレッシュエアダクト、専用軽量フライホイールなどでチューンを施したエンジンおよびスポーツマフラー、専用低排圧キャタライザーシステム、BILSTEIN製車高調整式ショックアブソーバー、専用スポーツコイルスプリング、強化ブレーキパッド、専用フロントエアダムスカート/リアアンダースカート、リアスポイラー、ホールド性と快適性を両立させた3Dネットスポーツシートなどを装備している。

「ロードスターPrestige Edition」発売

［特別仕様車］2007年10月1日 発表/発売

【価格】 6MT 2,950,000円　6AT 3,050,000円（消費税込）

【ベース車】 リトラクタブルハードトップモデル「RS RHT」（6MT）および「VS RHT」（6AT）

【特別装備】 専用シートヒーター付本革製バケットシート（ブラック）およびドアトリム、運転席ラチェットレバー式シートリフター（標準車にもオプション設定）、専用BBS社製鍛造17インチアルミホイール、専用ステンレス製スカッフプレート、フロントフォグランプ（クリア）＋フォグランプベゼル（ブラック）、フロントサスタワーバー（カウル結合タイプ、6ATのみ）、DSSC（横滑り防止機構）［6ATのみ］。外板色は標準車同様の7色から選択可。

受注生産車の「プレステージエディション」は、シートヒーター付本革製バケットシート（ブラック）、BBS社製鍛造17インチアルミホイール、ステンレス製スカッフプレート、フロントフォグランプ等の上級装備を付加し、ロードスターRHTの最上級車にふさわしい仕様としている。

ロードスター、マイナーチェンジを実施

2008年12月9日　発表/発売

【価格】 ソフトトップ2,330,000円〜2,600,000円
RHT 2,680,000円〜2,950,000円

新型ロードスター（通称NC2）は、初代NA型ロードスターから継承する「人馬一体」のコンセプトを基に、内外装のデザインおよび質感、機能性、走行性能を細部にわたって進化・熟成させることにより、様々な"Fun（歓び）"を提供するロードスターならではの魅力・商品性をさらに高めている。また、オープン走行の楽しさとクーペの快適性を両立するRHTモデルは、質感の高い外装パーツを専用装備するとともに静粛性を高めるなど、上質感や快適性をさらに高めている。シンプルな造形や親しみやすい表情など、初代モデルから継承しているロードスターらしいスタイリングを維持しつつ、当時のマツダ車共通のデザインモチーフである5角形グリル、新しい造形のヘッドランプユニットを採用するなど外観デザインを一新している。

外板色には、サンフラワーイエロー、アルミニウムメタリック、濃灰系のメトロポリタングレーマイカを新設定し、全8色ラインアップとなった。

MT車は、鍛造クランクシャフトの採用によりクランク剛性を向上すると同時に、ピストンのフルフロート化やバルブスプリングの見直しにより、エンジン全体の精度を向上。出力のピークを従来の6,700rpmから7,000rpmに、最高回転数を7,000rpmから7,500rpmとすることにより、高回転域での伸び感を向上。新開発の「インダクションサウンドエンハンサー」を6MTに採用。空気がエンジンに流入する際に生じる吸気鼓動を増幅させて車内に響かせる工夫を実施している。6MT車はシフトフィールを向上。6AT（アクティブマチック）には、「ダイレクトモード」や「アクティブアダプティブシフト（AAS）」を新たに採用した。

2008　2009

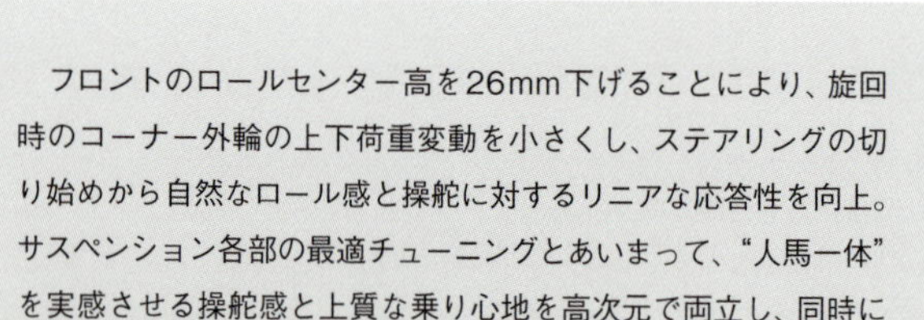

フロントのロールセンター高を26mm下げることにより、旋回時のコーナー外輪の上下荷重変動を小さくし、ステアリングの切り始めから自然なロール感と操舵に対するリニアな応答性を向上。サスペンション各部の最適チューニングとあいまって、"人馬一体"を実感させる操舵感と上質な乗り心地を高次元で両立し、同時に空力特性も改善している。

また、ドアモジュールに曲げ弾性に優れた素材を採用し、補強リブを追加することにより剛性を改善し、No.2クロスメンバーへの補強材追加とあいまって静粛性を向上。また、RHTモデルでは、発泡ウレタン材充填フロントサスクロスメンバーの採用やルーフへの制振材追加により、ロードノイズを低減している。さらに、全車「平成17年基準排出ガス75%低減レベル（SU-LEV）」に認定。横滑り防止機構「ダイナミックスタビリティコントロールシステム（DSC）」の採用や衝突安全性能では、高剛性・安全ボディ"MAGMA"、エアバッグシステム、歩行者保護に配慮したショックコーン構造ボンネットなどにより乗員および歩行者への衝撃を軽減。環境・安全性能の領域も進化させている。

※価格はすべて消費税込み

「ロードスター20周年記念車」発売

[特別仕様車] 2009年7月31日　発表/発売

【価格】 2,860,000円~3,110,000

【ベース車】 ソフトトップ「RS」(6MT)、
RHTモデル「VS RHT」(6AT)

【特別装備】 RECARO社製バケットシート(アルカンターラ〔ブラック〕/本革〔レッド〕)、20周年記念専用オーナメント、フロントフォグランプ(クリアタイプ)およびフォグランプベゼル、205/45R17 84Wタイヤ&17インチアルミホイール、フロントサスタワーバー(カウル結合タイプ)、クロス製ソフトトップ(ガラス製リアウインドー付 ソフトトップモデルのみ)、シートヒーター(温度5段階調整機能付)、ソフトパッド(合成皮革素材。ドアトリムアームレストおよびセンターコンソールリッドに採用)。

日本市場向けの20周年記念車は、フェイスリフトを受けたNCロードスター(NC2)のソフトトップモデル「RS」(6MT)およびパワーリトラクタブルハードトップ(RHT)モデル「VS RHT」(6AT)をベースに、クリスタルホワイトパールマイカの外板色に赤と黒の内装色を組み合わせた特別仕様車。バケットタイプのRECARO社製専用スポーツシート、20周年を表す専用オーナメント、クリアタイプのフロントフォグランプ等を特別装備している。また欧州市場では、クリスタルホワイトパールマイカに加え、トゥルーレッドとオーロラブルーマイカのボディカラーを1.8Lエンジン、5MTのソフトトップモデルのベースグレードに組み合わせて販売された。

2010　2011　2012

「ロードスターBLACK TUNED」発売

[特別仕様車] 2011年10月3日　発表/発売

【価格】 3,005,000円

【ベース車】 パワーリトラクタブルハードトップ「RS RHT」(6MT)、「VS RHT」(6AT)

【特別装備】 ブリリアントブラック塗装のRHT、17インチアルミホイール(ガンメタリック塗装)、ブリリアントブラック塗装のフロントグリルガーニッシュ、アウタードアミラー、シートバックバーガーニッシュ、サンドカラーステッチ付きブラックレザーシート、ブラックドアトリム、本革巻ステアリングホイール、本革巻パーキングブレーキレバー、フロントフォグランプ(クリア)+フォグランプベゼル(ブラック)、BOSEサウンドシステム+7スピーカー(ヘッドユニットなし)、シートヒーター(温度5段階調整機能付)、フロントサスタワーバー(カウル結合タイプ)など。

「BLACK TUNED」は、電動開閉式ルーフを装備した上級グレード「RS RHT」および「VS RHT」をベースに、ブリリアントブラックのパワーリトラクタブルハードトップやアウタードアミラー、ガンメタリック塗装の17インチアルミホイールなど、ブラック調で統一した特別装備を採用し、よりスタイリッシュなスタイリングとした。内装は、サンドカラーステッチを施したブラックレザーシートや本革巻ステアリングなどを採用し、質感を向上している。外板色は、専用色「スピリティッドグリーンメタリック」と「ベロシティレッドマイカ」および「クリスタルホワイトパールマイカ」の3色。

「3代目NCロードスター」
2度目のマイナーチェンジ

2012年7月5日　発表/発売

【価格】 2,330,000円〜2,920,000円

2度目のフェイスリフトを受けたロードスター（通称NC3）は、ソフトトップ車とパワーリトラクタブルハードトップ（PRHT）車それぞれの個性の違いをスポーティなブラックや、プレミアム感のあるシルバー基調の装備によって鮮明に表現するコーディネートを行ったほか、フロントフェイスのデザインをアグレッシブに変更。インテリアでは、本革シートに新色「タン」色を新たに採用した。ロードスターならではの運転の楽しさにさらに磨きをかけ、スロットルやブレーキブースターの特性を見直し、アクセルやブレーキをさらにコントロールしやすくした。また、スポーツカーとしてボンネットを低く抑えたデザインを維持しながら、歩行者の頭部への衝撃を緩和する「アクティブボンネット」（歩行者保護システム）を同車に初採用した。

ソフトトップ車は「タイトスポーツ」をキーワードに、ブラック基調のコーディネーションを施し、PRHT車は、「プレミアムスポーツ」をキーワードにシルバー色のパーツを採用したコーディネーションとなっている。外観デザインでは、フロントグリル開口部デザイン変更、新デザインのフロントフォグランプベゼルの採用、フロントチンスポイラーの新採用などで、フロント部をよりアグレッシブな印象に変更した。また、新外板色として「ドルフィングレーマイカ」を追加設定している。インテリアでは、本革シートに新色「タン」を追加。シートはツートーンカラーのスタイリッシュなデザインを採用している。シート素材は、ファブリック（ブラック）、本革（タン、ブラック）、アルカンターラ＆本革（ブラック）を用意。選択のバリエーションを増やした。

初採用のアクティブボンネットは、一定の速度範囲内で走行中に一定以上の衝撃をセンサーが検知するとボンネット後端が瞬時に持ち上がり、エンジンとボンネットの間の空間を広げるシステムで、これが衝撃を吸収する空間となって、事故の際に歩行者の頭部への衝撃を緩和するようになっている。人馬一体感を損なうことのないよう、新デザインのフロントバンパー（−700g）、新デザインの17インチアルミホイール（−60gx4）、車両内部の配線（104g）にいたるまで軽量化を徹底し、重量の増加を最小限に抑えた。また、メーターフードの小型化により、前方視界を改善している。

※価格はすべて消費税込み

ソフトトップRS

RS RHT

2013　2014

「ロードスター」を一部商品改良

［商品改良］2013年12月6日　発表/発売

【価格】 2,331,000円〜2,877,000円

■商品改良の概要

共同開発のRECARO社製バケットシート（アルカンターラ/本革）をシートヒーターとともに、RS、RS RHTグレードに168,000円（両席、税込）の単独オプションとして設定。フォグランプの標準装備化、ソフトトップ車のルーフ生地をビニール素材から全車クロス/ブラックに変更。なお、前年7月に追加した外板色「ドルフィングレーマイカ」は2013年6月に廃止され、新たに「メテオグレーマイカ」が設定された。

フォグランプを標準装備

「ロードスター25周年記念車」を25台限定で国内発売

[特別仕様車] 2014年5月20日発表
2014年5月27日商談予約開始

【価格】 3,250,000円

【ベース車】 RS RHT(6MT)

【特別装備】 専用外板色「ソウルレッドプレミアムメタリック」、ブリリアントブラックで統一したパワーリトラクタブルハードトップ、フロントピラーカラー、ドアミラー、オフホワイトレザーシート&ドアトリム(25th Anniversaryロゴ付、レッドステッチ)+シートヒーター、ベストバランスを求めて厳選したピストン+コネクションロッド+フライホイール、フロントコンビネーションランプベゼル(ブラック)、専用シートバックガーニッシュ(ブリリアントブラック塗装)、205/45R17タイヤ&17インチアルミホイール(ダークガンメタリック塗装)、専用ステンレススカッフプレート(25th Anniversaryロゴ付)。
インパネデコレーションパネル(手塗りレッド加飾)、レッドステッチの本革巻ステアリング+シフトブーツ+パーキングブレーキレバー+アームレスト、サテンクローム仕上げのメーターリング+エアコンベゼルリング+インナードアハンドル、専用オーナメント(25th Anniversaryエンブレム、シリアルナンバー付)。

電動ルーフを採用した「パワーリトラクタブルハードトップ車(6MT)」をベースに、ソウルレッドプレミアムメタリックの外板色、ブリリアントブラックで統一したルーフ、フロントピラーカラー、ドアミラー、オフホワイトのレザーシートおよびドアトリム、手塗り仕上げのインテリア装飾パネルを施し、随所にこだわりを織り込んだ記念モデル。ピストン、コネクションロッド、フライホイールなど、エンジンの回転系部品を厳選し、レスポンス、伸び、吹き上がり、音質を追求することで、ライトウエイトスポーツの楽しさを磨きあげ、進化させている。さらに、所有する楽しみをより大きく、世界中のオーナーの方との絆を感じられるようにグローバルで統一した仕様とし、生産順にシリアルナンバーを採番している。国内の販売台数は25台、専用のWebページでのみ先着順に商談予約の受付を行った。また、国内購入者には25周年記念ウォッチをギフトとして提供している。

近未来ロードスターのコンセプトカー「息吹」を東京モーターショーに展示 2003年10月

2003年東京モーターショーのマツダスタンドに登場したコンセプトカー「息吹」(いぶき)は、ロードスターの原点に立ち返ることをコンセプトにしたモデルで、「新しい命を吹き込む」という意味が込められていた。このモデルは、流れるようなボディラインに加え、軽量素材がふんだんに使われるなど、ロードスターの未来を予見するものであった。180psを発生する1.6LエンジンをNBロードスター比400mm後方にレイアウト、エアコンユニットをシート後方に配置することなどにより、すべての主要部品をホイールベース内に配置するスーパーフロントミッドシップレイアウトを直列4気筒エンジンで実現。人馬一体の走りを具現化する鍵であるヨー慣性モーメントの低減を追求している。また、ハイブリッドシステムや回生ブレーキのほか、アイドリングストップなどの当時の最新技術も搭載されていた。

ロードスター20周年イベント、三次試験場で開催 2009年9月20日

10周年ミーティングからちょうど10年、英国、フィリピン、タイからの参加者を含め、1,645台ものロードスターと2,497名のロードスターファンが、マツダ三次試験場に戻ってきた。今回も多数のマツダ社員がボランティアとしてイベント運営に参加し、「おかえりなさい」とロードスターオーナーに声をかけていた。このイベントは、すでにロードスターの里帰りイベントとして定着しており、ステージイベント、記念撮影、周回路パレードランなどが行われ、10周年の時と同様に、金井誠太専務取締役が「ロードスターは永遠です」とフォーエバー宣言を行なった。そして、閉会の際にはマツダ社員による「いってらっしゃい」の掛け声で、それぞれのロードスターは家路についたのであった。参加台数のうち、初代NA型は999台、NB型が384台、NC型が262台という内訳だった。

1,645台のパレードラン

約2,500名が集まった

サインで埋め尽くされた記念署名車

ドイツ・エッセンで世界記録を樹立 2010年

ドイツ・エッセンのUNESCO世界遺産ツォルフェアアイン炭鉱業遺産群に、ヨーロッパ17カ国から459台のMX-5が集結。「マツダ車による最長パレード」ギネス世界記録を樹立した。参加者の中には、遠くモスクワからの来訪もあった。実際には600台以上の申し込みがあったが、会場に入りきれないことがわかり、この台数に落ちついている。オークションにかけられたパレード参加権落札金は、子供の人権を守るために活動する独立系国際非政府開発組織「SOS子どもの村」に寄付された。この記録は、およそ3年前にニュージーランドで作られた249台の記録を破るものであった。

オランダでギネス世界記録を更新 2013年6月

2013年6月、「マツダ車による最長パレード」ギネス世界記録がオランダで更新された。首都アムステルダムの東にある干拓地レリスタットの政府系RDW自動車テストセンターで開催された「MAX-5 2013」ファンイベントには、ヨーロッパ各地から683台のMX-5が集まり、パレード走行を行った。このテストセンターの海抜は－3mという。ギネス記録の定義では、クルマのパレードは周回路ではない道路上で最低でも3.2km以上の距離を連なって走行し、車間距離は車両2台分以下と定められている。

ロードスター、生産累計90万台を達成 2011年2月4日

2007年1月30日にマツダロードスターの生産累計台数が80万台に達し、2011年2月4日には90万台に到達した。1989年4月に初代NA型ロードスターの生産を開始して以来、21年10ヵ月での達成となった。なお、ロードスターは2000年5月に「2人乗り小型オープンスポーツカー」生産累計世界一としてギネスに認定（531,890台）されており、生産累計90万台達成を機に再度ギネスに記録更新を申請し、後日認定された。なお、この90万台目の車両は、ドイツの一般顧客が購入した個体であった。

ミュージシャン奥田民生の「風は西から」MVにNCロードスターが登場 2013年6月

広島県出身のロックミュージシャン、奥田民生が、マツダの企業CMソングとして「風は西から」を書き下ろした。この楽曲は、マツダの「Be a driver.」というスローガンに共感したものとのこと。同曲のミュージックビデオには、マツダの衝突試験場からNCロードスターに乗って逃げ出したダミー人形が、自由を謳歌し、人間の若い女性と恋に落ちたが、やがて責任を感じて実験場に戻っていく、という切ないストーリーとなっていた。

© キューンミュージック

ロードスター25周年記念イベントが目白押し 2014年

初代発売から25周年を迎えたメモリアルイヤーである2014年には、3代目のモデルサイクルの終わりを飾る25周年記念車をニューヨークオートショーにて発表。同ショーでは4代目ロードスターのシャシーモデルも発表し、それまでに培われた技術が次の世代へと受け継がれる準備が整ったことを伝えている。5月のひろしまフラワーフェスティバルでは、地元広島のロードスターオーナーズクラブが中心となって25台のロードスターによるパレード走行が実現。また、5月恒例のファンイベント「ロードスター軽井沢ミーティング」では、NCロードスター25周年記念車の国内初披露が行われている。6月には、ルマン24時間レースのスタート前に、マツダフランス、マツダUKおよびフランスのMX-5オーナーズクラブの協力で集まった10台のMX-5がルマン市内をパレードラン。サルトサーキットでもパレード走行を実施し、30万人と言われるルマン24時間レースの大観衆にロードスター生誕25周年をアピールしている。さらに、6月末には英国南部で行われたグッドウッドフェスティバルオブスピードに、「マツダMX-5 25周年記念スタンド」が出現。会場では、25周年記念MX-5がアンヴェールされ、歴代のMX-5各モデル、特別仕様車、10周年記念NBモデル、20周年記念NCモデルが展示されていた。あわせてマツダUKのパートナーチームであるJOTAスポーツが2012年の英国GT選手権にエントリーしたMX-5 GT4もディスプレイ台に上がっていた。各モデルの多くは英国在住のオーナーの愛車であった。

9月4日には、日本は舞浜アンフィシアター(千葉県浦安市)でロードスター25周年を祝うファンイベントが開催され、同時に4代目NDロードスターのワールドプレミアが行われた。ロードスターファンとメディアやジャーナリスト向けに同時に新型車を発表するという異例のイベントとなった。アメリカでは、9月7日に1,930台のMX-5ミアータがカリフォルニア州の「マツダレースウェイ・ラグナセカ」(現在はウェザーテックレースウェイ・ラグナセカ)に集結。これには、北米のみでなく、遠くオランダ、タイ、日本からの参加者もあった。

ひろしまフラワーフェスティバル

6月 ルマン市内
25周年パレード(フランス)

7月 グッドウッドフェスティバル
オブスピード(英国)

9月 マツダレースウェイ・
ラグナセカ(カリフォルニア州)

ショーモデル

「マツダMX-5スーパーライトバージョン」、フランクフルトモーターショーに出品　2009年9月15日

ドイツ・フランクフルトで行われた第63回IAA国際モーターショーのマツダスタンドにて、ショーモデル「マツダMX-5スーパーライトバージョン」が展示された。このクルマは、MX-5 20周年を記念して企画されたもので、軽量化技術を駆使して、動力性能、ハンドリング性能、燃費、CO_2低減レベルを向上させ、走る歓びと環境性能の両立を表現したものであった。プレスカンファレンスでは、「フロントガラスを取り除いた大胆なエクステリアデザインとオープンカーならではの走りの機能を一層高めたシャシーを融合させている」と説明されていた。このモデルは、フランクフルト郊外にあるマツダデザインセンターヨーロッパでデザインされたものであった。ルーフやソフトトップをもたず、エアコン、オーディオはもちろん、センターコンソール、フロアカーペットまでも外した結果、車重は995kgを実現。最大出力126ps/6,500rpmを発生する欧州仕様のMZR　1.8Lエンジンを搭載し、0-100km/h加速は8.9秒、欧州複合モード燃費は15.87km/Lとのこと。

2010年のSEMAショーにマツダUSAが出展した**MX-5ミアータ「Super 20」**は、243psを発生するスーパーチャージャー付き2.0エンジンを搭載したショーモデルだ。ハードトップモデルに車高調整式ダンパー、高性能ブレーキ、レーシングビート社製排気マニフォールド、同マフラーなどを装着している。2010年モデルはマットカーボングレーの外板色にオレンジのアクセントを配していたが、翌年のSEMAショーに出展した2011年モデルはオレンジの外板色にグレーのアクセントとなっていた。

2011年SEMAショーに展示された**MX-5ミアータ「スパイダー」**は、マツダUSAデザインとマグナカートップシステムのコラボレーション作品だった。ワインレッドのソフトトップを用い、全体に低いプロポーションにまとめられているが、十分なヘッドルームが確保されていた。2.0Lの4気筒NAエンジンは、モータースポーツ活動で培ったイソブタノール・バイオ燃料仕様で、マツダスピード強化サスペンションとレース用軽量リチウムバッテリーを搭載していた。

「**MX-5 GTコンセプト**」は、マツダUKのブリティッシュGT選手権出場を記念して企画されたシーモデルで、チーム運営を担当するJOTAスポーツが開発したアジャスタブルサスペンションを装着し、MZR 2.0Lエンジンは205psにチューニングアップされていた。マツダUK は、2012年6月のグッドウッドフェスティバルオブスピードにこのモデルを展示し、デモ走行を行った。そこで好評を得たため、英国仕様のカスタムメイド車として、発売すると発表した。

2012年ドイツのライプツィヒ国際自動車ショーにマツダドイツが出展したこのショーモデルは、**「MX-5 Yusho(優勝)」**と命名されていた。コスワース製ピストンとアメリカのチューナー"フライングミアータ"製スーパーチャージャーを装着し、最高出力278psと最大トルク284Nmを発生。0-100km/h加速は5.9秒、最高速は238km/hを誇る。BILSTEIN製ダンパー、アイバッハ製コイルスプリング、カーボンファイバー製リアディフューザー、トランクリッドスポイラーを装着していた。

モータースポーツをイメージさせる**MX-5ミアータ「Super 25」**は、サンダーヒル25時間レースなどの耐久レースを念頭に置いて設計されている。このモデルは、マツダUSAにより2012年SEMAショーに出展されたもので、PIAA 40シリーズのハロゲンライトがバンパーに埋め込まれ、バケットシートやフルハーネスのシートベルト、ステアリングホイールは完全な耐久レース仕様となっている。外板色はチェリーレッド。マツダ787Bと同じカーナンバー「55」をボディサイドに貼っている。

海外の主な特別仕様車

3代目NC型ロードスター/MX-5は、特にヨーロッパ各国で独自の特別仕様車が企画され、販売された。

NISEKO

専用色ライトブルーを設定。ブラウンレザーの内装とブラウンのソフトトップを装備していた。

BLACK by MX-5

RHT車をベースに、ハードトップやドアミラー、アルミホイールなどをブラック塗装に統一した。30台限定。

KAMINARI

専用ホイール、グレーレザーシートを装備し、ボディに専用デカールなどを施した。900台。

RACING by MX-5

ベロシティレッド(写真)、ブリリアントブラック、クリスタルパールホワイトの外板色を設定した。25台限定。

SPORT-TECH

17インチガンメタルホイール、ハバナブラウンレザーシートを装備し、ダッシュボードをピアノブラックとした。

MX-5 CULT

1.8L車。3色の外板色から選択可。17インチアルミホイールを装着していた。100台。

SPORT GRAPHITE

アクアティックブルーとジールレッドの外板色を設定。メテオクレーRHTと黒レザーシートを装備。500台。

SAKURA

ベージュとブラックのレザーシート、シルバーのサイドミラーを装備した。

SPORT VENTURE

新色のチタニウムフラッシュまたはディープクリスタルブルーを設定。17インチ光沢ホイールを装備。

証言者たち

「アーキテクチャーの共有」を最大限活用

元NCロードスター開発主査
貴島孝雄

初代NA型ロードスター開発リーダーを平井敏彦から受け継いだ貴島孝雄は、2代目NBロードスターでも開発主査を務めている。2003年に英国の自動車専門誌「AUTO CAR」が認定するベストハンドリングカーにNBロードスターが選ばれたことが、彼の誇りのひとつだと言う。それがロードスター開発主査を卒業するにふさわしい証書だと考えた貴島は、次期型では後進にこの仕事を譲りたいと申し出る。しかし、経営陣の答えはノーであった。そしてある日、時の上司である山本紘商品本部副本部長から直接3代目ロードスターの開発主査を任命すると伝えられた。しかも、先に発売しているRX-8と共通のアーキテクチャーで作ることが条件だと言う。「車重が1.3トンにもなる、ひとまわり大きい4座席のクルマと共通では、ホイールベースの短縮だけでLWSであるロードスターは作れない」と思ったが、それ以外は受け入れられないと撥ねられている。そうでないとロードスターが作れないどころか、RX-8の存続も怪しいと。「それでは、と設計部門になんとか軽いサスペンション構成部品を作って欲しいと懇願に行ったら、このクルマの設計に関してはキャリーオーバー(前モデルのものを流用)との指示が来ていて、工数(専任できる担当者の数)も予算もゼロだと言われました」。当時のフォード方式では厳格に工数・予算管理を行なっており、"そこをなんとか"はもはや通じない。「その時、神風が吹いたのです。為替レートが一気に円高に振れ、経営陣からコストを25%削減しろ、というお達しがでたのです。よし、これを逆手に取ってやろうと、量産コストを大幅削減するので、ロードスター専用部品を作らせてほしい、そのためには工数と予算が必要と訴えました。すると、経営陣からはコミットメントするなら工数も予算もつけよう、という返事が来ました」。その後、貴島の開発チームは、大手を振ってロードスター専用部品の開発に着手している。アーキテクチャーの共有を受け入れながら、貴島は思い通りに3代目ロードスターを作っていったのだった。「早晩サイドエアバッグ装備が義務づけとなる日が来るだろうと、NBロードスターでそれをテストしたことがあります。しかし、展開スペースが足りず、当時の技術では次期車の幅広化は避けられないと考えていました。また、フォード傘下では、最も活用幅が広いMZR型2.0Lエンジンの共有化が進んでおり、それならRX-8とのアーキテクチャー共有も、安全装備の充実も、2.0Lエンジンの採用も積極的に受け入れ、その条件下でロードスターらしい人馬一体を実現しようと開発チームを鼓舞したものです。また、やるからには日本カー・オブ・ザ・イヤーを取れるようなクルマにしようと話しました」、と貴島は当時を振り返った。

さらに貴島は、「当時は経営陣の多くがフォード出身者であり、彼らに牛耳られた時代だと言う人がいますが、私はそう思わないです。合理的な決断力を持った人たちだったので、納得いけばスパッと決めてくれる。こちらのコミットメントが実現範囲内だと思えば、前言を翻すこともためらわない。何よりも効率的なビジネスの進め方を植え付けてくれたことは、マツダにとって大きな資産になっていると思います。また、ロードスター

がマツダのブランドを代表するクルマだと言うことが十分認識されていたため、一度も“そんなクルマはいらない”と言われたことがないばかりか、フォードグループの中でマツダは“人馬一体”と“zoom-zoom”を掲げる溌剌としたブランドというポジションを与えてくれました。それが現在のマツダブランドの礎になっていることは間違いありません。また、将来のために必要とあらば投資にも積極的で、現在の3D CADによるコンカレントエンジニアリング(サーバーの中の3Dデータをデザイン、設計、製造技術までが共有し、同時に開発を進める方法)を確立するにあたり、協力会社まで含めた開発全体規模の大型投資が必要でしたが、それもあっさりと決めています」と語る。魂動デザインのアイコンである五角形グリルもこの時代に定められている。

「統一感タスク」もNCロードスターの時代に確立したマツダ特有の考え方だ。マツダ車の操安性テイストを定量化し、統一していこうというものである。第六世代のデミオもアクセラも軽快なハンドリングのテイストを持っている。ある自動車メーカーのエンジニアがマツダを訪れ、「マツダ車はどのクルマに乗っても同じテイストだが、何と何を組み合わせたらそうなるのですか」と質問されたと言う。貴島は、「マツダではあるべきテイストを先に決め、それに向けて各車種ごとに個別の機能を作り込んでいくので、何かと何かの組み合わせという答えはないんです。あるクルマはそのキーをステアリングのフリクションが握っているかもしれないし、他の車種はサスペンションのバネ定数が味を左右するかもしれないのです。と話すと、きょとんとしていました。マツダ車のテイストの根底は、人馬一体感なのです」と語る。

「ポール・フレールさんの言葉に感激」

元F-1ドライバーで、ルマン24時間レース優勝経験もあるベルギー人ジャーナリストの故ポール・フレール氏は、大の日本贔屓であると同時に日本のスポーツカーに造詣が深く、FC3S RX-7の時代からマツダを頻繁に訪れては助言を述べていた。自動車専門誌カーグラフィックの故・小林彰太郎氏とも親交しており、長く欧州車の試乗記事を同誌に提供していたことでも知られている。NCロードスターの開発プロジェクトがス

タートした2003年に貴島は、欧米の著名なジャーナリストにこれまでのロードスターの商品性やコンセプトについての印象を聞くレターを書いた。すると、何通かあった返信の中のポール・フレール氏のものに貴島は注目した。そこには、「楽しさという点でロードスターが他のクルマに負けている、という記事を私は知らない。この商品コンセプトには、100%賛成する」と記されていたという。「このレターには、正直勇気づけられました。さらに、NCロードスターの開発が進み、2005年3月のジュネーブショーでプロトタイプを披露したのですが、ポールさんはお住いの南フランスからわざわざジュネーブまで私に会いに来てくれました。その時ポールさんは既に88歳です。今度日本に行ったら是非キミのクルマに乗ってみたい、とおっしゃいました。そしたら、数週間後に日本に行くことになった、という連絡を受けたのです。2005年の初夏のことだったと思います。広島空港まで私が出迎えに行き、開発チームがいつも着用している人馬一体ジャンパーを差し上げました。三次試験場まで一般道をゆっくり走って行きましたが、あのあたりは農村で、まさに日本の原風景のままです。大きな農家の佇まいがポールさんの目にはとても新鮮に映ったようです。三次に着くと、開発チームが待っていました。ヘアピンで記念撮影し、私はポールさんの隣に乗って試験路を何周かしました。とても上機嫌で、クルマを褒めていただいたことをよく覚えています。その後カーグラフィックに掲載された記事には、“なんと鮮やかなことか”というタイトルがついていました。長くマツダのスポーツカーに興味を示していただき、数々の示唆やアドバイスをいただいたポールさんですが、三次に来られてから3年後に他界されてしまいました。とても残念でなりません」とエピソードを語った。

証言者たち

「事前試乗会で涙を流す人がいました」

デザイン本部本部長

中牟田泰

「私が入社した時に、本社デザインスタジオに赤い初代NAロードスターが置いてあるのを見ました。その時私は、FD RX-7のデザインチームにいたのですが、いつかはロードスターのデザインが担当できたらいいな、と思ったものです。その後MNAO(マツダUSA)に転勤となり、R&Dセンターにあるデザインステジオでマタノさんや林浩一さん(NBロードスターのチーフデザイナー、故人)と一緒に働くことになりました。NBロードスターのデザインスケッチも描かせてもらいましたが、アメリカ案としてはケン・セイワードの案に絞られることになりました。マタノさんには、クルマのデザインについて色々なことを教わりました。その後日本に帰任した時、マタノさんも広島本社勤務となっていました。ある日、林さんから「次のロードスターのチーフデザイナーをやってみないか」と声をかけられました。どうもマタノさんも私をリコメンドしてくれていたようです。しかし、あれほど憧れていたロードスターのチーフデザイナーのポジションでしたが、熱心なロードスターファンの顔を想像すると、ちゃんと受け入れてもらえるだろうかと不安になり、“一日考えさせてほしい”と答えてしまいました。翌日には、“是非やらせていただきたい”と返答をするんですけどね。それほど責任の重い仕事なんです。任命された後、主査の貴島さんから“チーフデザイナーはちゃんと自分の考えを貫いてほしい。私が全力でサポートするから”と言われたのが印象的でした。

当時、初代から一貫している“ミアータネス”(ミアータらしさ)という言葉があったんですけど、それをぶち壊すかキープするかを相当迷いました。抑揚をつけ過ぎるとアメリカンマッチョみたいになってしまうし、やはりブリティッシュデザインを参考にしようかと。その逡巡の結果、貴島さんとも相談し、やはり初代のようなシンプルなラインで、コーナー部分は丸める方向で行こうと決心しました。当時社長が英国人のルイス・ブースさんでした。デザインモデルを見せるとターンテーブルの前であぐらをかき、回転させながらじーっとクルマを眺め、ひとこと“これでいこう”と話されました。大きなデザインテーマはそこで決まったのですが、やはり色々と制約が出てくるんですね。例えば、歩行者保護。本当はもっとボンネット高を下げたかったのですが、それはできなかったんです。もっとスリークさを出したかったのが本音です。小さく見せる工夫も苦労しました。ロードスターは最後の一筆はオーナーが自由にできるようにと考え、なるべくシンプルにしています。ロードスターは、ファンに慕われて成長してきたし、ファンの方達とのふれあいを通じて現在の魂動デザインの原点が見えたと思います。ロードスターが、私たちにそれを気付かせてくれたんです。NCロードスターの事前

試乗会をハワイで行ったのですが、そこにマツダの試乗会としては初めてオーナーの方々をお招きしました。そうしたら、クルマを見て涙を流す人がいたんです。デザイナー冥利につきると感じました。

歴代のロードスター開発でやっている事は、ずっと同じです。開発に関わる人全員が、人馬一体を実現してお客様に笑顔になってもらおうと考えて必死にアイデアをもち寄っています。その上で、その時代の最新技術で作り上げていくんです。しかし、RHTのデザインはきつかったですね。こんなものをやりたいというエンジニアは、いとも簡単にソフトトップをハードトップに置き換えられると言いました。しかし、試作していくとリンクやモーターはかさばるし、ロールオーバーバーも避けなければならない。ルーフとユニットを全部ソフトトップの場所に収めようとするとその部分が分厚くなり、デザインはぶち壊しになってしまいます。ぎりぎりミリ単位で調整して、収まる軌跡が見えるまでが長かった。当初ソフトトップと同時に発売しようという話がありましたが、それらの解決に時間を要し、1年後の機種追加となりました」。

証言者たち

NBを超えるミラクルを起こした NCロードスター

元NCロードスター開発主査

山本修弘

山本修弘は、かつてレース用ロータリーエンジンの設計に関わり、FD3S RX-7の開発にも携わっているエンジニアだ。スポーツカーのシャシー設計を専門とする貴島孝雄の要請で、2代目NBロードスターから開発チームの一員となった。その後、NCロードスターでは開発副主査を務め、2007年からは貴島主査の跡を継いでロードスターの開発主査に就任した。構想に8年かけて実現したNDロードスターでも主査として開発陣を率いている。2016年7月からはロードスターアンバサダーに就任し、国内のオーナーズクラブや世界各国のディストリビューターの要請でファンイベントなどに出席し、ロードスターオーナーやファンとの交流を続けている。また、初代NA型ロードスターのレストアプロジェクトではリーダーを務め、希望者との面談や車両の状態チェック、レストア完成後の試験走行までを担当している。NCロードスターの開発では、貴島の右腕としてプロジェクトの進行をサポート。開発当時の思い出を次のように綴っている。

「私は、マツダでロータリーエンジンの開発を22年間、そして、ロードスター開発を22年間担当してきました。特に直近の8年間は、4代目NDロードスターの開発主査を拝命し、商品開発をリードしてきました。そんな私にとって、ロードスターは「人生そのもの」なのだろうと思います。思えば、小学校2年生の時、近所のお兄さ

んに乗せてもらったオートバイのタンクの上で風を顔に受けながら走ったあの原体験が、ロータリーエンジンの開発からオープンカーであるロードスターを創るきっかけになっていたのだろう、と思えるのです。また、ひとりのNDロードスターオーナーとしてロードスターと共にカーライフを満喫しながら、ロードスターアンバサダーとしてNAロードスターのレストアサービスの仕事に携わっている現在の自分を見ると、ロードスターに恩返しをする、されるの両方を味わっているようにも思えます。

NCロードスターは、2002年に副主査として開発チームに参加することになりました。3代目NCロードスターは、衝突安全規制対応が強化される中、RX-8とのアーキテクチャーを共有する新しいプラットフォームを得て、新規開発となりました。側面衝突規制に対応するためサイドエアバッグの装着が必須となり、全幅が1.7mを超えてしまうサイズアップを余儀なくされています。クルマはやむなく5ナンバーサイズから3ナンバーサイズとなり、大きくなる車両サイズ、重たくなる車両重量の影響と欧米市場からのモアパワーリクエストも強く、2.0Lエンジンの搭載も必須となったのです。新しく採用したマルチリンクリアサスペンションは、チューニングに苦労したことをよく覚えています。

当時のマツダ開発トップは、フォードから派遣されていたジョー・バカーイさんでした。英国でベストハンドリングカーに選ばれたNBロードスターを凌駕するクルマにしなさい、ミラクルを起こすつもりで取り組むように、という厳しい目標設定の中、開発が進んでいきました。半年間にわたる徹底したサスペンションジオメトリーと挙動解析の結果、マルチリンクサスペンションのトー変化をミニマムにするジオメトリーとブッシュのチューニングで、初期のハンドリング目標は達成することができたのですが、コミットメントすることの厳しさを思い知らされたものです。バカーイさんにも「ミラクルは実現できたな」と言われました。NCロードスターのハンドリングは、発売2年後の通称NC2でフロントのサスジオメトリーを見直し、エンジンを高回転化すると、大きく進化することになります。英国のEVOという自動車雑誌で、「劇的に進歩した」という記事が出て溜飲を下げたものです。

一方、NA、NBともにライフサイクルは8年間でしたが、NCロードスターだけは10年の長きに及びました。そのため、2度目のマイナーチェンジを実施してNC3へと進化しました。ヨーロッパの歩行者保護規制に対応するため、ポップアップ式のボンネットフード「アクティブボンネット」の開発が必要だったからです。ダイナミック性能としては、ブレーキの戻しコントロール性と空力改善を行っています。このNC3のおかげで、2012年からの3年間の延命が可能になったのです」。

SPECIFICATIONS

主要諸元

3代目ロードスター（2005年8月～2015年5月）

ボディタイプ	2ドア・オープン					
車名・型式	**マツダCBA-NCEC**					
エンジン	LF-VE型					
ルーフタイプ	ソフトトップ			パワーリトラクタブルハードトップ		
機種名	**標準車**	**RS**	**VS**	**標準車**	**RS**	**VS**
トランスミッション	5MT/6AT	6MT	6MT/6AT ＊1	5MT/6AT	6MT	6MT/6AT
駆動方式	2WD（FR）					

■ 寸法・重量

項目	単位	標準車	RS	VS	標準車	RS	VS
全長・全幅・全高	mm	3,995 x 1,720 x 1,245			3,995 x 1,720 x 1,255		
室内長・室内幅・室内高	mm	875 x 1,415 x 1,045			875 x 1,415 x 1,035		
ホイールベース	mm	2,330					
トレッド 前/後	mm	1,490/1,495					
最低地上高	mm	135					
車両重量 （ ）はAT	kg	1,090（1,100）	1,110	1,090（1,100）	1,130（1,140）	1,140	1,130（1,140）
乗車定員		2					

■ 性能

項目	単位	標準車	RS	VS	標準車	RS	VS
最小回転半径	m	4.7					
10・15モード燃費（国交省審査値） （ ）はAT	km/L	13.4（11.8）	13.0	13.0（11.8）	13.4（11.8）	13.0	13.0（11.8）
ステアリング形式		ラック&ピニオン式					
ステアリング倍力装置形式		インテグラル式					
サスペンション懸架方式 前/後		ダブルウィッシュボーン式／マルチリンク式					
ショックアブソーバー 前/後		筒型複動式					
スタビライザー 前/後		トーションバー式					
主ブレーキ方式 前		ベンチレーテッドディスク					
主ブレーキ方式 後		ディスク					
ブレーキ倍力装置		真空倍力式					
タイヤ 前/後		205/50R16 87V	205/45R17 84W	205/50R16 87V	205/50R16 87V	205/45R17 84W	205/50R16 87V
ホイール 前/後		16 x 6.5J	17 x 7J	16 x 6.5J	16 x 6.5J	17 x 7J	16 x 6.5J

■ エンジン

項目	単位	標準車	RS	VS	標準車	RS	VS
型式		LF-VE型					
種類		水冷直列4気筒DOHC16バルブ					
内径x行程	mm	87.5 x 83.1					
総排気量	cc	1,998					
圧縮比		10.8					
最高出力	kW（ps）/rpm	125（170）/6,700 ＊2 6AT車は122（166）/6,700					
最大トルク	N・m（kg-m）/rpm	189（19.3）/5,000					
燃料供給装置		EGI（電子制御燃料噴射装置）					
燃料およびタンク容量	L	無鉛プレミアムガソリン・50					
クラッチ形式		5MT/6MT 乾式単板ダイヤフラム式 6AT 3要素1段2形相（ロックアップ機構付き）					
変速比 （ ）はAT	1速	3.136（3.538）	3.815	3.815（3.538）	3.136（3.538）	3.815	3.815（3.538）
	2速	1.888（2.020）	2.260	2.260（2.060）	1.888（2.020）	2.260	2.260（2.060）
	3速	1.330（1,404）	1,640	1.640（1.404）	1.330（1,404）	1,640	1.640（1.404）
	4速	1.000（1.000）	1.177	1.177（1.000）	1.000（1.000）	1.177	1.177（1.000）
	5速	0.814（0.713）	1.000	1.000（0.713）	0.814（0.713）	1.000	1.000（0.713）
	6速	－（0.582）	0.832	0.832（0.582）	－（0.582）	0.832	0.832（0.582）
	後退	3.758（3.168）	3.603	3.603（3.168）	3.758（3.168）	3.603	3.603（3.168）
最終減速比		4.100					

＊1 6AT＝電子制御6速オートマチック（アクティブマチック）
＊2 2008年12月に125kW(170ps)/7,000rpmに変更

DIMENSIONS

四面図

単位（mm）

3代目ロードスター

（2005年8月～ 2015年5月）

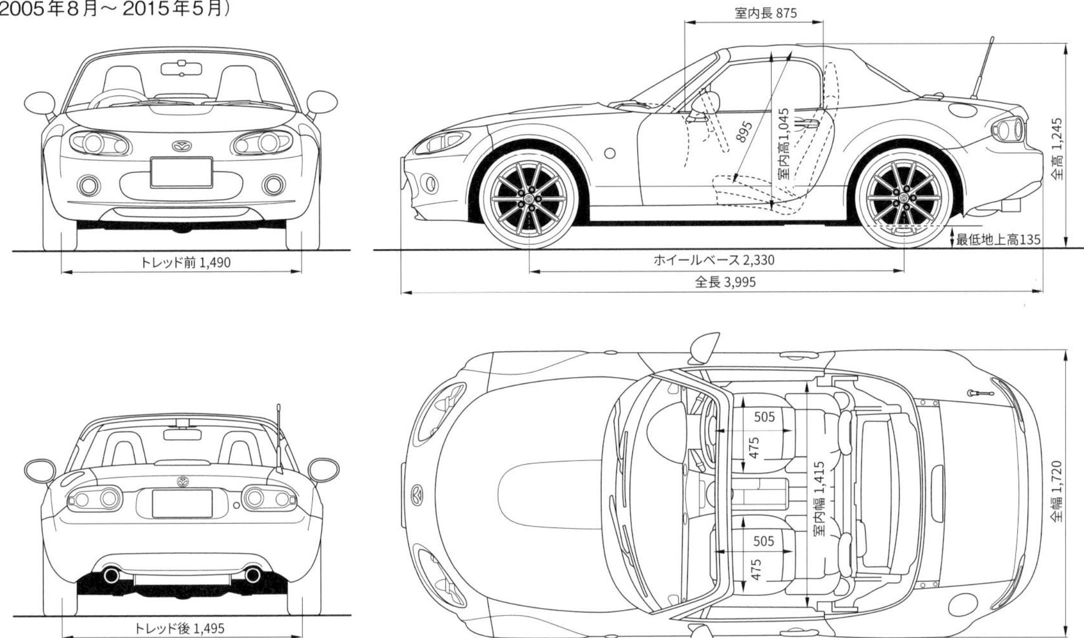

3代目ロードスター パワーリトラクタブルハードトップモデル

（2006年8月～ 2015年5月）

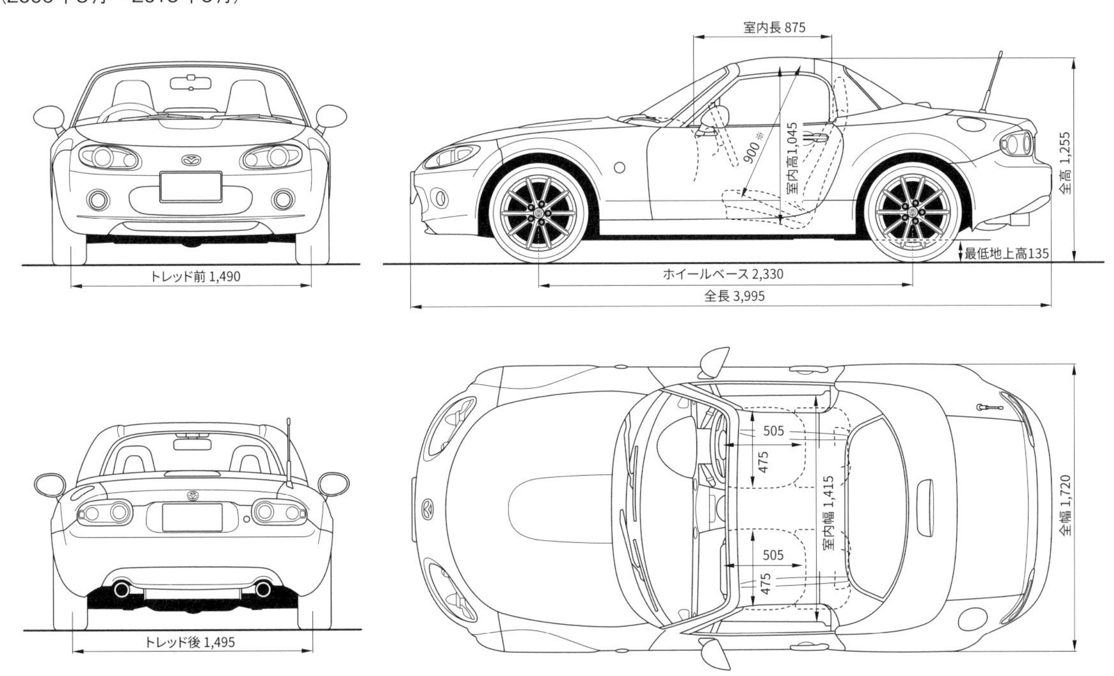

※運転席ラチェットレバー式シートリフター装着車は、895mm（運転席のみ）となります。

ROADSTER
mazda

Photo：6速AT（アクティブマチック）車
Photo：6速AT（アクティブマチック）車
2000 DOHC 16-valve
VS
●ディスチャージヘッドランプ（オートレベリング機構［光軸調整］付）
●ガラス製リアウインドー付Z型ソフトトップ（タン/クロス） ●内装色：サドルタン
●本革巻ステアリング（オーディオリモートコントロールスイッチ付、6速AT［アクティブマチック］車はステアリングシフトスイッチ付。） ●本革巻パーキングブレーキレバー
●アルミリング付本革巻シフトノブ（アルミリング付はマニュアル車のみ）
●メッシュタイプエアロボード ●リアストレージボックス（リッド付）
●センタートンネルメッシュポケット
●ピアノブラックデコレーションパネル ●アルミ調シルバーメーターリング
●アルミ調エアベントベゼルリング ●アルミ調インナードアハンドル
●アルミ調シートバックパーガーニッシュ ●アルミ調ドアアシストグリップキャップ
●アルミ調スピーカーベゼル ●AM/FMラジオ/CDプレイヤー＋4スピーカー
●シートヒーター付本革製バケットシート（サドルタン） ●フルオートエアコン
●205/50R16 87Vタイヤ＋6 1/2Jアルミホイール
Photo：マーブルホワイト
6-speed MT
Max. Power：125kW<170PS>/6700rpm
Max. Torque：189N·m<19.3kg-m>/5000rpm
6EC-AT "Activematic"
Max. Power：122kW<166PS>/6700rpm
Max. Torque：189N·m<19.3kg-m>/5000rpm
メーカー希望小売価格
VS 6速MT ￥2,500,000（消費税抜き価格 ￥2,380,952）
メーカー希望小売価格
VS 6速AT（アクティブマチック）￥2,600,000（消費税抜き価格 ￥2,476,190）
29

4th-GENERATION ROADSTER

第5章　4代目NDロードスター

平成後半の2010年以降、日本は様々な自然災害に脅かされた。2011年に東北沿岸地域に特に深刻な被害をもたらした東日本大震災が発生。人々の生活、交通や経済が大打撃を受けた。他地域の住民も節電や物資提供などで、この困難を克服する努力を惜しまなかった。また、御嶽山の噴火、熊本地震、西日本豪雨などが相次いだ。

そんな中、LINEやFACEBOOK、ツイッター、YouTubeなどのSNS（ソーシャルネットワークサービス）網が広がり、人々は人との繋がりの大切さに気付かされたと言えるだろう。

それでも京都大学山中伸弥教授、北里大学大村智教授らが相次いでノーベル賞を受賞し、テニスの錦織圭や大坂なおみが国際大会で活躍するなど明るい話題も多数あった。2020年のオリンピック/パラリンピック会場に東京が決まり、東京のインフラ拡充に拍車がかかる。また、アメリカにトランプ政権が誕生し、英国がEU離脱を決めるなど、国際関係も新時代を迎えることとなった。

マツダは、2010年に新世代技術の総称であるSKYACTIVテクノロジーを発表。同じ時期に「魂動デザイン」と呼ばれる新しいデザインランゲージで造形したコンセプトカー「マツダ靭（SHINARI）」を発表。内外にマツダのブランド改革を印象付けた。2012年にはクリーンかつトルクフルなSKYACTIV-D 2.2Lディーゼルターボエンジンを搭載した「CX-5」を発表。瞬く間に人気車となり、同年の日本カーオブザイヤーを獲得するに至った。同年11月には「アテンザ」をフルモデルチェンジし、2013年には「アクセラ」を、2014年には「デミオ」を、2015年に「ロードスター」をフルモデルチェンジし、魂動デザインとSKYACTIV技術を織り込んだ第六世代商品群を完成させた。「デミオ」も「ロードスター」もそれぞれ2014年、2015年の日本カーオブザイヤーを獲得した。

ロードスターは初代から一貫して「人馬一体」と「Lots of Fun」を追求し続けている。4代目NDロードスターにおいてもこのふたつを不変のテーマとし、「守るために変えていく」を挑戦のキーワードとして掲げている。SKYACTIVテクノロジーなどの最新技術をもって、一からボディやシャシー、パワートレインなどを作り上げ、ロードスターの本質を追求。2014年にワールドプレミアすると、ライトウェイトスポーツらしいコンパクトなボディや使い切れるパワーや軽快感など、その思いが評価され、初代への原点回帰モデルとして各方面から賞賛を受けている。また、この4代目から初めて近年のマツダの最新のデザインテーマとなる"魂動(こどう) Soul of MOTION"を取り入れており、発表翌年の2016年には、独特のデザインと機能性を併せ持ったリトラクタブルハードトップモデルのRF(Retractable Fastback)が機種追加され、新しいオープンエアモータリングの楽しみ方を提供している。

「人がクルマを楽しむ感覚"感"」を追求

4代目NDロードスターの開発に際し、マツダはこれまでと同様、乗り手と馬とが心を通い合わせて走る一体感を意味する「人馬一体」、さらに走りだけにとどまらない様々な楽しみ「Lots of Fun」を不変のテーマとして掲げている。それを実現するため、ライトウェイトスポーツカーとしての大原則である、軽量コンパクトなオープン2シーターボディ、フロントミッドシップエンジン後輪駆動、前後重量配分50:50、低ヨー慣性モーメント、加えて手頃な価格であることも目標として定められている。

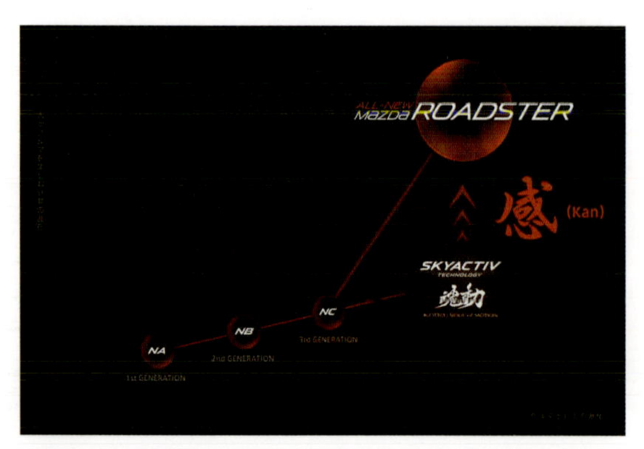

NDロードスター人馬一体コンセプトカタログ

これらの原則要素を守るため、4代目の開発には相当な困難が伴ったと想像できる。初代NA型が誕生してから四半世紀の間に、環境・安全性能に対する時代の要請は厳しさを増し、それに対応するために、ボディサイズは大きくなり、重量は増えざるを得ない状況になっていた。そこで4代目では、ライトウェイトスポーツ文化を再構築した初代の志に立ち返り、マツダがこれこそライトウェイトスポーツの原点だと信じる楽しさを改めて作り上げることに挑戦している。それが4代目ND型の開発における挑戦を示すキーワード、「守るために変えていく」だという。

また、ロードスターの姿を眺める、思いのままに走る、感触を味わう、自分らしさを主張する、仲間と集い語り合うなど、このクルマがあることで人生がより楽しく濃密になるような、クルマを超えた存在となることを意識し、商品コンセプトを「人生を楽しもう"Joy of the Moment, Joy of Life"」と設定している。その想いをより純粋に体現するために、SKYACTIV技術と"魂動"デザインによる進化に加えて、「人がクルマを楽しむ感覚」つまり「感(かん)」をキーワードとした商品開発に取り組んだ、とマツダは説明している。

誰もが一瞬で心ときめくデザイン

デザインは見るだけで心が躍り、座るだけで笑みがこぼれ、いますぐオープンにして走り出したくなる、そして歳月とともにかけがえのない存在になっていくような、ロードスターだからこそ味わえる歓びを純粋に表現している。デザインテーマ"魂動"をさらに深化させ、乗る人の姿が引き立つプロポーションを目指している。人の座る位置がボディの中心に感じられるようキャビンをやや後方に置き、路面に張りつくような安定感と前後左右どこへでも瞬発的に動ける俊敏さをイメージさせる台形フォルムを実現。世界で最も低く、短いフロントオーバーハングとするため、世界最小・最軽量の4灯LEDヘッドランプを採用した。

また、インテリアは、クルマの内と外の境目をなくすことで、一体感と開放感を同時に感じられるデザインが取り入れられており、ボディパネルがドアトリム上部まで回り込むようなデザインとなっている。また運転

席から見た時、ドアトリムからフロントフェンダーの頂点へつながる稜線を作ることで、クルマを操る感覚を強調し、前輪の位置を正確に把握できるデザインを採用している。小径ステアリングホイールと三連メーター、丸型ルーバーなどはコックピットの中心から左右対称に配置されており、運転に集中できるタイト感のある空間となっている。

「感」を実現する徹底した軽量化

4代目NDロードスターの開発では、先行検討段階から「人がクルマを楽しむ感覚」=「感」を重視している。開発チーム全員で初代NA型並みの「軽快感」、「手の内・意のまま感」を実現することを目指したという。そのために、まず取り組んだのは軽量化であった。車両を全面的に新設計し、これまでに蓄積したノウハウと最新のSKYACTIV技術と理論を駆使し、最適機能配分とコンパクト化、構造革新、軽量材料の適用を拡大するなどで、前モデルに対してボディサイズは小さくなり、100kgを超える大幅な軽量化を達成している。これに伴って、ブレーキサイズやタイヤとホイールサイズも適正化することができ、ホイール1本あたりのハブボルトも前モデルの5本から4本に戻すなど、各所を改善している。また、国内向けにはエンジンを小排気量化したことで、パワーユニット本体、吸排気、冷却系、ドライブトレイン系の軽量化も実現した。

車両の新設計にあたり、とくにボディシェルとシャシーは構造を徹底的に見直して軽量化を図っている。ボディシェルはフレームワークの適正化、前モデルから採用しているハイマウントバックボーンフレームの大断面化とストレート化、高張力鋼板（ハイテン材）の使用箇所を拡大するなど、歴代モデルのなか最軽量でかつ高剛性のボディを両立させることに成功。またボディフレームの一部をシャシーフレームとして活用し、これらの骨格をトラス形状に繋ぐことにより、軽量で高剛性な構造を実現している。また、6速マニュアルトランスミッションとデファレンシャルギアを新設計し、小型化・軽量化。また、アルミニウム素材の使用をさらに拡大。前モデル同様のボンネットとトランクリッドに加え、フロントフェンダーや前後のバンパーレインフォースメント、シートバックバー、アンダークロスメンバー、バルクヘッドパネル、ソフトトップリンクなど、シャシーではフロントナックル、さらにパワートレインではデファレンシャルギアのキャリアケースなどを新たにアルミ化している。

こういった大物部品の軽量化だけでなく、歴代ロードスターが取り組んできた「グラム作戦」を今回も行っている。ボディやシャシーの補強部材は、強度上影響ない部分には重量軽減穴をあけ、また溶接に影響ない端末部はカット。ドアガラスも目に見えず機能上必要ない部位はカットし、さらに軽減穴をあけている。シートの前後位置を調整するレバーも必要最小限の太さとしている。

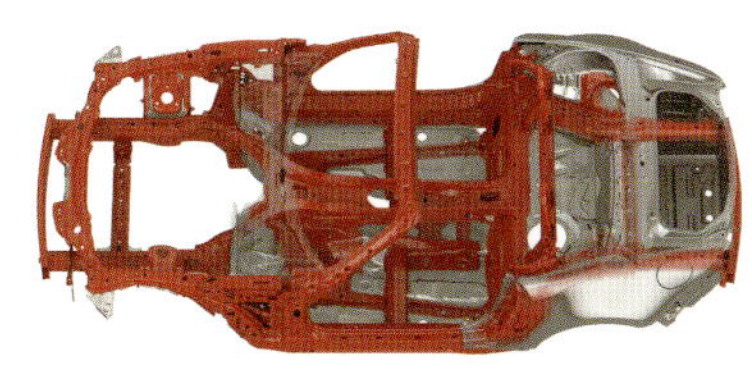
軽量高剛性SKYACTIV-BODY

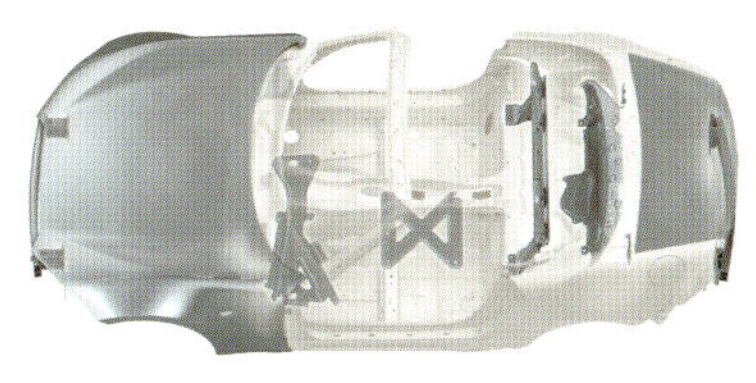
アルミニウム製ボディパーツを多用

高張力鋼板(ハイテン材)使用範囲を拡大

すべての根幹をなすパッケージング

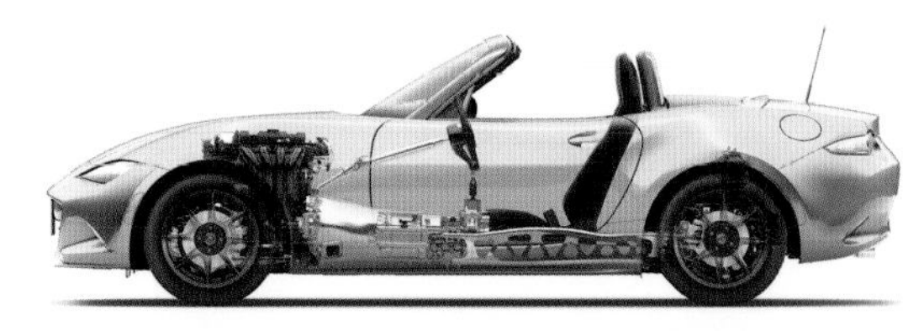

美しいプロポーションを実現しつつ、徹底した軽量化と前後50：50の重量配分、ヨー慣性モーメントの低減、低重心化を行うための要となるのがパッケージングである。4代目NDロードスターの全長は歴代モデルのなかで最も短く、このサイズで美しいプロポーションを実現するために、エンジン搭載位置をさらに低く後方に配置することで、ボンネットの高さを下げ、乗員の位置も低下することで全高を下げている。これらによって、さらに運動性能の素性が高められている。クルマが手の内にある感覚や、意のままに操る楽しさを実現するために、「人」中心のドライビングポジションを重視。ドライバーが進行方向に直角に対峙する姿勢で操作できる位置にペダル類を配置し、ステアリングやメーター類などがレイアウトされている。

意のままに操れるクルマづくり

ロードスターが目指す「誰もが夢中になるドライビング体験」とは、誰もが直感で楽しめ、乗るたびに深まっていく運転の楽しさを表している、とマツダは説明している。4代目NDロードスターは、クルマを意のままに操る気持ちよさに加えて、ドライバーがクルマのポテンシャルを引き出しながら、自分の身体の一部のように、自分の意思どおりに動かしている感覚をさらに高めることに注力している。

エンジンはロードスター用に大幅な改良を加えた直噴直列4気筒ガソリン「SKYACTIV-G 1.5」エンジンを縦置きに配置し、吸排気系などを最適化することで、アクセラなどのFFモデル用から最高エンジン回転数を7,500rpmまで引き上げ、低回転域から扱いやすく高回転域まで伸びのあるトルク特性としている。最高出力は、131ps/7,000rpm、最大トルクは150Nm/4,800rpmを発生する。エンジンのセッティングは、躍度（加速度の変化）に重点を置き、アクセルの踏み込みに対し加速度の変化を長く感じられるようにしている。走り動作に呼応したエンジンサウンドの「心地よさ」の実現にもこだわっている。サイレンサーを工夫することで、不快な排気音を抑え込み、低回転域では軽快感、中回転域からは力強さを演出し、さらに高回転域まで吹き抜けていくような伸び感を目指している。トランスミッションは、新たに設計した「SKYACTIV-MT」6速マニュアルトランスミッションと電子制御式6速ATを採用した。6MTは、6速直結で構造をシンプル化し、小型化と軽量化を図っている。軽い操作感や吸い込まれるようなシフト操作を実現しつつ、カチッとした節度あるシフトワークを実現している。クラッチペダルを適正な位置に配置することで、人間が自然に操作しやすいミートポイントとしながら、シフト操作と連動することで扱いやすく軽快でリズミカルな操作感を実現している。6ATは、スリップロックアップ領域の拡大によるダイレクト感の向上とともにブリッピング機能やドライブセレクションを追加している。

車両の運動特性は、コーナリング時のすべての挙動

がイメージ通りのリズムでつながるようにセッティングされている。サスペンションはボディと共創することで、軽量化しつつ剛性を高め、フロントはロードスター伝統のダブルウィッシュボーン、リアはマルチリンクとし、すべてを新設計している。コーナリング前の減速と荷重移動を最適にするために、制動時のピッチセンターを適正化し、ブレーキ特性も人の感性にあわせてリニアに応答するようなセッティングとなっている。ターンイン時、車両がどのように姿勢変化をしているかが掴めるように、ダイアゴナルロールによる3次元の動きを根気よく作り込んでいる。また、正確なステアリングフィードバックを得るため、タイヤの近くでパワーアシストするデュアルピニオンタイプの電動パワーステアリングシステムを採用している。

誰もが開放的でリフレッシュできる気持ちよさ

オープンカーとしての「感」づくりをするにあたり、いつでもどこでも誰もが迷いなく五感を通じて心から解き放たれる開放感をテーマに掲げている。

ソフトトップは着座した状態からでも楽に開閉操作ができるように、ソフトトップを開閉する人の手の軌跡を研究し、力を発揮しやすい方向を考慮しながらソフトトップのリンクのジオメトリを最適化。また、リンクはアルミダイキャストとすることで軽量化し、さらにリンクにアシストスプリングを設定することで、操作荷重を大幅に低減している。オープン走行時には心地よい風を感じられるよう、Aピラーとヘッダーをより後方に置くことで不快な風の巻き込みを抑制し、三角窓とドアトリム形状の最適化によって適度に風を導入するようになっている。

オープン走行時でも質の高い音響空間を実現するBOSEサウンドシステム+9スピーカーをS Leather Packageに標準装備し、S Special Packageにメーカーオプション設定した。

先進装備

S以外のモデルにスマートフォンと連携してハンズフリーでの通話やショートメッセージの受信・返信が可能になるなど多彩な機能を持つカーコネクティングシステム「マツダコネクト」を搭載。コマンダーコントロールや音声操作で走行中にも操作できるナビゲーションシステムつきとなっている(地図データは別売)。アイドリングストップ機構「i-stop(アイストップ)」、減速エネルギー回生システム「i-ELOOP(アイイーループ)」を6MT車に標準装備。

安全装備

[i-ACTIVSENSE]

- 車線変更時などに側方や後方から接近する車両をドアミラー内のインジケーターとブザー音で警告する「ブラインド・スポット・モニタリングシステム(BSM)」を設定
- 自動的にヘッドランプのハイビームとロービームを切り替える「ハイ・ビーム・コントロールシステム(HBC)」を設定
- 車線逸脱を予測してドライバーに警告する「車線逸脱警報システム(LDWS: Lane Departure Warning System(LDWS))」を設定
- ドライバーのステアリング操作量とクルマの速度からカーブの路形を予測し、コーナーの先を照射する「アダプティブ・フロントライティング・システム(AFS)」を設定
- 後退時に接近する車両を検知して警告する「リア・クロス・トラフィック・アラート(RCTA)」機能を設定

[パッシブセーフティ]

- 歩行者との衝突を検知した際にボンネットを持ち上げて、エンジンルーム内の構造物との間にスペースを確保して歩行者を受け止める「アクティブボンネット」を標準装備

新型「ロードスター」を世界初公開

2014年9月4日

4代目新型NDロードスター/MX-5は、2014年4月のニューヨーク国際自動車ショーでシャシーモデルが公開されると、グッドウッドフェスティバルオブスピード(英国)など各地で開催されたロードスター/MX-5 25周年記念イベントにも展開。車両そのものは、9月4日に日本(舞浜アンフィシアター)、米国(カリフォルニア州モンタレー)、スペイン(バルセロナ)で行われたファン参加型イベントで同時にワールドプレミアされ、2015年よりグローバルに市場導入すると発表された。

■日本(舞浜アンフィシアター)

ロードスターファンと報道関係者(メディアやジャーナリスト約250名)を対象に同時発表するという異例のイベントであった。ファン用には1,200席が確保されたが、WEB募集開始から10分間で満席となる盛況ぶりだった。このワールドプレミアの様子はストリーミングライブで配信され、約3万3,000名が視聴した。

■スペイン(バルセロナ・マツダスペース)

時差の関係で現地深夜3時の開催となったこのワールドプレミアには、メディア関係者とファンの合計で250名が集まった。ソウルレッドプレミアムメタリックにペイントされた4代目ND型MX-5が公開されると、「Long Live The Roadster」のテーマワードと共に、ヨーロッパ各地のメディアがこのイベントを取り上げ、話題となった。

■アメリカ(カリフォルニア州モンタレー)

日本と最も時差の大きいアメリカでは、カリフォルニア州モンタレーの特設会場で9月3日18時からワールドプレミアが実施された。集まったメディア、ファン、VIPの合計500名の目の前で4代目MX-5ミアータがアンヴェールされ、ロックグループ「デュランデュラン」のライブがワールドプレミアに華を添えた。

新型MX-5ミアータによる「GLOBAL MX-5 CUP」シリーズの開始を宣言 **2014年11月4日**

ネバダ州ラスベガスで行われた「SEMAショー」にて、マツダUSA(MNAO)は2016年から新型マツダMX-5による「GLOBAL MX-5 CUP」を開始すると発表した。統一レギュレーションによるワンメイクシリーズの「GLOBAL MX-5 CUP」は、北米各地のレーストラックをめぐるシリーズ戦となる。その後MNAOは、SKYACTIV-G 2.0エンジンを搭載するGLOBAL MX-5 CUPカーはシャシー補剛、ロールケージ、安全燃料タンク、BFグッドリッチタイヤ、専用ECU、専用サスペンション、安全装備などをセットしたレースレディ状態のコンプリートレースカーとして販売すると発表。価格は68,000USドル(約748万円)。アメリカでは2016年シーズンからシリーズ戦を展開しており、車両製作を担当するロングロードレーシング社は既に200ユニット以上のMX-5カップカーを出荷済みという。日本でも2017年と2018年の2シーズンにわたってJAPANシリーズを展開した。

新型「ロードスター」の生産を開始

2015年3月5日

2015年6月の出荷開始を前に、3月5日に広島市南区宇品地区のマツダ宇品第一工場(U1)で新型ロードスター/MX-5の生産がスタート。第1号車は国内市場向けであった。

ロードスターは、初代NAから4代目NDまで、途絶えることなくこの工場で生産され続けている。宇品第一工場は、モータリゼーションが盛んとなり、効率的生産のニーズが高まった1966年に操業を開始したマツダの主力乗用車生産工場である。プレス工程から塗装工程、組立工程までの一貫生産ラインで、コンピュータによって制御されている。車形の異なる複数車種を同時に流す混流生産システムが特徴で、少量かつPPFのような他の乗用車とは異なる部品を組み付けるロードスターの生産は、この混流ラインなくして成立しえないと言えるだろう。現在はロードスターのほかに、CX-3などが同じラインで組み立てられている。また、このラインの一部は、マツダのヒストリーが展示されているマツダミュージアムにつながる工場見学コースに組み込まれており、地元の小学生や国内外からの見学者で毎日賑わっている。

組み付け中の車両と並行して動き、自動制御でパーツを搬送する「同期台車」。この台車のおかげで、作業員は車種によって異なる部品を正確に、効率よく組み付けることができる。

日本国内向けSKYACTIV-G 1.5 エンジンの組み付け工程。エンジン工場から届くユニットは車両組み立てと同期して生産され、この工程でボディに搭載される。

ロードスター特有のPPF(パワープラントフレーム)を組み付けるステーション。専用の装置が、工場内で最大の締め付けトルクでフロント部とリア部のボルトを同時に締結する。

ラインを折り返すポイントでは車種によって異なるホイールベースにも自動的に対応するケージに載せられて、次のステーションへと向かう。これらの動作もすべてコンピュータによって管理されている。

インパネの組み付け工程。ふたりが同時に作業してメーター類やディスプレイが組み付けられたダッシュパネルを装着している。

ロードスターRF も同じラインで生産されている。コンベアの上で熟練工の作業によって丁寧に組み立てられ、ラインオフする。

新型「ロードスター」を発売

2015年5月20日 発表 5月21日 発売

日本での4代目NDロードスターの報道メディア向け発表会は、東京都中央区のイベントホール「ベルサール東京日本橋」にて実施された。代表取締役社長兼CEO(当時)の小飼雅道は「“だれもが、しあわせになる。”という言葉は初代ロードスターのカタログのメッセージですが、今振り返るとロードスターのみならず、マツダブランドの進むべき道を言い表していると強く感じています。この度、SKYACTIVと魂動という統一した技術とデザインテーマで開発した新型ロードスターの販売を開始いたします。このクルマはグローバルなマツダラインアップを完成するモデルであると共に、“だれもが、しあわせになる。”クルマだと確信しており、お客様に走る歓びと笑顔をお届けすることを通して、マツダのさらなるブランド価値向上と中長期の成長につなげて参ります」と力強く挨拶した。

価格は、2,494,800円〜3,142,800円(税込)で、ベーシックグレードのS、標準仕様のS Special Package、革素材を使ったS Leather Packageの3機種で構成され、それぞれ6MTと6ATが選択できる(Sは6MTのみ)。販売計画台数は500台/月であった。外板色は、ソウルレッドプレミアムメタリック、セラミックメタリック、ジェットブラックマイカ、メテオグレーマイカ、ブルーリフレックスマイカ、クリスタルホワイトパールマイカ、アークティックホワイトの7色。Sは、素のロードスターを楽しみたい硬派ドライバー向けだ。6ATの設定はなく、マツダコネクトも先進安全装備も選べない。リアスタビライザーやトンネルブレースもつかない徹底ぶり、車重は最軽量の990kg。ひらひらと少しダイアゴナルロールさせながらコーナーで踏ん張る感覚を楽しむことができる。

© Car Watch

モデルサイクル期の変遷

2015年5月〜

モータースポーツベース車「NR-A」発売

[機種追加] 2015年9月24日 発表　10月15日 発売
【価格】 2,646,000円

ロードスターNR-Aグレード車のみを対象にした登録ナンバー付きワンメイクース「ロードスターパーティレース」への参加などを想定したモデル。車高調整機能付きBILSTEIN社製ダンパー、フロントサスタワーバーや、大容量ラジエーター、大径ブレーキなどが採用されている。2代目NB型から続く競技参加用ベースマシン。競技専用部品として、牽引フック（前後)、ロールバーセット、競技用スポーツシートなどがオプション設定されている。

【その他の主要装備】 トルクセンシング式スーパーLSD、スタビライザー(フロント/リア)、トンネルブレースバー、タイヤディフレクター(リア)、ハイマウントストップランプカバー(ブラック)、ステアリング(本革巻/サテンクロームメッキベゼル)、マルチインフォメーションディスプレイ［水温/外気温/燃料計など］(MID)、LEDヘッドランプ(ハイ/ロービーム：オートレベリング［光軸調整］機構付)＆LEDポジションランプ、LEDリアコンビランプ、レインセンサーワイパー(フロント)感度調整式、マニュアルエアコン、195/50R16 84Vタイヤ＆16×6 1/2Jインチアルミホイール(ブラックメタリック塗装)ほか2,600,000円。

2015

ロードスター「RS」発売

[機種追加] 2015年10月1日 発表/発売
【価格】 3,196,800円
【主要装備】 BILSTEIN社製ダンパー、大径ブレーキ、フロントサスタワーバー、RECARO社製シート(アルカンターラ/ナッパレザー)、インダクションサウンドエンハンサー、シートヒーター、アダプティブ・フロントライティング・システム(AFS)、ハイ・ビーム・コントロール(HBC)、車線逸脱警報システム(LDWS)、ブラインド・スポット・モニタリング(BSM)、リア・クロス・トラフィック・アラート(RCTA)機能付、BOSEサウンドシステム＋9スピーカー、CD/DVDプレーヤー＋地上デジタルTVチューナー(フルセグ)。

走りを楽しむことに強いこだわりを持つユーザーに向けに運転の楽しさを深化させたモデル。BILSTEIN社製ダンパーとフロントサスタワーバー、大径ブレーキを標準装備し、ロードスターのポテンシャルを極限まで引き出せる足回りとRECARO社と共同開発により高G領域でもよりしっかりと体幹を支え、正確な運転操作をサポートする「RS」専用シートが装備された。

※価格はすべて消費税込み

リトラクタブルハードトップモデル
「ロードスターRF」発売

[機種追加] 2016年11月10日 発表　2016年12月22日 発売
【価格】 3,240,000円~3,736,800円

ロードスターRFは、ルーフから車両後端までなだらかに傾斜する「ファストバック」スタイルで新しいオープンエア感覚を実現したモデルである。電動ルーフはスイッチ操作のみで開閉でき、様々な工夫により荷室容量もソフトトップモデルとほぼ同等量を確保している。それまで海外モデルのみに搭載されていた158ps/6,000rpmの「SKYACTIV-G 2.0」エンジンがRF全車に採用され、スタイリングに見合った上質な走りが実現した。

新しい電動格納式ルーフは、ロック解除を含みひとつのスイッチ操作のみで開閉が可能。クローズとオープンの動作では、それぞれのパーツの動きをオーバーラップさせ、流れるような開閉動作と約13秒という世界最短のルーフ開閉時間を実現している。吸音、遮音技術により、クローズ時は固定ルーフを有する他の乗用車と同等の静粛性を実現。オープン時には、耳周りの風の巻き込みを減らし、オープン走行時の不快音も低減している。荷室容量は、ソフトトップモデルとほぼ同等の127Lで、工具などを収納できるマルチボックスも同様に装備している。高い応答性と確かな制動力を発揮する15インチデイスクブレーキシステムを採用。RSにはBrembo社製ブレーキをメーカーセットオプション設定している。全車タイヤは205/45/17で高輝度ブラックメタリック塗装の8本スポーク7JJx17インチホイールを装着。車重は、6MT車で1,100kg、6MT車は1,130kgとなった。グレードは、S、VS、RSの3種類が用意された。ピアノブラックルーフをVSにメーカーセットオプション設定した。

2016

■リトラクラブルハードトップの新しい価値を提供するRF

3代目NCロードスターでは、多くのオーナーに「走る歓び」による輝きに満ちた人生を提供するため、初めてリトラクタブルハードトップ(RHT)を採用した。4代目でも、「オープンカーの楽しさを身近で気軽なものにする」という思いを守りながら、従来の考え方にとらわれることなく、さらなる進化に挑んでいる。RFの開発には、ロードスターとしての本来の姿を守るために、まず「軽量・コンパクトであること」「ホイールベースを変えないこと」「荷室を犠牲にしないこと」を定めている。また、それらに加えて、誰もが一瞬でときめく印象的なデザインをファストバックという新しい発想で実現することとした。

エクステリアデザインは、クローズドスタイルのシルエットが際立つファストバックスタイルのキャビンの造形美と、ソフトトップモデル同等の心地よいオープンエア感を両立するというまったく新しいルーフ形状を実現。キャビンは、リアルーフが後方に向かってゆるやかに下りながら内側に絞り込まれていく、理想的なティアドロップ形状となっている。オープン時には、頭上のふたつのルーフと後方のバックウインドーが開放される独自のスタイルを採用している。

MX-5 RFは2016年NYショーでワールドプレミアされた

パワフルなSKYACTIV-2.0Gを搭載

トランクルーム容量は127L

センターパネルに開閉スイッチがある

「ロードスター」に「クラシックレッド」を復刻、期間限定で販売

2017年1月13日 申込受付開始　2月28日 受付終了

「クラシックレッド」は、1989年2月に米シカゴオートショーでデビューした初代NAロードスターのメイン訴求色として展開された外板色である。4代目NDロードスターにて、このカラーを最新の水性塗装技術「アクアテック塗装」で忠実に再現し復刻したもので、選択すると32,400円高となっている。「アクアテック塗装」とは、塗装工程の革新によって、塗料やエネルギーなどの資源効率を飛躍的に向上させ、トレードオフの関係にあるVOC排出量とCO_2排出量の同時削減を実現したマツダ独自の水性塗装システムである。

このクルマのニュースリリースでは、4代目NDロードスターの開発主査兼チーフデザイナーの中山雅が、「ロードスターが歩んできた27年間は、人とクルマがひとつになって思いのまま気持ちよく走る楽しさを追求した歴史であり、同時に、マツダブランドならではの“走る歓び”に共感してくださった多くのお客さまから支え続けていただいた歴史でもあります。27年間分の感謝の想いを込めるとともに、お客さまとともに積み重ねてきた歴史を資産として大切にし、クルマ文化を育んでいくために、ロードスターの象徴的なカラーの復刻に挑戦しました」と語っている。

2017

「ロードスター」「ロードスターRF」を商品改良

2017年11月10日 発表　12月14日 発売

【価格】 ソフトトップ　2,494,800円～3,207,600円

RF　3,250,800円～3,474,600円

発売後2年6ヶ月が経過した時点で、商品改良が行われた。ソウルレッドクリスタルメタリック、スノーフレイクホワイトパールマイカ、エターナルブルーマイカの新外板色3タイプが追加され、また、「人馬一体」の走りを磨き上げるため、リアサスペンションと電動パワーステアリングの制御に綿密なチューニングが施された。さらに先進安全技術「i-ACTIVSENSE（アイ・アクティブセンス）」のアダプティブ・LED・ヘッドライト（ALH）も導入された。

新外板色マシーングレープレミアムメタリックが追加となったソフトトップには特別仕様車「RED TOP」が設定された。S Leather Packageをベースにダークチェリー色のソフトトップやオーバーン（赤褐色）のナッパレザーシートが採用され、個性的なカラーコーディネーションも選択可能となった。但し、注文受付は2018年3月31日までの期間限定であった。

【商品改良の概要】

全車に3色の新外板色を採用し、アダプティブ・LED・ヘッドライト（ALH）を新たに採用した。

ソフトトップはリアサスペンションやステアリングフィールを改良して走りの質感を向上し、メーターの視認性を向上。外板色マシーングレープレミアムメタリックを新採用した。

【特別仕様車「RED TOP」の主要装備】

新採用のダークチェリー色ソフトトップとオーバーン（赤褐色）ナッパレザーシートのインテリア、ボディ同色ドアミラー、高輝度塗装16インチアルミホイールなど。

※価格はすべて消費税込み

ロードスターRF VS

ロードスター特別仕様車「Caramel Top」

2回目の「ロードスター」「ロードスター RF」商品改良

2018年6月7日 発表　2018年7月26日 発売

【価格】 ソフトトップ　2,554,200円〜3,256,200円

RF 3,369,600円〜3,812,400円

ロードスターRFに搭載される「SKYACTIV-G 2.0」エンジンは、吸気系からシリンダーヘッド、ピストンやコンロッド等の回転系部品、排気系、サイレンサーに至るまで、多くの革新的技術を取り入れて進化。高回転域での吸入空気量アップ、回転系部品の軽量化、吸排気損失の低減、燃焼期間の短縮などにより全回転域でトルクを向上させ、高回転域の出力性能を15%以上高めた184psを実現。最高回転数も6,800rpmから7,500rpmへと引き上げ、軽快な伸び感を実現した。同時に、燃焼システムの改善により環境・燃費性能も向上させている。また、ロードスターに

2018

搭載の「SKYACTIV-G 1.5」エンジンも様々な改良により、全域のトルクアップと環境・燃費性能が向上した。SKYACTIV-G 2.0で開発した燃焼改善技術を織り込み、全回転域のトルクを現行同等以上に高めながら、環境・燃費性能を向上。また、アクセルフィールの向上を図っている。また、先進安全技術のアドバンスト・スマート・シティ・ブレーキ・サポート、車線逸脱警報システム、先進ライトを全機種に標準装備。AT誤発進抑制制御との組み合せで、「サポカーS・ワイド」に該当している。また、交通標識認識システム（TSR）、ドライバー・アテンション・アラート（DAA）、クルーズコントロールが新採用となった。

より適正なドライビングポジション調整のため、歴代シリーズ初のテレスコピックステアリングを採用。アルミホイールには、ブラックメタリック塗装が施され、ピアノブラック色のドアミラーとの統一感を強調している。モータースポーツベースグレードのNR-Aにもテレスコピックステアリングが標準装備となった。

ソフトトップの「S Leather Package」をベースとする特別仕様車の「Caramel Top」は、ブラウン色のソフトトップと、新色スポーツタンのレザーシートを備えたインテリアを採用している。2018年12月24日まで注文を受け付ける期間限定モデルだった。なお、価格はS Leather Packageと同額の6MT車3,094,200円で6AT車は3,207,600円に抑えられた。

【主要特別装備】 新採用のブラウン色のソフトトップ、スポーツタン色レザーシートのインテリア、ボディと同色ドアミラー、高輝度塗装16インチアルミホイールなど。

※価格はすべて消費税込み

「ロードスター30周年記念車」（写真は北米仕様車）

「ロードスター30周年記念車」発売

【特別仕様車】2019年3月25日 発表　4月5日から商談予約受付
【販売台数】 日本市場向けにはソフトトップ、RFの2モデル合わせて150台予定（のちに249台に修正）
【ベース車】 ソフトトップ：RS（6MT）、
RF：RS（6MT）、VS（6AT）
【価格】 3,682,800円～4,303,800円

2019

【特別装備】 外板色：レーシングオレンジ、RAYS社製鍛造アルミホイール（RAYS ZE40 RS30）、シリアルナンバー付オーナメント、オレンジをアクセントとしたカラーコーディネート（ブレーキキャリパー、シート、エアコンルーバーベゼル、ドアトリム、インパネデコレーションパネル、シフトレバー、パーキングブレーキレバー など）、RECARO社製シート、BILSTEIN社製ダンパー（6MTのみ）、Brembo社製フロントブレーキキャリパー、NISSIN社製リアブレーキキャリパー、Boseサウンドシステム＋9スピーカー、アルカンターラをドアトリムやインパネ、シート表皮に採用。

2019年3月25日、シカゴオートショーでワールドプレミアされたMX-5ミアータ30周年モデルの日本仕様、ロードスター30周年記念モデルを発売すると発表。全世界合計3,000台の記念モデルは、日本市場向け販売台数はソフトトップ、RFあわせて150台（のちに40台だったRFの販売台数が99 台追加され合計249台に修正）が予定されていた。特設WEBページでの商談予約受付は、ソフトトップが4月5日から同15日までの11日間、RFは5月27日から6月10日までの14日間に行われ、ソフトトップには1,900件以上、RFは2,000件以上の申し込みが殺到し、抽選となった。

30周年記念モデルの特設WEBサイトには、中山雅開発主査兼チーフデザイナーが次のコメントを寄せている。
「鮮やかなボディカラーの“レーシングオレンジ”。この色のヒントとなったのは、1989年のシカゴでレッド、ブルー、ホワイトの3台の量産モデルとともに注目を浴びたショーカー「MX-5 Miata Club Racer」のイエローです。今回は、当時の色を再現するのではなく、これから10年、20年、30年先のロードスターへの期待を込めて、新しい一日の始まりを予感させる朝焼けのようなオレンジ系の特別色を開発しました。
“Lots of Fun”と、この先に待っているロードスターへの期待感を、この特別なエディションで存分に楽しんでいただけたら、これに勝る幸せはありません」。

1989年シカゴショーに展示されたMX-5Miata Club Racer

2015-2016日本カー・オブ・ザ・イヤー獲得 2015年12月7日

日本カー・オブ・ザ・イヤー実行委員会が主催する「2015-2016 日本カー・オブ・ザ・イヤー」は、最終選考結果が発表され、4代目NDロードスターが「2015-2016 日本カー・オブ・ザ・イヤー」を受賞した。

日本カー・オブ・ザ・イヤーの選考対象車は、2014年10月1日から2015年10月31日までに日本国内で発表または発売され、年間500台以上の販売台数が見込まれている全ての乗用車。この年は45台がノミネートされた。第一次選考会で最終選考会に進む上位10台の「10ベストカー」が選出され、自動車評論家、ジャーナリスト、有識者からなる60名の選考委員による投票が実施された。最終選考会の東京都内の会場では、各選考委員の投票結果が公開され、開票途中では、ホンダ「S660」と接戦となったが、最終的にロードスターが最高得点を獲得してイヤーカーの座についた。マツダ車による同賞受賞は、2014年の「デミオ」に続き、2年連続6回目。また、ロードスターは2005年に先代NC型でも受賞しており、2代連続となった。

小飼雅道代表取締役社長兼CEOは、「皆さまから熱い応援をいただき、この度ロードスターが、このような名誉ある賞を受賞することができたことを心から光栄に思うとともに、感謝の気持ちでいっぱいです。この賞を励みに、マツダは今後もお客さまに走る歓びをお届けすることで、お客さまに選ばれ続ける存在になることを目指していきます」と語った。

NCに続いて2代連続で日本COTYを受賞

マツダでは2008年のデミオ以来のWCOTY受賞だった

WCDOTYとのダブル受賞は、日本車初となった

2016年ワールド・カー・オブ・ザ・イヤー、ワールド・カーデザイン・オブ・ザ・イヤーをダブル受賞 2016年3月24日

4代目NDロードスター/MX-5は、ワールド・カー・アワーズ（WCA）が主催する2016年「ワールド・カー・オブ・ザ・イヤー（WCOTY）」を受賞した。また、同時にロードスター/MX-5は、WCAが主催する特別賞のひとつ「ワールド・カーデザイン・オブ・ザ・イヤー（WCDOTY）」も日本車として初めて受賞している。1車種によるWCOTY、WCDOTYのダブル受賞は、同賞創設以来初のことだった。

同賞は、2004 年に世界各国の自動車ジャーナリストによって創設された国際的な自動車賞で、世界23か国、73名の自動車ジャーナリスにより、バリュー、安全性、環境性、コンセプトなど6項目を基準に投票、選出される。ロードスター/MX-5は、メルセデスGLC、アウディA4とともに最終候補の3車種に選ばれており、ニューヨーク市マンハッタンのジェイコブ・ジャヴィッツ・コンベンションセンターで開催されたニューヨーク国際自動車ショーにおいて、2016年3月24日に最終結果が発表された。また、優れたデザインをもつクルマを表彰する特別賞WCDOTYでもジャガーXE、マツダCX-3とともにファイナリスト3車種に選ばれていた。

4代目NDロードスターは、他にも「2016 UKカーオブザイヤー」を受賞するなど、このほかあわせて約80もの賞を受賞している。

ロードスター生産累計100万台を突破　2016年4月22日

ロードスター/MX-5の累計生産台数が、2016年4月22日に100万台に達した。これは、1989年4月に宇品第一工場で初代モデルの生産を開始して以来、27年での達成となる。小飼雅道代表取締役社長兼CEOは、「初代の登場以来、これまで3度のフルモデルチェンジをしながら今日まで販売を続けることができたのは、世界中でロードスターを支持してくださっているお客様のおかげです。マツダは今年で創業96周年を迎えましたが、節目となる100周年に向かって、ロードスターを今後もマツダブランドを象徴するクルマとしてお客さまに走る歓びをお届けすることで、お客様との間に特別な絆を持ち、選ばれ続けるオンリーワンのブランドになることを目指しています」と語った。

その後、ロードスター累計生産台数100万台達成記念車（国内仕様1.5Lソフトトップ）は、1年間にわたって世界各地のファンイベントで展示され、2017年4月7日に広島県安芸郡府中町のマツダ本社に帰還した。

同記念車は、世界9カ国（日本、英国、スペイン、ドイツ、ベルギー、米国、カナダ、オーストラリア、ニュージーランド）、35のファンイベントに展示し、その車体に1万人を超える多くのファンがサインしている。4代目NDロードスターの中山雅開発主査兼チーフデザイナーは、「この記念車に記された数多くのサインを見て、ロードスターが四半世紀以上にわたり国や文化、世代を超えた様々なファンの皆さまに支えられていることを改めて実感しました。そうした方々への感謝を胸に、マツダの走る歓びを象徴するこのクルマが文化と呼ばれるように、次の200万台に向けて挑戦を続けてまいります」と語っている。

広島名物となっている銘菓もみじ饅頭に「マツダロードスター生産100万台記念パッケージもみじ詰合せ」が登場した。広島市に本社を置く株式会社にしき堂が、ロードスター生産100万台達成を記念して同社の代表的な商品である「もみじ饅頭」詰合せに歴代ロードスターのデザインを配した化粧箱を採用。にしき堂「もみじ饅頭」(4個)と「生もみじ」(4個)に特製メッセージカードが同封されていた。販売価格は1,000円（税込）で、2016年6月24日から2017年3月末まで県内各所の同社販売所に並んだ。

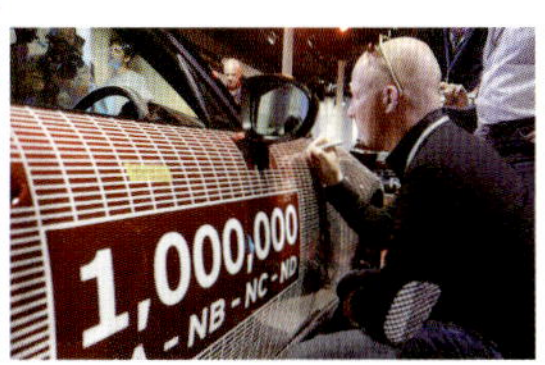

生産累計100万台達成記念車が展示されたファンイベント（左からミアータ＠ラグナセカ、ひろしまフラワーフェスティバル、バルセロナ）

TOPICS

マツダMX-5ミアータ30周年記念モデル、シカゴショーでアンヴェール　2019年2月7日

アンヴェールされた2台のMX-5ミアータ30周年記念モデル

「MX-5ミアータはマツダの心臓であり魂です」と語るマツダUSA毛籠社長兼CEO

2019年2月7日、イリノイ州シカゴのマコーミック・プレイスにて開催された「シカゴオートショー2019」のマツダプレスカンファレンスでは、マツダ・ノースアメリカン・オペレーションズ(マツダUSA)社長(当時)兼CEOの毛籠勝弘が、スピーチを行った。テーマは、もちろん「マツダMX-5ミアータ30周年記念モデル」についてである。アンヴェールされた2台の30周年モデルを前に、毛籠CEOは次のように語った。

「30年前、このシカゴオートショーで初代マツダMX-5ミアータはデビューしました。このクルマは、全く新しいセグメントを定義しただけでなく、世界にマツダの進むべき道を示しました。それは私たちマツダのような小さな企業だからこそ生まれた、ビッグアイディアだったのです。見た目のスポーティさにとどまらない大胆さを、このクルマは秘めていました。私たちがこのクルマに求めたものは、ドライバーにもたらす「Lots of Fun」です。それは、オープンエアドライビングの楽しさであり、レーストラックで攻めがいのあるライトウェイトスポーツのそれであり、自分でカスタマイズする楽しさであり、ミアータファン同士が交流する楽しさなのです。

ここでの発表後、一夜にしてミアータは「ファントゥドライブ」マシンとして知られるようになりました。私たちマツダでは、このクルマがもつ高揚感を「人馬一体」と呼んでいます。それは、騎手と馬の関係になぞらえた、ヒトとクルマの一体感を示す言葉です。クルマがまるで体の一部のように感じることでもあります。この言葉を行動規範として、初代NAロードスターのエンジニアやデザイナーはクルマを開発してきました。私も若かりし頃、二代目NBロードスターのマーケティング副主査の立場で、私たちの開発チームが「ライトウェイトスポーツはかくあるべき」という哲学を頑なに守ってクルマを作り上げたプロセスを体験しています。時代は移ろい、私たちは安全性や環境性能をクリアする必要に迫られました。それは、一般的にはクルマを大きく重くする方向になっていくものです。しかし、私たちはブレークスルーを見つけるまで、妥協せずチャレンジしました。ミアータは、ミアータであり続けなければならないのです。そして、開発チームの粘り強さは報われました。初代MX-5ミアータが作り上げたヒトとクルマの心踊るハーモニーは、30年経った今も各世代MX-5の中にDNAとして生き続けています。そして、今や「人馬一体」ス

ピリットは、先にロサンゼルスオートショーで発表した新世代マツダ3から三列シートのCX-9(北米・豪州専用車)に至る全マツダラインアップにまで継承されています。マツダMX-5ミアータがいかにマツダの心臓であり魂であるかをご理解いただけることでしょう。

マツダは、私たちのエンジニアやデザイナーのMX-5ミアータ開発にかける情熱を誇りに思っています。そして、ミアータファンの皆様には、これまでに100万台を超すミアータをお届けし、販売台数世界一のロードスターとして知られるようになりました。そのうち、なんと44万台が北米市場にて登録されています。全体の4割強という数字です。アメリカのミアータファンの皆様に心からお礼を申し上げます。皆様のジョイフルな人生の一部に加えていただき、光栄に思います。また、自動車産業界のこのクルマに対する評価にも感謝しています。世界各国でのべ280もの賞をいただいたことをはじめ、2016年にはワールドカーオブザイヤーとワールドカーデザインオブザイヤーをダブルで頂戴しました。その年に、MX-5ミアータは累計生産100万台を達成しています。それらMX-5ミアータが達成した業績は、ミアータオーナー、MX-5ファンの皆様のご支持があったからに他なりません。アメリカでは、エンスージアストの皆様のコミュニティは、100以上ものミアータオーナーズクラブに発展し、そのメンバー数は現在2万2千人を越すまでに成長しています。クラブメンバーやミアータオーナー、ファンの皆様との関係が強固になっていくのを見るにつけ、マツダMX-5ミアータは単なるクルマなどではないと感じます。生きている実感とも言えます。単なる地点間の移動手段ではなく、旅する喜びです。まさにライフスタイルそのものでしょう。

MX-5の使われ方は千差万別で、ゆったりとしたグランドツーリングを楽しむ方もいれば、クラブレーサーとして使われることもあります。MX-5ミアータの人馬一体コンセプトと軽量ボディは、モータースポーツコミュニティの皆様からも絶大なご支持をいただいています。

各地から集まったMX-5ミアータオーナーズクラブの皆さん

初代ミアータは、北米で販売された車種の中で最も軽量なモデルのひとつです。オートクロスやレーストラックでのスポーツ走行、ロードレースシリーズへの参加という方法もあります。初代NAモデルおよびNBモデルが走れるスペックミアータシリーズは、現在でもSCCA(スポーツカークラブオブオメリカ)全コンペティションユーザーの20%を占めています。これまでにマツダUSAは3,000ユニットものスペックミアータ用キットを出荷しており、グローバルMX-5カップ車両は既に200台以上を納車済みです。また、日本で始めたNAモデルのレストアサービスで生まれた復刻パーツが、北米市場でも提供できるようになります。これまで大切にNAモデルを乗り続けていただいた皆様には、これから先も快適にお乗りいただきたいと思います。レーストラックやハイウェイで、それらの大事にされているヒストリックミアータにお目にかかれることを楽しみにしています」。

マツダスタンドには、30周年モデル2台のほか、初代MX-5ミアータ、2代目MX-5ミアータ10周年記念車、3代目MX-5ミアータRHTが展示され、全米各地から集まったMX-5オーナーズクラブメンバーや、初代MX-5を企画し、熱心に当時のマツダ経営陣にこのライトウェイトスポーツの必要性を提案し続けたボブ・ホールやトム・マタノも加わり、文字通り同窓会の様相を呈していた。ND型4代目MX-5ミアータのチーフデザイナー兼開発主査（当時）である中山雅は、「これまでも10周年、20周年モデルなど、MX-5ミアータの特別仕様車を企画してきましたが、この30周年車には特別な意味を持たせています。初代が発売された1989年は日本の平成元年であり、今年2019年に平成という時代は終わろうとしています。これまでの30年間を振り返る年でもあり、新しい時代の始まりでもあるわけです。ですから、このクルマは決意を強く込めて作りました。今回は特別仕様車としての台数枠を広げましたし、このクルマだけの特別な部品も多数開発しました。また、このクルマには他のマツダ車にない新色を設定するなど特別なことをしています。これまでの30年間はファンの皆さんがロードスターを支えてくださいましたが、次の30年間もロードスターを作り続けたいと私たちは決意しています。そういった意味で、朝焼けのようなビビッドなレーシングオレンジを採用しました。ロードスターオーナーさんも、ファンの皆さんも一緒になって今年のロードスター30周年を祝っていけたらいいな、と考えています」と感慨深げにこのお披露目の感想を述べた。

プレゼンテーションには熱がこもった

MX-5ミアータのメカを解説したボード

北米でMX-5ミアータが獲得した数々の賞

展示車を提供した10周年記念車のオーナー

ライトウェイトスポーツを熱心に提案したマタノとボブ

NAからNCまでの各世代MX-5ミアータを展示

ショーモデル

MX-5ミアータ「スピードスター」は、2015年SEMAショー（米ネバダ州ラスベガス）に出展されたショーモデルだ。オープンカーの本質である「風を感じる」ため、フロントウインドスクリーンの代わりにノスタルジックなウインドディフレクター（風防）を採用している。車高調整式サスペンションによって、標準のND型MX-5ミアータより30mm低い車高を実現。カーボンファイバー製ドアパネルや軽量シート、RAYS製16インチ軽量ホイールなどを装着し、車重943kgを実現した。

2015年のSEMAショーに展示された**MX-5ミアータ「スパイダー」**は、「ミニマリズム（最小限主義）」をテーマにデザインされたマツダUSA企画のショーモデル。軽量メニューとして補強されたビキニトップ、カーボンファイバー製エアロキット、ヨコハマADVAN製17インチ軽量ホイールなどを装着。外板色にはマーキュリーシルバーを採用し、内装にチェストナッツ色の「スピネーベック・プリマ」フルグレインレザーを使用することで高級感を演出していた。

MX-5ミアータ「スピードスター・エボリューション」は、2015年発表のスピードスターのコンセプトを引き継ぎ、さらに進化させるため、軽量ブレーキシステムとレース用リチウムバッテリーを採用。また、ダッシュボードパネルの簡素化などで、徹底した軽量化を実施している。フロントウインドシールドの廃止に加え、前記メニューなどにより、前モデルよりも45kgの減量に成功。車両重量は900kgを切るレベルに達した。2016年SEMAショーに展示されたショーモデル。

モデル名の**「KURO」**は日本の“炭”を表しており、外板色にサテンブラックのセミマット塗装を採用したMX-5ミアータRFのショーモデルだ。車高調整式サスペンション、Brembo製対向4ポットブレーキキャリパーなどGLOBAL MX-5 CUPカーに搭載されるパーツを装備している。しかし、サーキット指向ではなく、あくまでもロードカーとして日常の使い勝手とエレガンスの融合を目指したモデルであった。マツダUSA提案の2016年SEMAショー出展モデル。

海外の主な特別仕様車

ICON

131psの1.5L車。メテオグレイまたはクリスタルホワイトパールマイカにソウルレッドアクセント。600台。

GLOBAL MX-5 CUP CAR

世界統一仕様のMX-5 CUPワンメイクレースカー。左ハンドルの2.0Lエンジン 北米仕様。

LEVANTO

ミラノのカスタムガレージとマツダイタリアのコラボ作。ビーチに沈む夕日をイメージした外板色が特徴だった。

ARCTIC

北極圏をイメージした特別色ブルーリフレックスを設定した1.5L 6MT車。400台限定。

160 Edition

2.0Lソフトトップ車をベースにトランクリッドスポイラー、アルカンターラ内装などで特別感を演出。160台。

Z SPORT

2.0L 6MTのダークチェリー色のソフトトップ、オーバーンレザーシートを装着。300台限定。

証言者たち

「ロードスターは天空に輝き続ける北極星なのです」

元NDロードスター開発主査
ロードスターアンバサダー

山本修弘

前章3代目NCロードスターストーリーでも登場した山本修弘は、ロードスター30周年を迎えるにあたり、「ロードスター30周年に当たって」という書簡を認めていた。その内容をベースに、山本から直接聞いたNDロードスター開発裏話を交えて以下紹介しよう。

「4代目NDロードスターの開発は、私が主査を拝命した2007年から始まっています。3代目NCデビューの2年後から既に始まっていたのです。4代目ロードスターは、SKYACTIVテクノロジーを駆使した全く新しいプラットフォームとなることがわかっていました。最新の衝突安全対応技術による軽量コンパクトなプラットフォームを作ることをチームの目標としました。そして、初代NAロードスターと同等の1トンを切る軽量化、もうひとつはNAロードスターを凌駕するような運転の楽しさを達成する"感"作りをプログラムの目標としました。特に軽量化は、車重900kg台のクルマを目指していたら1トンを切ることはできない、800kg台を目指そうという高い目標を立てて、この難題に取り組むことにしました。だいぶ反発もありましたが、無理難題を考え抜くうちに目標とのギャップがはっきりし、そうすれば知恵が出てくるものです。例えば、リアのサスクロスメンバーですが、通常はデフキャリアの上を通します。下からデフを下ろせる方が、サービス性がいいからです。でもNDではボディとクロメンの両方で剛性を負担し、結果的に軽量に寄与できるという理由で、デフキャリアの下側にクロメンが通っています。サービス技術部門は当初反対しましたが、軽量化のためどうしても必要と説くと、デフはクロメンと一緒に外せる構造にしようということで了解を得ています。今回のNDロードスター開発の大きなテーマのひとつに、共創というものがあります。一緒に創造しようということです。それに従って、彼らも一所懸命解決策を考えてくれたのです。ボディにアルミ材を多用することでは、製造現場も当初難色を示しました。しかし、彼らには"みなさんの職場を私は工場だと思っていません。工房です。製品ではなく、作品を作りましょう"と話しました。そうしたら、"アルミは鉄の3倍の時間がかかるがやってみましょう"と言って、丁寧に型を作ってくれました。街でロードスターを見かけるたび、彼らも感慨深いことでしょう。これも共創の一例です。

私たちは、初代NAロードスターが作り上げたライトウェイトスポーツの価値を守り抜かなければならない、そういう使命感でNDロードスターの開発に臨みました。軽量で、手の内にあって使い切る楽しさ、これを阻害する問題には一切妥協せずブレずに進もうと決心をしたのです。それは、ある時妻と共に聴きに行ったバイオリニストのリサイタルで伺った話がヒントになっています。そのコンサートはバイオリンとピアノだけのシンプルな構成でしたが、思わず涙を誘うような、心に染みわたる音色でした。50年も前の日本の古い歌を、自分たちのセンスとエスプリでリメイクし、後世に残すことが使命だと彼らは言います。私はその時、私たちの仕事にも同じことが言えるはずだと感じたのです。だから、"守るために変えていく"のです。

しかし、アメリカ、ヨーロッパのリージョン(現地法人、この場合はマツダUSAとマツダモーターヨーロッパ)との価値共有には、大変時間がかかりました。全てのリージョンでMX-5に関する提供価値を同等にすることは難しいと思いました。アメリカは、モアパワーです。既に完全なネット社会となっているアメリカでは、エンジン出力が200ps以下のスポーツカーはそもそもネットの検索に引っかからない、だから検討の土台に登ら

ない、と彼らは主張します。ヨーロッパでは、ミニやBMW Z4を引き合いにしたスペースユーティリティの確保がマストだと言います。いずれもNDロードスターを大きく重たくする提案ばかりでした。私たちは、クルマをギュッとコンパクトにして、排気量も下げることを決めていたので、とにかく彼らを乗せて納得してもらおうと考えました。美祢試験場で試乗した彼らは、すぐさまモアパワーが必要ないこと、サイズが小さくてもスペースユーティリティは確保できていることを実感しました。排気量の小さいSKYACTIV-Gエンジンで、NAロードスターよりも短い全長サイズにもかかわらず、NCロードスター以上のフィーリングの良さと、トランクにはより多くの荷物が収納でき、コクピットには身長の高い人でも十分座れるスペースがあることを実証して、我々のアプローチが正しいことへの了解を求めたのです。これによって、数字では理解できないことが現物では確認でき、試乗体験を通じれば合意を得られることがわかりました。トランク形状に関しては、機内持ち込み可能なキャリーオンバゲージをふたつ買って、それが入る形状を研究しました。その結果、数字上の容量がNCより少なくても、キャリーオンバゲージはふたつすっぽり入ることがわかりました。それはトランクの深さなんです。そのため、サイレンサーの取り回しも工夫しています。また、グローブボックスがなくなったこともだいぶ批判を受けましたが、Aピラーの位置を後方に下げたため、エアコンユニットやエアバッグを収める場所がなくなってしまい、やむなくグローブボックスを廃止しています。しかし、NCで収納できたものは全部NDにも入るようにしようと考え、トランク形状もそうですが、センターコンソールの前のスペースも広げ、シート裏収納ボックスも奥行きを確保しました。

そのようにして、ようやく新しい軽量でコンパクトなプラットフォームを最新技術で磨き練り上げて作り、新しいデザインを実現できる準備が出来たのです。デザイン作業は、中山（雅）チーフデザイナーが、CX-5デザインの仕事を終えてNDロードスター開発チームに復帰するタイミングを待って本格化しました。原理原則に従い、美しく見える法則に基づいて忠実にプロポーションモデルを練り上げて行き、熟練モデラーである浅野（行治）さんの見事なモデル製作技術によってNDロードスターの"一瞬に心ときめくデザイン"を創ることができました。

NDロードスターについては、もう一度全てを原点回帰し、「運転することが楽しい」こと、人が楽しいと感じる「感作り」の本質を追求することとし、商品づくりのテーマをロードスターと共に「人生を楽しむ」こととしました。また、「人馬一体」はロードスターの本質であり、このメッセージは不変です。そのことを踏まえて、NDロードスターの開発では「守るために変えていく」という開発メッセージを共有し、開発チーム全メンバーがその思いを「志ブック」に認めて、プログラムへの帰属意識とモチベーションアップを図っています。302名が綴った「志ブック」は、NDロードスター開発ストーリーの1ページを飾る宝物になったと思います。

2014年5月OASISミーティング

2014年11月マツダ本社でNDをお披露目

2016年4月フレンドオブMX-5(バルセロナ)※

※バルセロナで行われたフレンドオブMX-5イベントでは、1991年ルマン24時間レースでマツダ787Bをフィニッシュラインまで運んだジョニー・ハーバートとグローバルMX-5カップカーを試乗し、ゲストに山本自身の走りを披露した。

2008年に発生したリーマンショックの影響で、NDロードスターのローンチは2015年へと先送りになりました。当初の計画からは遅れることとなりましたが、2014年のロードスター25周年アニバーサリーイベントと合わせてNDのローンチ計画が練られ、むしろ効果的に話題を盛り上げていくことができたと思います。2014年9月4日に日本、カリフォルニア、バルセロナの世界3拠点で、同日同時刻に4代目NDロードスターのワールドプレミアを行い、注目を浴びました。ネットでのストリーミングライブという手法が使える時代となったので、あのような同時発表が可能となったのです。メディアやジャーナリスト向けの試乗会では、通常商品紹介のプレゼンテーションをしてから試乗してもらうのですが、このNDロードスターではまず先入観なくクルマを感じていただくことを目的に、先に試乗していただきました。そしたら、“繋がりの良さは、まさに原点回帰”とか“弱者を侮らず、強者を恐れないクルマ”、“純朴で健気なタンポポの姿が重なる”などのインプレッションをいただきました。クルマを評価するプロの方たちから、感じたままの言葉を引き出せたと思います。2015年3月から生産を開始し、日本での同年5月の発売を皮切りに、次々と世界中のロードスターファン、スポーツカーファンにNDロードスター/MX-5をお届けしていったことはまだ記憶に新しい。お蔭様で、日本カー・オブ・ザ・イヤーを始め、2015-2016は世界中で沢山の賞を頂くことが出来ました。その中でも2016年のワールドCOTYおよびワールド・カーデザインOTYのダブルタイトルを初めて頂戴することになり、大きな誇りと自信になりました。また、2016年4月には初代NAロードスターからの累計生産台数が100万台を超えることができ、世界中のロードスターファン、マツダファンに支えられている、強い絆で結ばれていることを痛切に感じる思いでした。

初代NAロードスターが誕生した1989年は、平成元年でもありました。平成元年式のロードスターは、平成30年間の試練に満ち溢れた厳しい時代だったにもかかわらず、お客様に支えられ、沢山の愛着と愛情を受けて育ってきました。多くのスポーツカーは、この時代に生産中止に追い込まれていきました。ずっとこれからも、私たちはお客様と共にあり、厳しい環境変化の中でも、荒波や強風に耐えて行かねばなりません。「マツダは、これからもずっとロードスターを作りつづけます」、これはお客様とのコミットメントなのです。世の中がいかに変わろうと、人が人として豊かな人生をおくり、しあわせを目指して生きる営みは決して変わることがないでしょう。人が楽しいと思う心根が変わらない限り、ロードスターは永遠に私達の相棒であり、なくてはならない大切な存在であると私は信じています。ずっと変わらず天空に輝く北極星のように、ロードスターは輝き続けることでしょう」。

山本は、現在マツダのロードスターアンバサダーとして、世界各国で行われるロードスター/MX-5関連のファンイベントに足繁く出かけては、オーナーやファンとの交流を続けている。

2018年5月ミアータランドにて限定車発表(イタリア)※

2018年11月ミアータファンミーティング(フィリピン)

2018年11月グローバルMX-5チャレンジ(セブリング)

※イタリア・ペルージャ近郊のミアータランド(個人が39台のMX-5を所蔵するミュージアム)にて、マツダイタリアが企画したMX-5ヤマモトシグニチャー(4台だけの限定車)のプレス発表を行った。

証言者たち

「必然的クラシックデザインとモダンデザインを融合しています」

NDロードスター担当チーフデザイナー

中山雅

現在マツダでは、年に一度休日に本社工場の主要地区を開放して一般客を招くオープンデイ、ショールームや特設会場などで開催するファンフェスタ、Be a driver. Experienceなどのイベントにおいて、マツダ社員、特にエンジニアやデザイナーが直接マツダ車オーナーやマツダファンに語りかけるダイレクトコミュニケーションの場を頻繁に設けている。NDロードスターの開発主査だった山本修弘がロードスターアンバサダーに就任したことで、その役割を託されることになった中山雅は、それらのイベントのプレゼンテイターとして駆り出される機会が多い。1990年式初代NAロードスターを長期にわたって所有する彼は、一方でエンスージアスティックなロードスターファンでもある。当然、自身が担当したNDロードスターのデザインの話には熱が入る。

「NDロードスターの開発については、主査の山本さんをはじめ、設計するエンジニア達と様々議論を重ね、NAロードスターで追求したLWS(ライトウェイトスポーツ)のあるべき姿へ原点回帰することが合意されていました。もちろん、山本さんが唱える“守るために変えてゆく”が合言葉です」と、中山は語る。

昨今のマツダデザインは、“魂動”という工業製品であるクルマに野生動物のような躍動感を与えるテーマが共通言語としてある。シグネチャーウイングという表情をつけることも約束事である。日本の伝統的な手法であるリフレクションの美や、静と動のバランスなども織り込む必要もある。そして、当然ながらスポーツカーとしての機能性を最優先し、阻害してはならい。安全基準や道路運送法などのレギュレーションという制約からも逸脱するわけにはいかない。それら全てを満足することは、とても複雑な作業に思える。しかし中山は、次のように語っている。「私たちは、それらをシンプルに考えることにしました。FRのツーシータースポーツカーですから、ホイールベースの真ん中にドライバーが座るのが自然です。クラシックなLWSは皆そうしています。しかもパワーユニットは、フロントアクスルの後ろにあります。マツダ第六世代商品群の大原則として、ドライバーの正面にステアリングとABCペダルを(オフセットせずに)配置する必要があります。そう決まってしまうと、あとは、クルマを小さくしたいのでなるべく余計なものは前後のオーバーハングには置かないようにしたいですよね。しかし、リアにキャリーオンバッグがふたつ入るトランクは必要です。スポーツカーですから、肘がかけられるようにボディサイドのラインはなるべく低く、直線的でないといけません。フロントは、歩行者保護を満足することが義務付けられます。そのためにはノーズとボンネットは、もしものアクシデントの際に人の頭部がウィンドーシールド手前のワイパーエリアに当たってしまうことがないよう、それなりの長さが必要です。しかもラウンドしていることが望ましいわけです。それでもスポーツカーなので、ノーズ先端はなるべく低くしたい。それらを解決したのが、アクティブボンネットであり、LEDの灯体をもつヘッドランプユニットです。ヘッドランプユニットは近年サイズが大きくなり、存在感を出すデザインを作り込むと重いユニットをノーズ上部に置く必要があります。しかし、前後長が短く発光熱が低いLEDならカバーを含むユニッ

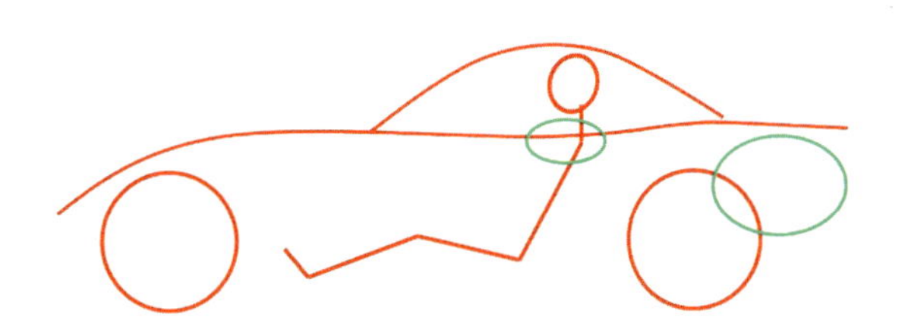

曲面デザインされたボディ

台形でタイヤが四隅にあるモダンなデザイン

トが小さく軽く、低い位置に置くことが可能です。小さくて軽いということは、ヨー慣性モーメントを小さくできるということでもあります。コスト的には高価ですが、それを認めてもらうことでスポーツカーらしいデザインと機能が両立しています」と語る。しかも、無機質なLED灯体は、クルマのフロントを顔に見立てると、表情を形作る瞳として見ることができる。「私の実家は、広島県庄原市のお寺です。仏像の目の奥には光る水晶体“玉眼”が入っているのはご存知でしょうか。どの位置からでも仏様の瞳に見つめられているように見えるはずです。NDロードスターの瞳の奥に見えるLEDの灯体もその玉眼と同じような効果があります。また、様々角度を変えてロードスターの顔を見ると、表情が変わるのはお気づきだと思います。体をかがめて下から見上げると笑顔に見えます。ロードスターはシグネチャーウィングを表現するアッパーグリルがないので、そのニュアンスをヘッドランプユニットへと走るバンパー上のシャープなキャラクターラインとランプユニット内側で点灯するLEDポジションランプの発光ラインによって形作り、シンプルなブランド表現としました」。

「エンジニア達の様々な挑戦のおかげで、ドライバーの頭の位置にキレイに乗ったコンパクトなキャビンが作れたのはすごいことだと思っています。それを実現するためには、Aピラーの位置を従来よりも後方に移動する必要がありますが、そこには解決しなければいけない様々な技術課題がありました。彼らはそれらを一つ一つ解決し、流麗で美しいプロポーションを実現してくれたのです。よくキャビンを後ろに移動したんですねと言われますが、そうではなくドライバーの着座位置を決めてそこにピークをもっていったので、結果としてそうなっているのです」。

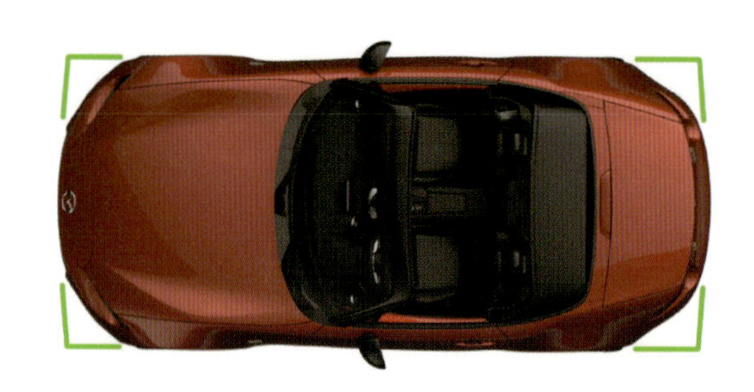

ここまではFRシータースポーツの定説をたどったクラシックなデザイン手法だという。「正統という意味でのクラシックなデザインは、飽きがこないんです。しかし、レトロとは違います。NDではモダンに見える手法もしっかりと取り入れています。古いスポーツカーを横から見ると、かっこいいですが、斜め前か斜め後ろから見ると、タイヤが引っ込んでいて、弱々しく見えます。NDロードスターはクルマの四隅を大胆に削り落とし、斜めから見た時に、タイヤが張り出して踏ん張っているように見えます。さらに、フェンダーの上のボリュームも斜めに削り落としていて、クルマ全体が台形に見えるようデザインしています。特にリアはコーナーを絞っているにも関わらず、どっしりしたボリューム感を表現することができました。丸型のブレーキランプを基準ギリギリにクルマのセンターに寄せ、夜間でも車幅感が

後続車や歩行者に認識しやすいように、テールランプはボディサイドにまで回り込んでいます。このデザインを活かすため、リアコンビランプもLEDとしました」と中山は語っている。

コクピットは、ドアトリムに外板色と同じカラーパネルをつけ、それがフェンダーピークへと繋がっているように見せているのが特徴だ。内側と外側の境をなくし、開放感を表現したという。中山が書いたNDロードスターの技術資料には、「運転席から見たときに、自分の肩口のドアトリムからフェンダーピークまで遮るものがなく一直線につながっている感覚を作ることで、クルマを操る"手の内感"を増強している。更にフェンダーピークを前輪キャスター角の延長線上に置き，ボンネット上に設けた谷間は前輪キングピンの延長線上に通し、操舵輪である前輪を自分の身体の一部のように動かしていることが視覚的に実感できるデザインにした」と表現されている。こんなところにも、中山のNDロードスターのデザインに込めたこだわり、ロードスター愛が表現されている。

2016年7月に商品本部ロードスター開発主査となった中山は、2019年2月にロードスター30周年記念車を送り出したのち、同年5月デザイン本部に戻り副本部長に就任している。

証言者たち

「開発者たちの気持ちをひとつに」

商品本部プロジェクトマネージャー

山口宗則

商品本部の山口宗則は、現職のプランナーとして最も長くマツダのスポーツカーの企画に携わっている人物だ。1990年代にFD RX-7の企画を推進し、その後NAロードスターと掛け持ち担当となる。NBロードスターの育成を経てNCロードスターのローンチ以降、一時別の車種を担当したが、NDロードスターの企画段階から再び古巣に戻ってきた、いわばマツダスポーツカーの生き字引である。新型車の開発だけでなく、モデルサイクルのそれぞれの時点での改良・商品対策や追加機種設定、特別仕様車の投入、それらによる収益計画の推移までを管理・コントロールしている。開発主査をサポートしてその計画を経営陣に提示し、承認を得て商品開発を推進するのも彼の仕事だ。

マツダの開発プログラムには、開発者たちが一堂に会し、現行車、前モデル、競合車やベンチマーク車などを比較試乗したり、課題を共有するために議論を交わしたりする合宿を度々行っている。これを彼らはトリップと呼んでおり、これらのイベントの企画も山口の仕事だ。いくつかのステージが用意されたトリップの中で、開発プログラムがスタートしたばかりの時点で行われるものは、「コンセプトトリップ」と位置付けられている。「初代ロードスターの開発初期に、平井主査がホワイトボードに書いたフィッシュボーンチャートに"人馬一体"構成要素を書き出していきましたが、同じような作業をそのトリップ（合宿）で作り上げています。ちなみに、

30数年前に作られた最初のフィッシュボーンチャートには、走る・曲がる・止まるというクルマの性能要素のほかに、視る、聴く、触るなどの五感要素が取り入れられています。さすがですね」と山口は語っている。「私たちは、この最初のフィッシュボーンチャートを肝に銘じ、これを頑なに継承しているのです。ロードスターの場合、モデルチェンジは非常に特徴的で、マツダならではの手法で実施します。普通、おそらく他のメーカーさんでは、現行車に不足していたものや弱かった点をモデルチェンジ車では改善することを推進します。ところがロードスターは、現行車でよかった点をさらに改良し二重丸とすることに注力します。次のモデルではさらに三重丸、四重丸を目指します。ここが肝だと言えます。だからロードスターは、ライトウェイトスポーツであり続けてこられました」。

3代目NCロードスターの場合、検討を開始した2002年にコンセプトトリップを行い、ベンチマーク車を商品本部メンバーとデザインメンバーで試乗評価している。その後、マネジメントに対する戦略提案、2003年には目標設定などのマイルストーンを経て、同年後半には商品化承認を得ている。その間も何度かトリップを行い、そのつど開発本部、生産技術本部の副主査チームなどを加えた"陣立て"メンバーによるトリップ、さらに設計や実研のキーマンたちのトリップへと発展させている。こうして様々な開発者たちとクルマの内容をお互いに確認し、思いを共有し合う作業を実施している。「各トリップでは、試乗車分の評価シートを用意し、そこに走る、曲がる、止まる、乗り味や視る、聴くなどの要素を書き出し、これから開発するNCロードスターのあるべき姿をまとめあげていきます。こうして2005年5月の量産開始を迎えています。トリップは、開発者たちの気持ちをひとつにし、マインド共有ができるという機能があります」と山口は続けた。

NDロードスターの開発主査を務めた山本修弘のコメントにあるように、4代目NDロードスターのテーマは、「感」の追求である。そこで番頭である山口は、"「感」づくりトリップ"を2008年7月に企画している。「そこで評価シートに書かせたのは、我々が求める5つの"感"、つまり一体感、軽快感、走り感、応答感、開放感で、その評価軸に沿って従来車やベンチマーク車などを評価していきました。さらに、それぞれの"感"に関して、視る、聴く、触るという感覚でブレークダウンしていきます。それでは、NDロードスターはどうしたいか、ということですが、開発者それぞれがイメージするND像を言葉で表現してもらいました。その時点では、まだ性能もデザインもないのですが、できるだけ言葉で表現します。ちなみに私は、一体感については"手の内にあって、使い切る性能"、軽快感に関しては"瞬時の間があって早いGの立ち上がり"、応答感は"間があってダイレクトな反応/生き物/相棒"としており、全体像としては"世界基準のローインパクトスポーツ"とか"エバーグリーンスポーツ(不朽のスポーツカー)"とイメージを表現しています。私は、NDロードスターは、牛若丸のようなイメージを思い描いていました。小さくて一見弱々しいですが、ヒラヒラと欄干の上を舞い、ビースト弁慶を打ち破る。各人がそれぞれこのようにイメージを表現し、それをまとめたものを全員で共有し、こういうクルマを造るぞという意識づけを行なっているわけです。ちなみにこの時のトリップでは、試乗したクルマの中でメンバーが一致して"楽しい"と感じたのは、なんと初代NAロードスターでした。ベンチマーク車では、ポルシェケイマンSが最も優れていました。この時点で私たちがNDロードスターで目指すものの、おぼろげな像が見えてきました」。

また、ロードスター開発チームには、"人馬一体"と表紙に書かれたコンセプトカタログというものがある。山口によると、元々貴島主査のアイディアで始めている。そのコンセプトカタログには、主にビジュアルでこれか

2019年 東京オートサロン。このようなショーカーの企画も山口の仕事だ

ら開発するクルマのイメージを描いていき、開発者ひとりひとりが人馬一体を理解し、それぞれの持ち場で何を達成するのか、それぞれコミットメントしている。それを一冊のブックレットにまとめて、開発者全員に配布していると言う。また、NDの開発の途中では、山本主査の発意で、"志"ブックというものも作っている。これは開発担当者だけでなく、生産現場や広報やマーケティングなどの導入担当者も含めたNDロードスター担当者全員が、何を考えどういう行動をするかという宣言をまとめている。このまとめ作業も山口の仕事だ。ここには302名の担当者が宣言を連ねている。そして、NDロードスターの生産がスタートしたのちには、白い表紙の志ブックを作っている。これはそれぞれの担当者が、NDロードスターを世に送り出した後、どのように成長したかが書き連ねられている。これも全員に配布されたたという。ちなみに、"志"ブックの山口の宣言は「"だれもが、しあわせになる。"というロードスターの普遍的テーマを徹底追及します」と描かれている。完成したNDロードスターは、彼の思い通りに"志"が貫かれているのだろうか。答えは明白である。

山口は、「これらのトリップを通じて、開発者たちはそれぞれのコミットメントを達成すべく頑張ってくれました。マネジメント陣もマツダのブランドアイコンであるロードスターの開発には、他のモデル以上に高い関心があります。そして、私たちがさまざま検討し、収益計画にもミートしている企画には英断で応えてくれます。NDで6速MTトランスミッションを新設しましたが、他メーカーでは気絶するような決断です(笑)。ちなみに収益は、きちんとコミットメント通りに出していますのでご安心を」と笑顔で結んだ。

2018年12月　広島サンタドライブ広島にて

※広島サンタドライブ　ロードスターファンの全国組織ROCJを中心としたロードスター広島サンタドライブ実行委員会が主催し、福祉団体を通じて声がけして集まった総勢50名の親子をロードスターに乗せて市内ドライブするもの。26台のロードスターは、県内のオーナーやマツダ社員などがボランティア提供している。

証言者たち

第六世代商品群の走りを磨いた
ディフェンスの要

操安性開発部上席エンジニア
虫谷泰典

マツダの操安性開発部の上席エンジニアである虫谷(むしたに)泰典は、いわゆる「トップガン」である。マツダ各車種の操安性チューニングを握っている人物と言える。1988年入社の彼は、広島工業高校を卒業後、サッカー選手としてマツダに採用され、実験研究部に配属されている。会社にはサッカーをしに通勤しており、練習の合間に週に何時間か部の庶務係として、各種実研レポートをコピーするのが唯一のクルマに関する仕事だった。しかし、クルマが好きでマツダを選んだ彼は、その実研レポートを読ませてもらうのが楽しみだったという。マツダサッカー部のディフェンダーとして活躍した彼は、初代ロードスターがまもなく発売されることを知り、寮で一緒だった森保一(もりやす・はじめ)サッカー日本代表監督(当時はマツダサッカー部のミッドフィールダーだった)のクルマに乗せてもらい、購入予約の列ができていたマツダ本社ショールームに並んだ。そして、彼が数ヶ月後に納車されたクラシックレッドの初代ロードスターの虜になるには、時間がかからなかったという。「それからというものは、すっかりロードスターが私の人生の相棒になってしまいました。オーナーズクラブに入り、仲間ができました。結婚するときも、子供ができるときもいつもロードスターと一緒に記念撮影です(笑)。しかし、子供ができるとなかなか2シーター車だけでは用が足りなくなり、ロードスターはガレージで眠るようになりました。しかし、今年ロードスター30周年ということもあり、きちんと整備して車検を通して登録ナンバーを取得しました。8歳の娘と、5月のひろしまフラワーフェスティバルのロードスターパレードに参加するためです。それが夢だったんです。娘もいろいろなことがわかるような年齢になっていますので、オープンのロードスターに乗せたら、“キャー楽しいー”ってはしゃいでいました」と相好を崩す。このようにプライベートではファミリーを大事にするパパだが、テストコースでの彼は仕事の鬼となる。

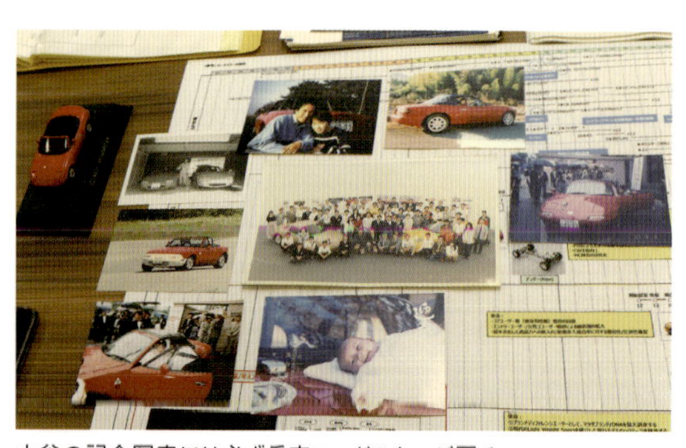
虫谷の記念写真には必ず愛車ロードスターが写る

Jリーグが発足する前年の1992年当時、英国へのサッカー留学を経て選手としても円熟期を迎えていた彼だったが、Jリーグ入りするサンフレッチェ広島への道を断念し、マツダに残る決断をする。「英国留学で欧州の選手と練習や試合をするうち、自分の限界が見えた気がしました。選手なら誰でもセカンドライフを考えないといけないのですが、私はせっかくマツダに入ったんだから、クルマの開発に携わりたい、ロードスターのような楽しいクルマを作りたい、と考えたのです」と虫谷は話す。しかし、実研部での下積みは簡単ではなかった。「テストコースでの実験走行を繰り返し、作業場でシャシーと格闘する毎日です。担当したのが商用車だったので、ここで様々なことを学びました。トラックやバンは、使われ方が千差万別です。特にトラックは、クレーン車やパッカー車になるかもしれないし、空荷と満積載では車体にかかる荷重はまるで異次元です。それをひとつのスペックで満足するようにチューニングしなければならないのです。また、この時代に私の生涯の師匠となる先輩に出会います。その人、笠原さんは、初代ロードスターのサスチューニングを担当した人です。オープンとソフトトップクローズ状態、DHT装着時を考えた上で、あの素晴らしいハンドリングを実現した人です。彼からことあるごとに指導や示唆を受けたおかげで、私もシャシーチューニングのノウハウを身につけることができたと思っています。その後、欧州の開発拠点に出向になり、アウトバーンや英国の田舎道など欧州の様々な路面、ニュルブルクリンクのオールドコースなどを走り込みました。そんな時、NCロードスターのサスチューニングの話があり、一時帰国してその作業に没頭しました。NCは、NA、NBで言われてきたリアの安定感の薄さ、ウェットグリップの不足など、楽しさの裏側にあるものに手をつけなくてはならない、という意識で臨みました。しかし、それをやればやるほどドイツ車のような大人しく、優雅なクルマになってしまいます。ジレンマですね。NBは高速のスタビリティはかなり高い評価を受けていたので、NCではさらに高い次元の直進安定性がマストだということで、部内で様々な意見が出ました。そこで、私が指名されたのですが、あてがわれたプロトタイプと私の中にあるロードスターの走りのイメージが一致せず、ブッシュをハンドカットして十何種類も用意してテストを繰り返しました。2週間かかりましたが、マネジメントも太鼓判を押す操安性ができた経緯があります。しかし、そのブッシュはこれまでにない複雑な形状になっていまして、量産サプライヤーには「できない」と言われてしまいました。それでも開発のトップ自らサプライヤーに出向いて交渉してくれて、何とか実現しました。ロードスターらしさを守るためには、現場もマネジメントも必死になる、というのがマツダの特徴でしょうか(笑)」。その後、3代目プレマシーの操安性を手がけて内外の好評価を集め、第六世代商品群からマツダ車全車の操安性をみる重責を負うこととなった。「CX-5、アテンザ、アクセラ、デミオと続く第六世代全体です。もろちんNDロードスターも含まれます。そこからシャシーの印象がガラリと変わっているはずです。それまでは、安定感を出そうとするとややハードな設定となっていたのですが、シャシー全体でしなやかな味付けにすることで、自然で扱いやすいハンドリングが実現できるということを実証していったのです」。かつてサッカーチームの最終ラインを守るディフェンダーだった彼は、いまやマツダ車の操安性を高い次元で守る要となっている。

愛娘と、愛車ロードスターとともに

虫谷は、富士スピードウェイで行われているインタープロトレースシリーズに2018年シーズンから出場している。このレースは、V6 4.0Lエンジンをミッドシップに搭載したカーボンモノコック＋スペースフレームのシャシーにカーボン製ボディカウルを乗せたワンメイクレースカー(出力340PS、車重1,100kg)で競われ、国内レースのトップドライバーとアマチュアのジェントルマンドライバーがセットで交互にレースを戦うというフォーマットとなっている。車体はソウルレッドに塗装され、ボディカウルには見慣れた「人馬一体」のロゴが、ボディサイドにはMAZDA JINBA ITTAI DRIVING ACADEMYのデカールが貼られている。虫谷と組むプロドライバーは、いまや押しも押されもしないSUPER GTやスーパーフォーミュラのトップドライバーである山下健太だ。虫谷は、このレースに出場することで、得るものは大きいと言う。「プロドライバーは操縦に関して引き出しの数とその中の知見が豊富で、頭の中でレースカーの動きがシミュレーションできます。私の悩みに対して、山下さんは見事なまでに的確なアドバイスを返してくれます。また、レースカーを操る上でドライビングポジションと視線や姿勢保持の重要性をものすごく感じます。まさに、マツダが今進めている人間中心の開発哲学そのものです。このIPS参加は、マツダの開発業務の一環で、マツダのドライビングや開発哲学を学ぶ共育(共に育つ)の場として活用しており、クルマを味付けするエンジニア達の引き出しやその本質を見抜く現場力を養うことが目的なのです。また、開発チームにはニュルブルクリンク北コースなど海外での試験業務もあるので、あのような厳しい路面環境下でも正しい運転ができないと評価もできませんから」。

虫谷の薫陶を受け、ロードスターをはじめとするマツダ車全般の操安性を開発し、「人馬一体」という魂を継承する開発ドライバーが、次々と生まれてくるに違いない。

証言者たち

「ロードスターに関われて最高の会社員人生でした」

元パワートレイン設計担当

藤富哲男

藤富は、1981年の入社以来、エンジン設計を長く担当し、定年後のエキスパート契約だった2019年春にマツダを卒業している。ロードスターでは、3代目NCシリーズのL型2.0Lエンジン、4代目NDシリーズのSKYACTIV-Gエンジンの開発を担当した。ここでは、藤富がロードスター担当に至るまでの経歴と、NC用エンジン、ND用SKYACTIVエンジンの開発について、思い出に残るエピソードを尋ねた。

「入社当時は、カペラやフォード・プローブ用のF型エンジンの吸排気系設計を担当しました。その頃から電子制御(EGI)化され、車種も増えていく時期にあたり、仕事が細分化されていきます。搭載設計、エンジン本体設計、制御設計と分かれていきましたが、私はそれらをまとめてプログラム推進するエンジン設計推進という部門で仕事をするようになりました。その後、マツダは拡大路線をたどっていき、多くの車種をV型6気筒エンジン搭載の拡幅3ナンバー車化していく計画が進んでいきます。V6のK型エンジンは、1.8Lから2.5Lエンジンまであり、そのシリーズの設計企画と推進を担当しました。クロノスやMS-8、MX-6などの車種がありましたね。その後、商品体系の見直しやフォードグループ内での協業も進み、2000年に入ってL型エンジンを設定することになりました。マツダだけでなく、フォードやボルボも使うグローバルエンジンです。共通プラットフォームの開発のため、ドイツのケルンに3年半ほど駐在しました。そして、その後帰任した際にNC型3代目ロードスターの2.0Lエンジンを担当することになりました。

NCロードスター用エンジンユニットは、元々FF乗用車用のL型エンジンで滑らかで静かなユニットでした。当時はユニット間での部品の共通化が効率化のひとつの課題でした。そんな流れの中、NC用エンジンは、FF用ユニットをFRにコンバートするという位置付けでした。あまり凝り過ぎずに、アフォーダブルな価格で提供できることも考えながら、開発をスタートしました。しかし、NC用シャシーにRX-8のボディを載せたメカニカルプロトタイプ車の段階で、三次試験場を走らせてみるとNBよりパワーの出る2.0Lエンジンながら、なんともモサッとした雰囲気だったんです。それでパワートレイン開発のメンバーに火がつき、このままではいかん、となったわけです。ダイレクトレスポンスも加速感も鈍いので、回転系の部品が重いのではないかとなり、フライホイールを10%ほど軽量の低イナーシャのものに交換してみました。これによって、6速100km/hからの加速でもクンっと食いつく感じが出て、よい感触です。パワー感も軽快感も2.0Lエンジンにふさわしいものとなりました。

あとは、サウンドチューニングに苦労しましたね。L型は元々静かなエンジンなので、ロードスター用としてはもう少しアグレッシブさが必要ではないかということになりました。中低速はハーモニックな音質で、高回転域だけランブルな力強い音質に変えたい。可変吸気システムを

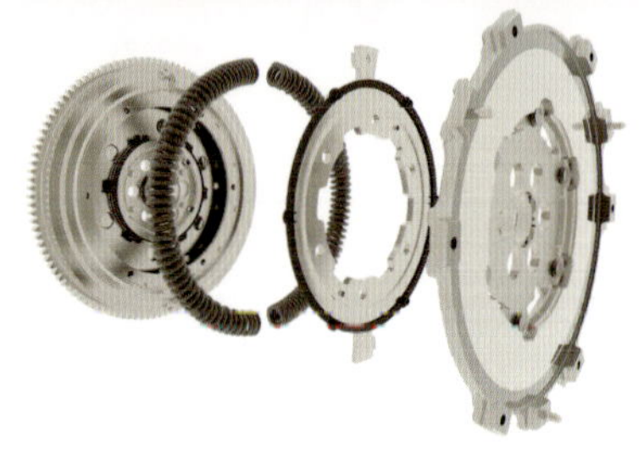

使う方向だったので、その中で高回転域に力強い音が出せることがわかりました。しかし、中低速が静かすぎて開発担当役員が承認できないと言い出したんです。そこでまた悩みましたが、軽量化の過程でサージタンクが共鳴してちょうど良いサウンドが得られることを発見したんですね。副産物なんですが、それらを利用して音を作り込むということが実現しました。エンジンの音源は、吸気管と排気管です。楽器で言えば管楽器ですよね。楽器の長さや形状によって心地よい音を組み合わせるわけですから、我々の仕事もオーケストラと同じことだと思いました。しかし、NC前期型はちょっと音の出方に不満が残っていて、NC2からは、インダクションサウンドエンハンサーに置き換え、アクセルワークに合わせた音を強調することができたわけです。また、NC2からレブリミットを6,800rpmから7,500rpmに変更したのも、ドライバーの感覚に合わせて加速するフィーリングを求めた結果です。

4代目のNDはまったく開発の手法が変わり、車両全体でエンジニアひとりひとりが一から出直ししているんです。もちろんエンジンも例外ではなく、しかも部品共通化ではなく、モジュール共通化なので部品としては全て別のものとなります。だから1.5LエンジンをFR化する際でも、部品共通化にとらわれず、こだわりを入れていくことには違和感はありませんでした。しかし、NCの2.0Lエンジンから1.5Lに排気量ダウンするにあたり、100kg軽量化するからと言ってその見返りはどこまで得られるのだろうかという心配はもっていました。実研部門からは欧州の2.0Lクラスと同等の走りは必要と言われていたし、それにミートするトルクカーブはどれくらいかというブレークダウンはしました。モデルベース開発とCAE解析(コンピューター支援設計)という技術が進んでいるので、それらを活用することで1.5LでもNB後期型の1.8Lエンジンと同等の性能曲線が描けるようになり、遜色のないパフォーマンスが発揮できています。例えば、吸排気の脈動反転波の活用[※1]についてもこれまで見えなかったものがCAE解析によって可視化され、効果的に体積効率[※2]を整えることができるようになりました。これらを取り入れた結果、燃焼室以外はFF用とは全く異なるエンジンになっています。しかし、SKYACTIVエンジンは始動性がいいんですよ。イグニッションを回したらすっとアイドリング状態に安定します。でもそれでは抑揚がなさすぎて、ロードスターっぽくないんです。また、一旦1,600rpm以上にあげたエンジン回転が下がるのを待っていると間延びします。そのため、回転が落ちるまで燃料カットするというイレギュラー対応をしています。エンジンスタート時に燃料をカットするというのは、道理に沿っているのだろうかと悩みましたが、しかしそれは常識に囚われすぎている、楽しさを追求するための演出なので問題ないという考えに落ち着きました。そうすることで、ブォンと吹き上がり、スッとアイドリング回転まで落ちて安定します。これから楽しく運転するぞ、という雰囲気になりますよね。お客様の顔を思い浮かべないと、そういう発想にはならないんです。やはり、ファンミーティングなどでお客様のご意見を聞いたり嬉しそうな笑顔を見たり、という体験はエンジニアに活力を与えると思います。これがマツダらしさ、ロードスターらしさに繋がっているのです。ほかにもブレークスルーは数多く実行しています。それらはチームのみんなが、ロードスターらしさ、人馬一体とは何か、楽しいクルマとは何かを考え抜いた結果なのです。38年間エンジン設計を担当し、最後にマツダのブランドアイコンであるロードスターのパワートレイン副主査を担当させてもらい感じたことは、ロードスターのためなら誰もが理想を追求したがる会社になったなぁということです。会社員人生としては、最高の幸せを味わわせてもらいました」。

※1 脈動反転波活用　吸気脈動効果とは、吸気行程の間に吸気バルブが開き、その際生じた負圧の圧力波によって空気が脈打つ(脈動する)ように流れる現象のこと。吸入行程の際に発生した負圧の波が吸入口の端で反転すると、正圧として吸気行程に同期するが、このときに空気を押し込む効果がみられる。排気行程の場合は、逆に正圧の脈動効果によって、それぞれの反転ポイントで吸い出す効果がある。
※２４サイクル内燃機関において、燃焼済みの排気と未燃焼の吸気を交換する能力を表す指標で、新気体積が当該気筒の排気量に対する比率を示す。大気圧や大気温度に依存しない指標である為、エンジン性能を示す指標として使用される。

証言者たち

「だれもが､しあわせになる」クルマをとことん追求

ロードスター第6代開発主査　商品本部
斎藤茂樹

斎藤は、1989年にマツダに入社以来、車両実研畑一筋の実研エキスパートである。大学では自動車部の幹事長を務め、ラリーやダートトライアル、ジムカーナで様々な大会に出場するなど、根っからの走り屋だった。また、これまでロードスターの開発主査は設計エンジニアが務めてきた。直近の中山雅はデザイナーだが、初代の平井敏彦も続く貴島孝雄、山本修弘も設計出身だ。実研出身エンジニアが、ロードスターの開発を指揮するのは初めてである。しかし、斎藤の経歴を見れば、なぜ彼がロードスター開発主査を拝命したのかが透けて見えてくる。

マツダに入社時に希望を聞かれた彼は、クルマに乗る仕事がしたい、クルマ全体に関わる仕事がしたいと申し入れ、車両実研部商品性実研グループに配属されることになった。「配属先では、総合評価チームのメンバーとして、ユーザー視点でクルマを評価し、改善提言をする仕事につきました。一見楽しそうな仕事のように聞こえますが、機能開発という泥臭い仕事も併せ持っています。入社後しばらくして、2代目NBロードスターの総合評価と機能開発を担当することになりました。機能開発の基本は、雪、水、泥の侵入防止で、エンジンの振れ干渉、路面干渉、タイヤ干渉、サービス性、給油性なども担当しました。結構地味な仕事ですが、販社のサービスマンやお客様がクルマに触れる際不自由がないように、そんなことを考えながら、三次試験場と本社を行ったり来たりする毎日でした。その間に、社内の運転ランクも最高レベルのSライセンスを取得しています。そのSランク資格を活かすことを兼ね、燃費動力性能実研グループに異動しました。いわゆる実質的な“走り燃費”を開発する部門です。そこでは、まさに3代目NCロードスターの走り燃費開発リーダーを担当しました。その時に「統一感活動」を提案しました。以前からクルマ全体で見たいという希望をもっていましたので、“走る、曲がる、止まる”を同じフィーリング、操作系、クルマの動きで同じ特性に合わせようという活動です。もちろん、当時主査だった貴島さんのサポートも受けて、この活動を推進しました。

当時は、スポーツカーには優れた反応こそが最も大事だという考えで統一感活動を進めていました。操安性も制動性もレスポンス重視で、私たちも電子制御スロットルのレスポンスを上げることに集中しました。エンジンが反応してからタイヤが転がるまでに、各所でねじれが生じます。例えばドライブシャフトでも、タイヤでもねじれが発生します。そのねじれを最小化し、遅れなくタイヤを回すようなダイレクト感を求めました。しかし、それらを連動して統一感を持たせた結果、敏感すぎるクルマになってしまうのがわかりました。踏んだ瞬間にガッと動き出し、ステアリングを切った瞬間にパッとノーズが入るようにクルマは、乗った瞬間は楽しいのですが、毎日使っていると気が抜けないんです。なので、過敏な反応を少しずつ緩めながら、自然な操作ができるバランスを求め、NCロードスターの性能は進化していきました。その結果、グッドレスポンスだけでなく、

ゆっくり走っても楽しいクルマ、という考えが定着していきました」と当時を振り返る。

2006年に燃費動力性能実研がパワートレイン開発本部に移ることになり、斎藤は車両開発推進部に異動した。そこで担当したのが、第3代プレマシーの開発であった。ここで転機が訪れる。「しかし、開発がスタートするとリーマンショックです。色々提案を準備していましたが、それらが実行し難い環境になっていったわけです。私たち開発チームは、マツダR&Dセンター・ヨーロッパ(MRE)を訪れ、VWトゥーランやルノー・シーニックなど欧州のミニバンと比較試乗するのですが、全然違うので驚きました。両車はアウトバーンを高速で走っても安定しているし、ワインディングロードではステアリングを切らなくてもいきたい方向に気持ちよくクルマが動いてくれるような感覚です。当時MREに駐在していた虫谷(泰典)と話し、人間の感覚にあったクルマが楽しいクルマだし、長く乗れるし疲れない。これでいこうと決め、考え方を整理しました。その考えに従い、虫谷がチューニングしたのが、あの3代目プレマシーです。パフォーマンスフィールもシャシーの動きに連動してマイルドな特性に変えてもらいました。マネジメントに乗ってもらったところ、“今日は感動した。量産に到るまで全力で推進するように”というコメントをもらい感激しましたね」。

その後、斎藤は、2011年には性能開発の統括副主査として、マツダ車全般の性能開発に関わるようになる。同時に、第六世代マツダ車の統一テーマである「究極の人馬一体」を推進する役目を負うこととなる。マツダ車の開発に携わるものが守らなければならないこの人馬一体戦略をバイブル化し、共有しようという役割だ。さらに、人馬一体アカデミーとしてプログラム化し、開発だけではなく、国内営業本部やカスタマーサービス部門、グローバルマーケティング部門に所属する社員には、全員に受講させようという動きとなる。それを主導したのが、斎藤である。2014年からは人馬一体アカデミーの校長を任命されている。また、さらに国内販売会社の営業マン全員に受講してもらおうという活動に広がり、サプライヤーからも受講したいという声が上がるほど好評となっている。

斎藤は、2018年4月には車両開発推進部ロードスター開発副主査となり、2019年5月には商品本部に移って、ロードスターの6代目開発主査に就任した。「ロードスターの主査を引き受けるにあたり、開発メンバーにはこれがロードスターだ、というクルマを作り続けよう。ロードスターは光り輝くマツダのアイコニックスターだ。それは、誰が乗っても乗ればわかるクルマ、ゆっくり走っても楽しいクルマだ。ソフトトップを開けて、低速でも手足のように意のままに操れるクルマを意識しよう、と話しました。“だれもが、しあわせになる。”クルマを徹底追求していきます」と語って笑顔を見せた。

SPECIFICATIONS

主要諸元

4代目ロードスター(2015年5月～2019年2月現在)

ボディタイプ	2ドア・オープン					
ルーフタイプ	ソフトトップ			リトラクタブルファストバック(RF)		
車名・型式	**マツダ5BA-ND5RC**			**マツダ5BA-NDERC**		
エンジン	SKYACTIV-G 1.5			SKYACTIV-G 2.0		
機種名	**S**	**S Special**	**RS**	**S**	**VS**	**RS**
トランスミッション	6MT	6MT/6EC-AT	6MT	6MT/6EC-AT	6MT/6EC-AT	6MT
駆動方式	2WD(FR)					

■ 寸法・重量

全長・全幅・全高 mm	3,915 x 1,735 x 1,235			3,915 x 1,735 x 1,245		
室内長・室内幅・室内高 mm	940 x 1,425 x 1,055			940 x 1,425 x 1,040		
ホイールベース mm	2,310					
トレッド 前/後 mm	1,495/1,505					
最低地上高 mm	140			145		
車両重量 kg	990	–	1,020	–	–	–
( )はAT i-ELOOP+i-stop装着車	–	1,030(1,050)	1,040	1,100(1,130)	1,100(1,130)	1,100
乗車定員	2					

■ 性能

最小回転半径 m	4.7					
WLTCモード燃費(国交省審査値)*1 km/L	16.8	16.8	16.8	–	–	–
( )はAT i-ELOOP+i-stop装着車	–	17.4(17.2)	17.4	15.8(15.2)	15.8(15.2)	15.8
ステアリング形式	ラック&ピニオン式					
サスペンション懸架方式 前/後	ダブルウィッシュボーン式/マルチリンク式					
ショックアブソーバー 前/後	筒型複動式					
スタビライザー 前/後	トーションバー式					
主ブレーキ方式 前	ベンチレーテッドディスク					
主ブレーキ方式 後	ディスク					
ブレーキ倍力装置	真空倍力式					
タイヤ 前/後	195/50R16 84V			205/45R17 84W		
ホイール 前/後	16 x 6.5J			17 x 7J		

■ エンジン

型式	P5-VP[RS]型			–		
i-ELOOP+i-stop装着車	–	P5-VPR[RS]型		PE-VPR[RS]		
種類	水冷直列4気筒DOHC16バルブ					
内径x行程 mm	74.5 x 85.8			83.5 x 91.2		
総排気量 cc	1,496			1,997		
圧縮比	13.0					
最高出力 kW(ps)/rpm	97(132)/7,000			116(158)/6,000 *2		
最大トルク N・m(kgf-m)/rpm	152(15.5)/4,500			200(20.4)/4,600 *2		
燃料供給装置	筒内直接噴射(DI)					
燃料およびタンク容量 L	無鉛プレミアムガソリン・40			無鉛プレミアムガソリン・45		
クラッチ形式	6MT 乾式単板ダイヤフラム式 6AT 3要素1段2形相(ロックアップ機構付き)					
変速比 ( )はAT 1速	5.087	5.087(3.538)	5.087	5.087(3.538)	5.087(3.538)	5.087
2速	2.991	2.991(2.060)	2.991	2.991(2.060)	2.991(2.060)	2.991
3速	2.035	2.035(1.404)	2.035	2.035(1.404)	2.035(1.404)	2.035
4速	1.594	1.594(1.000)	1.594	1.594(1.000)	1.594(1.000)	1.594
5速	1.286	1.286(0.713)	1.286	1.286(0.713)	1.286(0.713)	1.286
6速	1.000	1.000(0.582)	1.000	1.000(0.582)	1.000(0.582)	1.000
後退	4.696	4.696(3.168)	4.696	4.696(3.168)	4.696(3.168)	4.696
最終減速比	2.866	2.866(4.100)	2.866	2.866(3.583)	2.866(3.583)	2.866

*1 WLTCモード＝市街地、郊外、高速道路の各走行モードを平均的な使用時間配分で構成した国際的な走行モード
*1 国土交通省審査値＝道路運送車両法による型式指定申請書数値
*2 2018年6月に最高出力135kW(184PS)/7,000rpm、最大トルク205N・m(20.9kgf・m)/4,000rpmに変更

DIMENSIONS

四面図

単位(mm)

4代目ロードスター
(2015年5月～ 2019年2月現在)

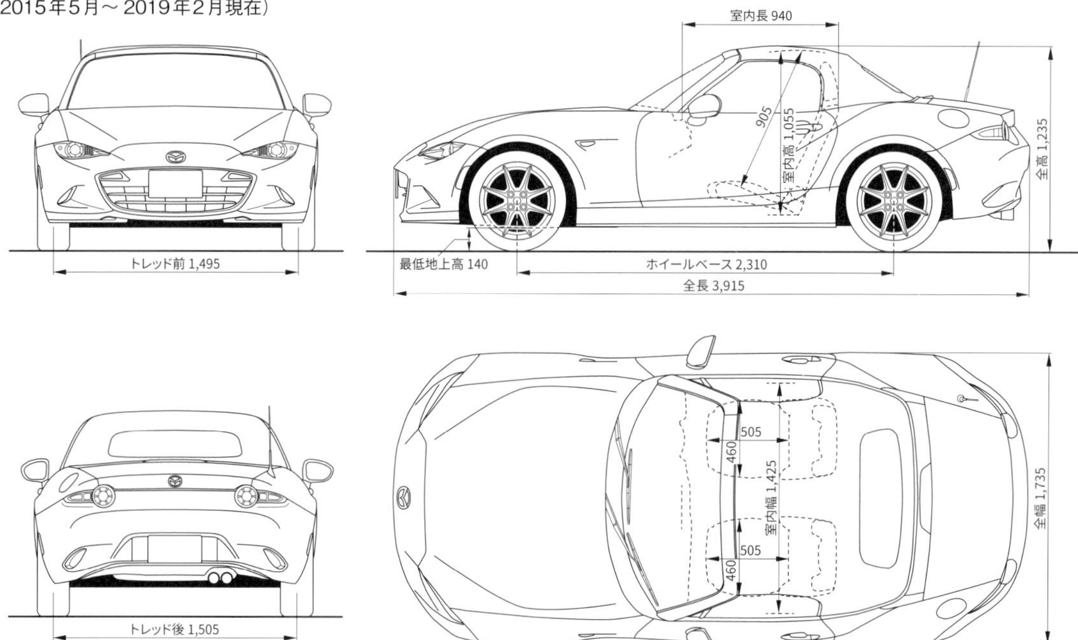

4代目ロードスター RF
(2016年12月～ 2019年2月現在)

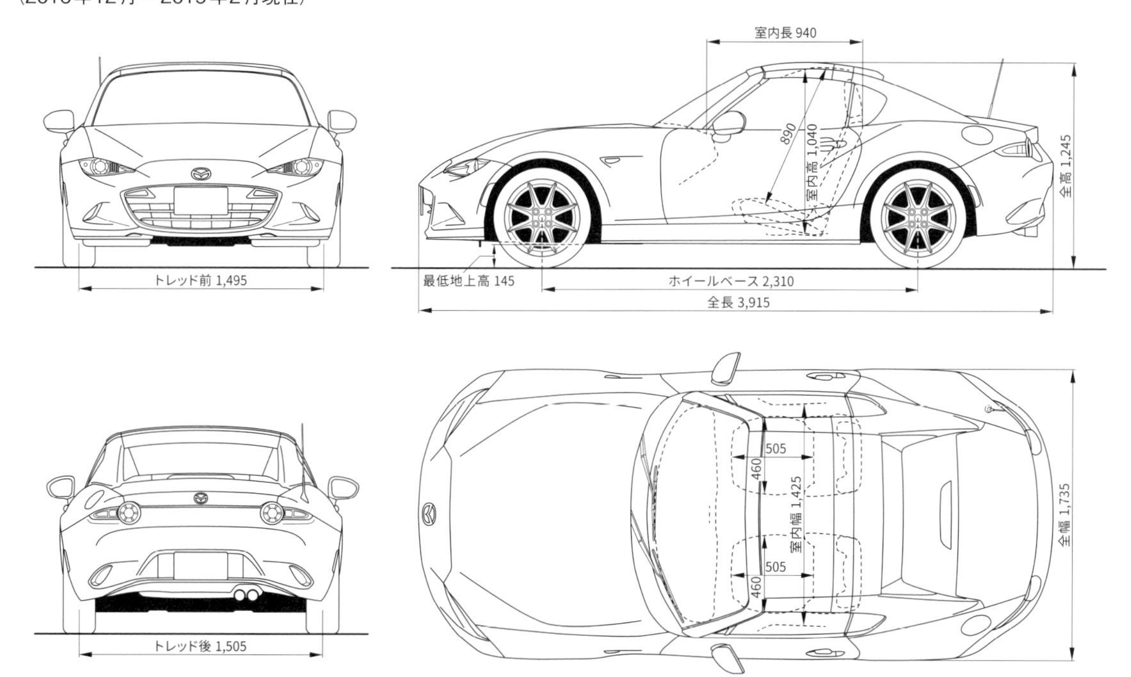

※運転席ラチェットレバー式シートリフター素着車は、895mm(運転席のみ)となります。

DRIVING INNOVATION

PACKAGING

クルマが手の内にある。楽しさの、それが原点。

ドライバーの神経がクルマとつながっているかのように、すべての動きを手の内で操る感覚。
軽快な走りとともに感じる、オープンエアの心地よい開放感。
すべては、人馬一体の楽しさをより純粋に研ぎ澄ませるために。

徹底的に磨き上げたロードスターの大原則。

「意のまま」を突き詰めたボディディメンション。

造り込んだのは、オープンエアの開放感。

「ロードスターは、もはやマツダのものではありません」

マツダ株式会社
藤原清志代表取締役副社長

NDロードスター開発時にマツダの開発部門トップだった藤原清志副社長に、NDロードスターに関してお話を伺った。インタビュー当日は残暑厳しい日だったが、それに負けないほど気持ちのこもったお話を聞かせていただいた。

「NDロードスターで経験した最も大きなジャッジは、1.5 Lエンジンを採用し、サイズダウンし、車重を1トン以内とする、と決めたことです。ロードスターは、唯一最も売れていた市場がアメリカですから、マーケットの皆様にお話を伺うと、必ずもっと大きく、モアパワーを、という話になります。ところが、それを押し切って原点に返ることを最初に決めていたのです。しかし、当初からそれに合意していたのは、社内でも主査の山本（修弘）とチーフデザイナーの中山（雅）ぐらいで、周りの多数は懐疑的だったのではないでしょうか。なぜかというと、軽量化というのは最も難しいメニューだからです。しかし、それらを押し切って原点回帰したことが、このクルマでは大正解だったと思っています。結果的には、（北米市場向けに）2.0 Lエンジンも載せることになりましたが、それによって後に追加したRFもとても良いクルマに仕上がりました。最初から2.0 Lエンジンを載せる計画だったら、RFは1.3か1.4トンほどの普通の乗用車になっていたでしょう。

しかし当初、周りは否定的だったんですよ。マーケットリサーチデータを見ても、「もっとパワーを」とか「（コクピットが）狭い」などの意見ばかりですよ。普通はお客様の要望を最優先していくんですが、私たちの決断はその真逆でしたから。社内やリージョンからの逆風には、説得に時間をかける必要がありました。

そうは言っても現実的にはサイズを小さくするのは、色々な問題がありました。マツダのペダル位置には定評がありますが、それをこのロードスターに当てはめるのは難しい、という場面がありました。妥協案を出してくる者がありましたが、それはダメだ、と突っぱねました。オルガンタイプのアクセルペダルも必ず踏襲しろと言うと、ヒールアンドトウができないと反対する者もいました。それらの問題に対応するのが、クルマの大きさや、パッケージングを決めるときの悩みでしたね。軽くしなければならないし、ペダルレイアウトなどは必達なので、キャビンのスペースがどんどん小さくなっていきそうでした。山本は当初決めた方向性からブレずに頑張ってくれたし、メンバーを集めて知恵を出させてくれました。中山も当初はプロポーションモデルばかりを作っていて、いつになったら外観デザインを見せてくれるのかと気を揉みました。しかし、基礎となるプロポーションを徹底的に考えぬいたことが良かったのだと思います。寸法が決まり、乗員の座る位置も決まり、正しいペダル位置も決まり、ヒールアンドトウができることも確認されてから、形が決まっていきました。そうなったら次は、1トン切りへの挑戦です。しかもコストダウンも求めるわけですから。メンバーは本当に苦労して、部品1点1点のウェイトダウンとコストダウンを追求してくれました。メカニカルプロトタイプができるまでは、開発メンバーも疑心暗鬼だったと思います。本当にサイズダウンは正しいのか、確信が持てないんですね。でもメカニカルプロトタイプに乗って軽さを実感したとき、メンバーはみんなこれが正しかったと思ってくれました。ここまでは大変でしたが、それから以後、開発はスムーズに進行しました。

ローンチ以後最も嬉しかったのは、やはり日本カー・

©CarWatch

オブ・ザ・イヤー(COTY)が獲れたことですね。産みの苦労がありましたから。受賞式では、私たちの背中を支えて励まし続けてくれた金澤啓隆常務（2013年に取締役専務執行役員を退任）と私の入社同期でNDロードスターの6速MTを設計した松ヶ迫隆主任（物故者）のふたりの顔を思い浮かべ、心の中で感謝しました。受賞式のスピーチでは、早逝した彼が情熱を傾け、軽量化に大きく貢献したあの6MTを作ったことを話したら、開発メンバーは皆で涙し、後日墓参りに行ってくれました。

30数年前、最初のロードスターの開発が有名なリバーサイドホテル※で進められていたとき、私は隣でもう一方のオフライン55プロジェクト※である初代MPVの開発を進めていました。横目で見ながら、MPVとLWS(ライトウエイトスポーツ＝ロードスター)の両方があれば最高の生活ができるな、と憧れ、夢見ていたものです。しかし、1989年の初代ロードスター発売時にはドイツに赴任していたし、子供もいたので買えなかったんです。社用車のMX-5を借りてライン川沿いを走ったら、すれ違うMX-5ユーザーがみんな手を振ってくれます。そのとき、いつか必ずこのクルマを手に入れると決意しました。それは2005年に実現しました。子供達もほぼ手が離れ、妻も別のクルマを使っていたので、中古のNAロードスターを探し、手に入れました。そこから長い間NAロードスター生活は続きました。NDロードスターは、開発に関わったので愛着もありますので、発売直後に購入しました。自宅にCX-5とロードスターが入るガレージまで作ってしまいましたから。そのNDロードスターは、普段も使っているし、通勤にも使っています。軽井沢ミーティングには自走で行きましたしね。

ロードスターが30周年を迎えられたのは、先輩たちや関係者のご苦労の賜物です。本当に感謝しています。また、ずっと長きにわたってロードスターを愛してくださるファンの皆様に感謝しています。ロードスターは、もはやマツダのものではなく、皆さんのものなのです。だから、私たちはこれを続けなければならないという使命を担っています。どんなことがあっても必ず作り続けるぞ、と思っていますし、もっともっと仲間を増やしていきたいと考えています」。

※リバーサイドホテル、オフライン55プロジェクト
第1章夜明け前を参照

【藤原清志副社長略歴】

1960年　岡山県生まれ
1982年　同志社大学機械工学科卒。
1982年　マツダ入社。商品企画部門に配属。
「デミオ」開発主査
2003年　マツダモーターヨーロッパ(MME)副社長
2005年　商品企画ビジネス戦略本部長
2007年　パワートレイン開発本部長
2008年　執行役員パワートレイン開発本部長・
パワートレイン企画部長
2010年　執行役員商品企画・パワートレイン開発担当、
商品企画本部長
2013年　常務執行役員 ビジネス戦略・商品・
デザイン・コスト革新担当
2015年　常務執行役員
研究開発・コスト革新担当、R&Dリエゾン室長、
株式会社マツダE&T代表取締役社長
2016年　専務執行役員 研究開発・MDI統括、コスト革新担当
2018年　代表取締役副社長執行役員 社長補佐、
北米事業・研究開発・MDI統括
2019年　代表取締役副社長執行役員　社長補佐、
グローバルマーケティング・販売・カスタマーサービス統括

MOTORSPORTS

第6章 | ロードスターとモータースポーツ

LWS(ライトウェイトスポーツ)であるマツダロードスターは、運転を楽しむための道具であり、共に人生を過ごす相棒でもある。スキーや自転車、飛行機や船も同様だが、疾走する道具を手にすると、人は競いたくなるものである。

1980年代前半のカリフォルニア、MRA(マツダリサーチセンターアメリカ)でLWSのある日常を思い描いていた人たちも、まだ見ぬマツダLWSでクラブレーシングを楽しむ人々の姿や笑顔を想像していたことだろう。

1989年シカゴオートショーでマツダMX-5ミアータがワールドプレミアされた時、「クラブレーサー」と名付けられたイエローにペイントされたショーカーが展示されていた。また、ブルー、レッド、ホワイトと3台あった展示車のうち、ホワイトの車両はその後、SCCAクラブレーサーに仕立てられ、以後アメリカのレーストラックには、MX-5ミアータレーサーが急増殖する。

日本でも、初代NAロードスターの市場導入計画にワンメイクレース開催が組み込まれており、1989年11月には日本の自動車専門メディア対抗4時間耐久レースが行われている。それ以後ロードスターは、日本各地のサーキットで30年間絶えることなくサンデーレーサーの相棒であり続けている。

ドライビングスキルと知恵を巡らせて、競い合うモータースポーツ。激しい戦いが終われば、健闘した仲間同士でガシッとハグし、ライバルの活躍に拍手を贈る。他のスポーツと同様に、観ているものを清々しい思いにさせるものだ。

この章では、サーキットやレーストラックでマツダロードスターやMX-5ミアータを操る歓びに出会い、虜になってしまった人たち。または、それによって人生を少し軌道修正することになった人たちのエピソードを紹介しよう。

Be a racing driver.

アメリカの「スペックミアータシリーズ」と
マツダUSAの「ラダーシステム」 1989年～

初代「マツダMX-5ミアータ」が世界初公開された1989年2月のシカゴオートショーに展示された白いボディの車両は、そののちバケットシートとロールケージが架装されたSCCA（スポーツカークラブオブアメリカ）レース仕様にモディファイされた。マツダUSAでは、いまだにこの個体を“最初のミアータレースカー”として大事に保管し、動態保存している。MX-5ミアータが企画段階からレースモデルとしての需要を想定していたことにほかならない。

2019年10月までマツダUSAでモータースポーツ担当ダイレクターを務めたジョン・ドゥーナンは、「1989年3月にこのファーストレーシングミアータがレースデビューしたのち、市販MX-5ミアータは全米各地のレーストラックで、1,000回以上のロードレースに出場し、SCCAサンデーレーサー王者決定戦ではこれまでに3ダース（36回）ものゴールドメダルを手に入れ、NASA国内選手権シリーズでも多数の勝利を収めています。さらに2011年にはNC型MX-5ミアータがGRAND-AMコンチネンタルシリーズのチャンピオンも獲得しました」と2014年11月にラスベガスで行われたSEMAショーで、ND型MX-5ミアータによるグローバルMX-5カップシリーズ開催を発表した時に語っている。元々父親がRX-7でサンデーレースに出場していた彼は、幼い頃からレーストラックに通い、モータースポーツに親しんでいた。やがてIMSAシリーズでのRX-7の活躍やMX-5ミアータレースのバトルを見るうちに、すっかりマツダモータースポーツのファンになっていた。そんな時、マツダUSA幹部のロバート・デイビス（当時マーケティング、セールス担当副社長）に出会い、シカゴをベースにマツダUSAのモータースポーツ活動を統括する仕事に就いている。

1990年代初頭から、マツダUSAは、レース用公認部品の供給を開始し、全米各州でMX-5ミアータによるワンメイクレース「スペックミアータ」シリーズを展開していく。初代MX-5から始まった同シリーズは活況を呈し、2代目も含め、全米で10,000台を超えるスペックミアータ仕様レースカーが世に送り出されている。そのレースカーは、親から子へ、先輩から後輩へと受け

継がれ、初代導入から30年経過したいまでも、多数のスペックミアータが現存し、各地で開催されているSCCAやNASA(ナショナルオートスポーツ協会)が主催するサンデーレースで活躍している。マツダUSAは、その後「スペックミアータ」シリーズから有能なレーシングドライバーを発掘・育成する奨学生制度を発足し、それが今日のマツダUSAモータースポーツの「ラダー(はしご)システム」の基礎となっている。

プレイボーイMX-5カップレース2009

マツダMX-5カップから
グローバルMX-5 カップへと進化

マツダUSAは、3代目NC型MX-5ミアータが市場導入されたのち、2006年に発足した「マツダMX-5カップ」シリーズをサポートしている。このシリーズは、セミプロおよびハイレベルなアマチュアドライバーを対象とし、全米各地の主要サーキットをめぐるシリーズとなっており、多くのトップドライバーを輩出している。また、このレースカーは、SCCAピレリワールドチャレンジシリーズやIMSAコンチネンタルチャレンジにも出場。強豪ライバル車を相手にクラス優勝を遂げるなど活躍を見せている。この3代目のシリーズをベースに、2014年10月にマツダUSAは4代目MX-5ミアータによる「グローバルMX-5カップ」の設立を発表。2015年秋から4代目MX-5カップカーの受注を開始し、シリーズ戦がスタートした翌年5月までに受注した150台をほぼ納車している。また、2019年現在では、合計210台へと台数を伸ばしている。グローバルMX-5カップシリーズは、エンジンやトランスミッション、ECUなどの改造や調整は認められず封印。タイヤやブレーキパッド、エンジンオイルなども統一された完全ワンメイクのレースのため、サスペンションのアライメントなどのわずかなセッティング領域以外は、ドライバーのスキルに委ねられるという公平性が人気を博す要因のひとつとなっている。シリーズ優勝賞金は200,000ドル(約2,200万円)で、優勝者はこの賞金を次のシーズンのモータースポーツ活動資金に充てることができ、ドライバー育成にも役立てられている。

マツダUSAは、近年「マツダロードトゥ24」と称するレーシングドライバー育成システムを展開している。

グローバルMX-5カップ・インビテーションレース2016

これはスペックミアータを勝ち上がった優秀なドライバー達にステップアップの機会を与えるもので、対象者に奨学金を提供し、レース活動を支援している。

ドゥーナンは、「私はイリノイ州の大学卒業後、MBA取得のための勉強を続けながら大学に残り、在学生や同窓生の人材育成、地元企業とのリレーションシップなどを推進する仕事をしていました。その経験を生かし、マツダUSA入社後、スペックミアータ育ちの優秀ドライバーを発掘し、プロドライバーへの道を支援しています。ラダーシステムを構築したことで、現在でもアメリカのグラスルーツレース参加車の57%がマツダ車となっており、その多くがスペックミアータとなっています。ラダーを登ってきたドライバーの中には、ロードトゥ24プログラムの頂点に位置するIMSAウェザーテック選手権に出場しているドライバーもいます。これからも、才能溢れるドライバーが次々と現れることを楽しみにしています」と語っている。

グローバルMX-5カップは日本でも2年間行われた

2018年の世界一決定戦はフロリダ州セブリングにて

日本勝者の堤は決定戦でも1勝するなど大活躍

「テディイップ・レースオブチャンピオンズ」を制したジェフ・リースの意地 1989年

Photos by Autosport

1989年11月26日、日本の筑波サーキットで日本初のメディア対抗ロードスター4時間耐久レースが行われた翌週、中国東南部に位置するポルトガル領マカオでは歴史的なワンメイクレースが開催されている。インドネシア生まれで香港在住の大富豪、F-1チームであるセオドアレーシング(徳利賽車隊香港)のオーナー、テディ・イップが主催する「レースオブチャンピオンズ」が、第36回マカオグランプリのサポートイベントとして組み込まれたのだ。なんといってもその出場ドライバーラインアップがすごい。まずは、アンドレッティ一家と並ぶアメリカのレーシングファミリー、アル・アンサー・シニア、ボビー・アンサー、ロビー・アンサーのアンサー一家、インディ500ウィナーのパーネリー・ジョーンズ、ジョニー・ラザフォード、ボビー・レイホール、トム・スニーバらアメリカンヒーローが顔を揃えた。1967年のF-1ワールドチャンピオンであるデニス・ハルム(ニュージーランド)ら往年の名ドライバー陣に加え、1989年のIMSA GTPチャンピオンを射止めたばかりのジェフ・ブラバム(オーストラリア)、日本の富士グランチャンピオンシリーズを3度制したジェフ・リース(英国)などの現役トップドライバー、1980年F1ワールドチャンピオンのアラン・ジョーンズ(オーストラリア)、英国ツーリングカー選手権に出場する名手アンディ・ラウズ(英国)、など錚々(そうそう)たるメンバーが名を連ねている。そして、最も驚くべきトピックは、主催者テディ・イップが、自費で16台ものマツダMX-5をワンメイクレース仕様に仕立てて提供したことだろう。発売されたばかりのMX-5には、ロールケージや消火器などの安全装備およびサイドエキゾースト、ハーダーサスペンションとレーシングタイヤが装着されていたが、それ以外はほぼ標準のまま。話題の新車が大物ドライバー達に操られ、どのようなレースが展開されるかが注目された。「面白いクルマがリリースされると聞いたので、ずっと構想してきたレースオブチャンピオンズを実現することにしました。オープンカーなら、チャンピオン達の表情も見えるしね。夢のレースが始まるので、とてもエキサイトしています」と、レース直前にはイップ自身も興奮を隠せない様子だった。マカオGPは、1954年に第1回大会が行われたアジア最古のロードレースである。国際フェリーターミナル前のピットエリアをスタートし、街の中心に向けたストレートからギア灯台がある公園下のテクニカルセクションを経て、ふたたびピットエリアに戻る約6kmの市街地コースだ。年に一度だけ一般道を完全封鎖して行われている。

さて、10周の決勝レースは、スタートから現役組のリース、ラウズ、ジョーンズらが、サイドバイサイドの激しい攻防を展開。ストレートでは、スリーワイドのワンメイクレースらしいクロースバトルを見せた。しかし、ラウズとジョーンズがトラブルでリタイアとなったため、ジェフ・リースがぶっちぎりで優勝を果たした。2位はアル・アンサー・シニア、3位はオーストラリアのツーリングカーチャンピオンであるアラン・モファット、4位にジェフ・ブラバムが続いた。コース幅が狭く、エスケイプゾーンもないマカオ市街地コースは、接触によるアクシデントが多発することで有名だ。しかし、特に危険なスタチューコーナー(現在のリスボアコーナー)やメルコヘアピンでクラッシュアウトするトップドライバーは皆無で、スリップストリームに入られて軽い接触を起こし、ボディを傷付けることがあっても迫るガードレールや壁に張り付くドライバーがひとりもいなかったのはさすがと言えるだろう。優勝したジェフ・リースは、「大物ばかりのレースなのでスタート前は緊張しましたが、MX-5レースカーはとても楽しく、フルにエンジョイできました。エンジンはローパワーだけど、ストレートでのスリップストリームでもパフォーマンスは十分。この記念すべきレースで優勝できて光栄です」と語っていた。F3時代の1979年と1980年にここ、マカオGPのメインレースF3で総合優勝を勝ち取っているジェフ・リースは、その後テディ・イップのセオドアレーシングからF-1グランプリに何戦かスポット参戦しているが、目立った成績を残せなかった。その後、日本に活動の基盤を移したため、彼は国際舞台から姿を消している。MX-5でレースオブチャンピオンズの開催を思いついた恩人テディ・イップの目の前で、多数のアメリカンヒーローやF1チャンピオンを引き連れてこの日のトップチェッカーを受けたジェフ・リースは、どれほど感慨深かったことだろうか。

MX-5レースカーはほぼショールームストックのままだ

チャンピオンドライバーたちで賑わったパドック

テールトゥノーズのクロースバトルが見られた

第1回ロードスター・パーティレース参加者の皆さん（2002年5月 筑波サーキット）

650名を超すサンデーレーサーを輩出したロードスター・パーティレース　2002年～

1998年に発売されたNBロードスターは、2000年7月にフェイスリフトを受け、2001年12月には入門モータースポーツ用ベース車両「NR-A」が機種追加となった。このモデルは、130psの1.6Lエンジン搭載車に上級グレードと同等のボディ補強を施し、大径ブレーキ、BILSTEIN製ショックアブソーバーと15インチホイールをセットしたものだ。登録ナンバー付きのこのモデルにロールケージなどの安全装備や指定タイヤを装着することで参加できるJAF公認の「ロードスター・パーティレース」は、2002年5月に発足。大人の趣味としてあくまでも優雅にレース競技を楽しむことを目的としたこのシリーズは、「レース中に他車と接触するとノーポイント」などレースマナーを重視した特別ルールが規定されており、誰でも安全にレースが楽しめるよう工夫されている。筑波サーキットで行われた2002年の開幕戦には70台を超えるエントリーがあり、メーカー主導のナンバー付き車両ワンメイクレースへの期待感がいかに高いかを示した。

その後、3代目NCシリーズ、4代目NDシリーズでもNR-Aモデルは引き継がれ、現在では筑波サーキットを中心とした東日本シリーズ、スポーツランドSUGOで行われる北日本シリーズ、岡山国際サーキットでの西日本シリーズがカレンダー登録され、2019年の東日本シリーズ開幕戦には、NDシリーズクラス33台、NDク

2002年5月パーティレース開幕戦のパドック

2012年にパーティレースは10周年を迎えた

ラブマンクラスに17台、NCシリーズ22台の合計72台がエントリー。北日本シリーズ第1戦には19台のNDとNCが、西日本シリーズもNDが19台で今シーズンのオープニングラウンドを楽しんだ。実にのべ100台を超えるロードスターが2019年のパーティレースに集っていることになる。9月には富士スピードウェイで北東西シリーズ交流戦が開催され、各シリーズに有効なポイントをここでも稼ぐことができる。また、2002年の開幕戦から、2018年シーズン終了時点の17年間で101回のパーティレースが開催され、合計参加者数は4,333名。参加したドライバーの総数は、650名を超えている。

このシリーズの参加者は、サラリーマンのサンデーレーサーを主体に、自営業者、会社経営者、学生、医師、主婦など千差万別で、中にはプロのバイオリン奏者やイタリアンレストランのオーナーなどもいる。また、ジャーナリストや自動車専門誌のエディターがプライベート参加することも珍しくない。マナー重視のルールや、シリーズランキングを競う競技のため、参加者同士の仲間意識が強いのが特徴と言える。また、10年以上かつ通算30戦以上に参加すると、「グレートパーティレーサー」として表彰されるため、長くパーティレース一筋で楽しんでいるベテランドライバーも多い。2019年春現在、認定を受けたグレートパーティレーサーは、合計17名にのぼっている。

2016年から北日本シリーズが始まった

「パーティレーサーOBとして、
彼らの活動を伝えます」

フリーライター　石田徹

元自動車専門雑誌の編集者で、自身もパーティレースに魅せられ、自前のNBロードスターで出場し続けてグレートパーティレーサーとして表彰された石田徹にパーティレースの魅力について、話を聞いた。石田は、現在フリーライターであり、ライフワークとしてパーティレースの取材を続けている。

「僕は、1980年代半ばにイタリア製2シーターに乗っていて、オープンカーはもう卒業、と考えてその後はワンボックスカーに乗ったりしていました。しかし、仕事で1999年に“ロードスター・パーフェクトチューニング”というムック本を担当することになり親近感が生まれ、翌年のメディア対抗ロードスター4時間耐久に編集部チームから出場してすっかりハマってしまいました(笑)。パーティレースが始まった2002年5月から自前のNBロードスターNR-Aで出場することになりました。編集部の仲間を誘って2年間シリーズ参戦しましたが、その期間の僕は総合5位が最高の成績でした。その後も細々と、友人とシェアしながら参加していましたが、2006年からは新型のNCロードスターだけがパーティレースの対象となり、NBはNR-Aクラシックというカテゴリーに編入されることになりました。しかし、2010年からNBでのパーティレース参加が復活することに。2010年は仲間にクルマを貸し、僕は不出場でしたが、2011年から再び出ることにしました。でも2013年6月の岡山国際戦の前日に大クラッシュしてしまい、もう自分自身の進歩は止まったと感じました。2015年3月の特別戦を最後に、そこでレースキャリアは終了です。しかし、2016年にNDシリーズがスタートしてからオフィシャルレポーターとしてご指名を受け、以来ライフワークとして取材を続けています。パーティレースは、ロードスターでサーキットを走るのが楽しいだけでなく、掛け替えのない仲間に出会えるという利点があります。今でも当時の仲間たち、ライバルたちと親しくさせていただいています。もう僕はレースには出ませんが、彼らパーティレーサーに近い立場でレースレポートを続けられたら、と考えています」と語っている。

「ヒアリングしてNR-Aの使われ方を確認しました」
元マツダ実研企画　木下新朗

最初のNBロードスターNR-Aの仕様をセットし、その後パーティレースに参加するオーナーに向き合って使用状況を聞き取りして回った元マツダ実研企画の木下新朗は、「NR-Aは、モータースポーツを志すお客様に安い価格で、レースを戦えるパフォーマンスをもった車両を提供するということで、仕様検討を始めました。なので、1.6Lのベース車に補強やリミテッドスリップデフ、大型ブレーキ、車高調整式サスペンションなどを装着したモデルとして設定しました。その頃は、私たちにもお客様がどのような条件でこのクルマを使うのかが把握しきれていなかったため、レース前に用意される練習走行の時間帯にサーキットに出向き、聞き取りを開始しました。中には1日に何時間も走る人がいて、ずっとエンジン高回転をキープし続けていました。また、ジムカーナのようなスピード競技に使う方もいて、やっぱり使われ方は様々だと感じました。レギュレーションに明記しなくてはならないことも色々と研究しました。レースの間も安全に、壊れないクルマでないといけませんから。レース中にやたらエアバッグが開いても困りますし、しかし公道車検のあとでは全ての安全装備がきちんと動作していないといけません。お客様からヒアリングしていると、ハードに使う人はVVT（可変バルブタイミング機構）のアングルセンサーが壊れる、ということがわかってきました。長時間高回転の振動を与えることで配線に不具合が発生したのです。それの対策品を作って提供したりしましたね。NCロードスターのNR-Aでは、ブレーキの過熱が問題になったことがありましたが、それも対策を考えました」。木下は、メディア対抗ロードスター4時間耐久レースに出場するマツダ役員チームの監督およびドライビング訓練も担当した。「今では、若手の執行役員さん達が入れ替わりにこの訓練を受けてメディア対抗レースやマツダファン・エンデュランス（通称“マツ耐”）などに参加しています。マツダには、ロードスターという車種があるからこそ、メディア対抗レースが長く続けられるし、若手役員がメディアの皆さんとともに走ってドライビングテクニックを磨くという習慣は、自動車メーカーとしてとっても意義あることですよね。美しい運転ができる人が走って楽しいクルマを語るのは、説得力を増しますからね」と結んだ。

マツダ役員が4耐に出場するのは恒例となっている

山本修弘も中山雅も木下と共に4耐を経験

引退した木下は愛車のレストアなどに忙しい

「パーティレースの原点はみんなで楽しむこと。Lots of Funと一緒です」
Bスポーツ代表　三城伸之

ロードスターは、サーキットを走る参加型モータースポーツ競技に最適の車種である。富士スピードウェイの人気コンテンツ、富士チャンピオンシリーズには各世代合わせて60台以上が現在でも参加しており、スポーツランドSUGO、岡山国際サーキット、オートポリスにもロードスターワンメイクカテゴリーが用意されている。また、サーキットでの1周のラップタイムを競うマツダファン・サーキットトライアル(サートラ)やガソリン満タンで2時間30分のセミ耐久レースを給油なしに走るマツダファン・エンデュランスにも多数のロードスターが出場している。

オーガナイザーとしてパーティレースを主管しているBスポーツの三城伸之は、「2002年からロードスター・パーティレースをスタートしていますが、実は最初の提案はレースをやろうという話ではなかったのです。初代ロードスターが発売された1989年からメディア対抗ロードスター4時間耐久レースを毎年開催していましたが、90年代はルール的に、レースに出場するのは専用のレースカーが必要で、一般の方が参加するのはハードルがとても高かったのです。とは言え、マツダ車、特にロードスターユーザーの走りへの関心は高く、その当時はメディア対抗レースと併催で、ユーザー対象のロードスター限定サーキット走行会を行っていたのですが、毎回100台以上も参加があり、その熱を強く感じていました。そこで走行会の延長線上で楽しめることを考えていた当時、2000年にJAFの規則が変わって登録ナンバー付車両でもレースを行うことが可能となりました。同年にヴィッツレースがスタートして大変盛況だったこともあって、それならばロードスターでもナンバー付きレースをやろうという話になったのです。だから、パーティのようにみんなが集まって楽しめる舞台が結果的にレース場だったという提案になり、当時の企画書のタイトルがウケて、そのまま正式名称になりました。ロードスターのLots of Funの考え方と、パーティレースのみんなで楽しもうというコンセプトが合致していることも、現在まで多くの方に支持されている理由かもしれません」。

グレートパーティレーサーはこれまでに17名

寺田陽次郎も若手の育成に熱心だ

シャンパンファイトは何度経験しても心地よい

富士では北東西の交流戦が行われる

2019年のエントリーは合計100台以上

2018年統一王者となった本田永一

MX-5の20周年を祝う場は、もちろんレーストラック
2010年 Mazda MX-5 Open Race

2010年2月9日～11日の3日間、30年ぶりといわれる大寒波に見舞われたイタリア北部アドリア海沿いのアドリアインターナショナルレースウェイに、29台のNC型マツダMX-5（マツダロードスター）と250名ものメディア関係者、TVクルー、フォトグラファーなどが集まった。寒波にも関わらず異様な熱気に包まれていたのは、1990年にヨーロッパで開始されたマツダMX-5の発売20周年を記念して、ヨーロッパの国別メディア対抗4時間耐久レースが開催されたからだ。

地域の中核都市ボローニャから100kmほど、アドリアの街はずれにあるアドリアインターナショナルレースウェイは、2.7kmのフラットな常設ロードコースで、タイトコーナーをつなぐテクニカルなコースとして知られている。FIA GT選手権、イタリアF3、ドイツツーリングカー選手権などが開催される国際サーキットだ。ここにヨーロッパ各地29カ国の代表メディアが集まり、国別対抗で耐久レースを競うというユニークなアイディアは、マツダヨーロッパが長年温めてきたプランだ。国別のカラーリングに色分けされたMX-5がまさにプライドをかけてコンペティションを繰り広げるというのは、独自文化をもった国家がひしめき合うヨーロッパならではの発想と言えるだろう。特にそれぞれの国のナショナルフラッグとナショナルカラーをモチーフにマツダヨーロッパのデザイン部がデサインした各車のカラーリングが、イベントを大いに盛り上げる役割を果たしていた。

コンペティション仕様のMX-5は、エンジン、ギアボックス、デフなどの基幹部分はスタンダードのままで、レース用ハードサスペンション、ロールケージのほかは、トランスミッションオイルクーラーを追加した程度のロードカーに近い仕様だ。センター2本出しのエキゾーストパイプとスリックタイヤが、レースカーらしさを演出している。アドリアレースウェイは、ヘアピンターンのようなタイトコーナーをつなぐ「ストップ＆ゴー」型のコースなので、絶対スピードが低いため安全性も高く、一方で加速・減速タイミングやライン取りなどの基礎技術がないと好タイムで周回することはできない。つまり、MX-5で耐久レースを楽しむにはうってつけなのである。加えて燃料総量規制があるため、闇雲にスロットル全開を繰り返していたら勝ち目はない。

普段はモーターショーや試乗会などのPRイベントで顔を合わせる機会が多いメディア関係者達は、それぞれ仲間であり情報交換しあうほどの間柄も珍しくない。しかし、ドライビングの腕にも自信がある強者ばかり。和気あいあいとしながらも、ひそかに対抗意識を燃やしていた。そして、編集者、ライターなどのレギュラーに混じって、いかにも助っ人とおぼしき専業ドライバーの姿もチラホラ。フランスチームには、かつてのF1パイロット、ジャック・ラフィーの愛娘も混じっている。変わり種としては、メアルツァー・ティムさんというドイツの有名な料理人なども参加していた。もちろん、マツダヨーロッパのPRスタッフや幹部社員もドライバーとして出場しており、日本からはマツダの貴島孝雄や山本修弘ら、MX-5の開発に関わったエンジニアも参加した。

マシンに慣れるための練習走行、決勝のスターティンググリッドを決める公式予選が行われ、この間の走行を通じて、各チームはジオメトリーやタイヤ空気圧調整など、好みのセッティングをサポートチームに相談しながら、プロフェッショナルレースさながらの気分でセットアップを進めていく。そしていよいよ、最終日の決勝レースを迎えた。あいにくこの日の天候は朝のうち雨。摂氏5度ほどの冷気の中、スタート時刻がやってきた。オープントップが条件だが、走ってさえいればずぶ濡れになることはない。各車クリーンなスタートを切り、4時間にわたるコンペティションに臨んだ。前日までに各ドライバーともそれなりに周回を重ねており、心配されたスタート後の混乱もなく、意外にも接触も少なくレースは進行していった。

各チームとも途中4回ピットインし、給油しなければならないので、ピットでマシンの行方を見守るクルー達もラップモニターを睨んでピットインのタイミングを計るなど、真剣な表情であった。もちろん燃費計算も頭に入れながらである。一方、給油はフューエルステーションで受けるが、マーシャルの厳しい監視のもと、安

30台のMX-5がアドリアサーキットに集結

トラックはあいにくのウェットコンディションとなった

各国のナショナルカラーに塗り分けられたレースカー

4時間のバトルは白熱の戦いとなった

夕闇があたりを包む頃、チェッカーフラッグが振られた

栄えある優勝はベルギーチームの頭上に輝いた

全第一でゆっくりと確実に作業が行われる。慌てて燃料漏れを起こすと、事故につながるからだ。このレースの特徴は、徹底したイコール条件とプロフェッショナルなサポート体制だ。車両の準備はドイツのレースサービス会社が担当し、ルール作りはレースウェイのコースディレクターの協力を得るなど、誰もが安全に楽しめながらも、コンペティションの本質である正々堂々と競い合えるイベントとなっている。

4時間レースの結果は、ベルギーチームが優勝し、2位がポルトガルチーム、3位がハンガリーチームとなった。プロフェッショナルレースも顔負けの本格的なシャンパンファイトもあり、優勝クルーは歓喜の雄叫びをあげていた。燃費が良かったチームには、「お腹いっぱいマックを食べてもう少し体力つけて」とか、最低燃費のチームには「あなた達にはエクササイズが必要です」などと説明が付け加えられた。なお、当日参加したドライバーが着用しているレーシングオーバーオールは、オレンジとグリーンに色分けされていた。これは、もはやマツダのレーシングヘリテイジを代表する配色として多くの人々に認知されている。

なお、翌2011年には、このレースで用意した車両を使い、スウェーデンの氷上コースで欧州国別対抗レースが行われた。真冬の2月にも関わらずレース期間中は晴天に恵まれ、26カ国から集まった代表チームが覇を競った。唯一欧州以外からの参加となったオーストラリアチームは、氷上ドライブの経験の少なさから特別招待扱いとなった。しかしながら、オーストラリアチームは、周囲の心配をよそに、デイ1予選と練習走行でファステストラップを記録した。決勝当日は晴天といいつつも外気温は摂氏マイナス31度であり、スウェーデン中央西部のカル湖は、まさに氷上トラックとして最高のコンディションとなった。レースは各2時間の2セッション制で、最も多くラップしたチームが勝者となる。セッション1でもオーストラリアチームはファステストラップをたたき出すなど大活躍。セッション2ではロシアチームが、その豊富な氷上経験を活かしてレースをリード。続いてオーストラリアチームとベルギーチームが、テールトゥノーズの接戦を繰り広げながらロシアチームを追う形となり、ゴール直前まで接戦を続けて大いにレースを盛り上げた。優勝したのは雪国ロシアで、オーストラリアチームは欧州の強豪を抑え2位を獲得した。

カル湖のある北緯63度は北極圏だ

26台のMX-5レースカー。こちらもほぼ標準のまま

氷上レースのコツはオーバーアクションしないことだ

「ジャイアントキラー」マツダMX-5 GTが BRITCAR英国耐久選手権に鮮烈デビュー 2011年

ブリットカー英国耐久選手権は、モータースポーツが盛んな英国でも最もポピュラーなカテゴリーのひとつである。アストンマーチン、ポルシェ、ロータス、BMWなど多種多様なマシンが走る耐久シリーズは、英国国内の主要サーキットだけでなく、ベルギーのスパ・フランコルシャンへも遠征するカレンダーとなっている。2011年は、ここへマツダUKが仕立てたNC型MX-5 GTが彗星のように現れ、様々な話題をさらっていった。

GTN仕様のマツダMX-5 GTは、車重わずか850kgに仕上がっており、275psを発生する4気筒NAエンジンと6速シーケンシャルパドルシフトにより0-60マイル(97km/h)をわずか3秒で加速し、最高速は257km/hに達する。マシンの開発を担当した英国のJOTAスポーツの手によってロールケージなどが組み込まれたMX-5は、FIA規定の17倍も強固なシェルに仕上げられているだけでなく、ドアはカーボンファイバー製、ウィンドウはポリカーボネイト製に換装され、グラム単位でボルトやナットのひとつひとつまでウェイトを切り詰めることで、通常のMX-5レースカーからさらに15kgの軽量化に成功している。エンジンの低位置搭載なども施され、史上最もパワフルで軽量なMX-5が仕上がった。それでいて、MX-5が本来持つ素晴らしいハンドリング、運転する楽しさなどの要素は、もちろん継承している。「MX-5のプロダクションレースカーが、高い信頼性、クイックなハンドリングと十分なパワーを持っていることは、2010年シーズンにVW、BMW、ロータスなどのコンペティションモデルベースのレースカーと互角に戦ったことで既に証明された。2011年は、より高出力なエンジンと、MX-5の持つ耐久性、信頼性、ハンドリングを組み合わせたことにより、よりパワフルなライバル達とも十分戦えるだろう」とマツダUKのPRディレクター、グレアム・ファッジはコメントしている。

マツダMX-5 GTのデビュー戦は、3月27日に開催された2011年英国耐久選手権開幕戦シルバーストン3時間レース。予選で素晴らしい走りを見せたMX-5 GTは、決勝でも他車と接触するまではクラス2位を走行していたが、このアクシデントでディファレンシャルの交換を余儀なくされてしまう。JOTAスポーツのクルーは、わずか15分で作業を終えたが、ポジションを大きく後

退させるには十分な時間であった。その結果、このレースはクラス6位でのフィニッシュとなった。

しかし、MX-5 GTは、出場2戦目のロッキンガムで早くも3位ポディウムフィニッシュを決める。マーク・タイスハーストとオウエン・ミルデンホールがドライブするMX-5 GTは、予選クラス4位からスタート。コーナリングとハンドリングでライバルを圧倒し、ハイペースで周回を重ねた。ロータス、ポルシェ、フェラーリなど格上のスポーツカーと白熱したバトルを展開し、2時間半後のフィニッシュラインを3位で駆け抜けた。シルバーストン後にコーナリングスピードを上げるためのセッティング変更を施したことで、ドライバビリティとハンドリングを向上させたことが功奏した。

次のドニントンパーク2時間レースでも、マツダMX-5 GTは前回に引き続きクラス3位表彰台を獲得した。予選8位からスタートしたMX-5 GTだったが、決勝では軽量ボディを生かし、同様にライトウェイトスポーツであるジネッタG50やロータスエリーゼを機敏な動きで凌駕した。これにより、MX-5 GTはポイントランキングで2位に上がっている。チームは、レース後にリアブレーキとディファレンシャルギアを改良し、さらに新しい吸気系と新開発のダンパーを追加した。これらの改良は、特に中速コーナーでのスピードアップと、ドライバビリティの改善によるトータル性能の向上を狙ったものだった。続く第4戦スラクストンでは、MX-5 GTは5位入賞だった。大雨のため視界が最悪となり、大混戦となった決勝レースだったが、電気系トラブルでピットストップするまでは2台のフェラーリと白熱したレースを展開しレースをリードしていた。ピット作業後にコースに復帰するも、悪天候のため2時間のレースが1時間10分に短縮されてしまい、5位フィニッシュとなった。

スネッタトンでも3位に入賞し、いよいよシリーズ上位の可能性が見えてきた。10月1日のシルバーストン24時間レースでは、マイク・ワイルズ、マーク・タイスハースト、オウエン・ミルデンホールのベテラントリオがMX-5 GTをドライブ。このイベントには、ほかに2台のMX-5プロダクションクラスカーも出場し、1台は英国軍人チームによる参戦だったことで話題を呼んだ。MX-5 GTは、全長3.6マイルのグランプリコースをハイペースでラップし、アストンマーチン、ポルシェ、ロータスといった常連たちと互角に戦った。しかしながら、序盤から燃料漏れのトラブルが発生する。修復には時間がかかり、結果として規定周回数をクリアすることができなくなってしまった。この大事なイベントで、ノーポイントに終わったのは痛かった。

英国ブリットカー耐久選手権最終戦は、11月19日にブランズハッチサーキットで開催された。ここでマツダ

MX-5 GTは強敵に立ち向かい、BMW M3に次ぐクラス2位、総合5位を獲得した。このレースでのMX-5 GTは、2012年シーズンに向けたニューマシンにバージョンアップしていた。新しい軽量シャシーに新設計のロールケージと前後エアロパーツを装着することで空力性能を向上させ、前モデルからさらに50kgもの軽量化を実現。車高は20mm低くなった。これにより、コーナリング安定性を向上させることに成功している。もともと優れたハンドリングと低燃費、タイヤへの負担も少ないMX-5 GTは、まさに耐久レースで勝てるマシンへと進化した。この結果、MX-5 GTはデビューイヤーにシリーズ総合4位、クラス2位を獲得することができた。マツダUKのファッジPRディレクターは、「今シーズンは、MX-5 GTをポルシェやロータス、ジネッタ、マーコス等と戦える耐久レースカーに仕上げる開発期間と考えていたが、3回も表彰台に立つことができ、シリーズでも総合4位・クラス2位を獲得できた。JOTAスポーツの開発力と、MX-5の素性の良さを証明したシーズンだったと言える」と、コメントした。

2011年シーズンの成功に気を良くしたチームは、翌2012年には、新開発のマツダMX-5 GT4を英国GT選手権に投入。325PSを発生する2.0Lターボチャージド MZRエンジンを搭載したこのMX-5 GT4は、車重1,000kgでヒューランド製6速パドルシフトシーケンシャルギアボックスを搭載しており、0-100km/h加速が3.0秒で最高速は260km/hの性能を誇った。英国GT選手権でも前年のようにアストンマーチンなどのGT4ライバルを相手に善戦し、スネッタトンではクラス2位、ブランズハッチでは同3位に入賞した。その後マツダUKは、このマシンをカスタマー用GT4マシンとして市販すると発表。プライスは、12万5,000ポンド(約1,700万円)だったが、残念ながら2013年シーズン以降にこのマシンが英国内のレースに出場した記録は残っていない。

プロダクションクラスで強さを発揮したMX-5

クラス表彰台に上がることもしばしばだった

ブリットカー選手権には24時間レースも含まれている

MX-5 GTがデビューした2011年シルバーストン戦

2011年ブランズハッチでは総合5位クラス2位に入賞

MX-5 GTは、FIA GT4マシンとして競争力を発揮した

プロダクション仕様MX-5は2010-13年に活躍した

マツダUKは、MX-5 GT4の市販を計画した

GT4は325PSの 2.0Lターボエンジンを搭載していた

外科手術を受けている。その長い回復の過程で、彼はマツダUSAのモータースポーツ担当ダイレクターであるジョン・ドゥーナンに出会う。ドワイヤーはクルマの運転をこよなく愛しており、ドゥーナンはドワイヤーが十分に回復した暁には、マツダMX-5レースカーでテストセッションを受ける機会を与えると約束した。そのテストを無事にクリアした彼は、彼が戦闘から生還した日からわずか3年後に、信じがたい夢を叶えている。クラッチペダルを操作するために特別なアタッチメントを使用することでレースカーを操ることができる彼は、すでにマツダUSAの支援ドライバーとしてレースデビューを果たしていた。

2014年5月、それは実現した。米退役軍人基金のサポートを受けたフリーダムオートスポーツは、NC型マツダMX-5ミアータを駆り、IMSAコンチネンタルタイヤ・スポーツカーチャレンジSTレースで同年2度目の表彰台独占を果たした。優勝車両のドライバーのひとりはドワイヤーだったが、彼はデビュー後二度目のレースで勝利のシャンパンを味わうこととなった。しかも彼の相棒は、IMSAスポーツカー選手権でマツダLMP2 SKYACTIV-Dレーシングを駆るトム・ロングであった。ロングとドワイヤーは予選ではトップ10に入っていたが、雨によって予選がキャンセルされ、選手権ポイントによってスターティンググリッドが決められることになった。よって前レースで完走できなかった彼らは、33台のSTマシンの最後列からのスタートとなる。しかし、スタートを担当したドワイヤーは、約10台をパスし、フルコーションラップの際にチームは早めのピットインを決断。このピットで、チームはクラッチペダルに直結していたドワイヤーの義足を取り外し、ドライバー交代する追加作業もこなしている。

元米海兵隊軍曹リアム・ドワイヤー、MX-5レーサーに転身

レースカードライバーになる道は、元海兵隊員軍曹のリアム・ドワイヤーにとっては長くて困難なものだった。中東の戦地での勤務期間には、彼は頭部に重大な外傷を負っている。その怪我をものともせず、彼は2011年に2度目の戦地勤務に志願。同年5月、アフガニスタンでパトロール中に彼は、即製爆発装置を踏んでしまう。爆風によって彼は左足の膝から下を失い、身体の他の部分にも重傷を負った。医療用ヘリコプターによる救助を可能にするため、猛烈な反抗射撃を行った仲間兵士たちの英雄的行動によって、ドワイヤーは一命をとりとめた。

ドワイヤーは、外傷を修復するためおよそ50回もの

ポディウム中央に上がったドワイヤー(左)

ドライバー交代では専用アタッチメントごと交換する

ドワイヤーは2015年ラグナセカでも優勝を果たしている

2014年5月ライムロックパークでの感動的ゴール

交代後のロングは、先行車をパスし続け、なんと68周目にはトップに立った。終盤は、ロングとCJウィルソンチームのマッカレア、同チームのミラーのMX-5の3台が三つ巴のバトルを繰り広げることとなった。ロングはコースアウトしそうになり、またハーフスピンも喫したが、必死にコースに留まっている。また、終盤燃費がきつくなりペースを落とさざるを得ないライバル達を尻目に、効果的なフューエルマネジメントをしながらもトップを守り続けたのだ。

リアム・ドワイヤーは、「このレースはまさに、ハリウッド映画でもあり得ないような、妖精がストーリーをひっくり返す物語でした。フリーダムオートスポーツ、ロングロードレーシング、そしてマツダUSAが機会を与えてくれたからこその結果です。マツダMX-5は誰の目にも明らかに、ここライムロックではベストカーです。僕の役目は、マシンを完全な状態でトムに引き継ぐことだけでした。そうすればトムには勝てる力があるからです。トムは素晴らしいコーチであり、並外れたドライバーであり、そして僕を信じてくれた真の友人です」と語っている。

マツダUSAのジョン・ドゥーナンは、「私たちマツダUSAの最新の新聞広告に、"全ては勇気、創造力、信念のたまもの"というのがあります。本日ここライムロックで起きた私たちマツダの物語は、これらの全てをカバーしています。この物語の背景を知っている人は、誰もが目に涙しました」と声を震わせて語っていた。

ドワイヤーは、この一件でアメリカで最も人気のあるレーシングドライバーのひとりとなった。その後、全国放送のニューステレビ番組に生出演し、全米を感動の渦に巻き込んでいる。

ドワイヤーは海兵隊を除隊しドライバー専業となった

ラグナセカのポディウムで雄叫びを上げた

世界で最も過酷なロードレース「ニュルブルクリンク24時間」にNC型MX-5が挑戦 2014年

ロードスターが25周年を迎えた2014年、マツダUKのパートナーであり、WECシリーズにLMP2で出場し、ルマン24時間レースでクラス優勝を果たした経験を持つ英国のJOTAスポーツチームは、マツダのサポートを受けて6月21日・22日にドイツのニュルブルクリンク24時間レースに出場した。マシンは英国仕様のマツダMX-5(マツダロードスター)で、無過給の排気量2リットル以下無改造クラスであるV3部門にエントリー。ドライバーは、日本のロードスター・パーティレースのチャンピオンである加藤彰彬をはじめ、元F1ドライバーでかつてマツダスピードのルマンプログラムに参加し、マツダ787Bをドライブしたこともあるステファン・ヨハンソン(スウェーデン)、地元ドイツのツーリングカーマイスターであるウルフガング・カウフマン、英国人モータージャーナリストでJOTAスポーツと共に英国GT選手権に出場したことのあるオウエン・ミルデンホール(英国)の四名であった。

3月下旬に英国ドニントンパークでシェイクダウンしたマシンは、4月のニュルブルクリンク24時間予選レース、ニュルブルクリンク長距離選手権第3戦に出場。性能チェックと基本的なセットアップを終え、6月17日に始まったニュルブルクリンク24時間のレースウィークを迎えた。水曜日には、コースの近隣にあるアーデナウの町でパレードがあり、各銘柄の代表車種30台の中にこのマツダMX-5も選ばれている。町の中心である教会裏に設置された中央ステージでは、地元の人気者であるカウフマンや幅広い年齢層から支持されているヨハンソンが質問に応え、拍手喝采を受けていた。

「マツダモータースポーツ・チームJOTA」は、ここまで2回のニュルブルクリンクフルコース走行経験をもとに、出場車両のマツダMX-5をファインチューニングしてレースウィークに臨んだ。まずは、フロントバンパーに補助灯を組み込んでいる。これは街路灯のないオールドコース(ノルドシュライフェ)の暗闇に対応するためだ。コース幅が狭く、ブラインドコーナーの多いここでは、前照灯と補助灯だけが頼りである。全長25kmにも及び、車速の異なる200台ものマシンが同時に走行するニュルでは、自ら安全を担保することが非常に重要だ。

木曜日には、プラクティス走行と公式予選1回目が行われた。プラクティスは、曇り空ながら時折青空がのぞく、比較的あたたかな環境だった。そのため、2時間のセッションの間、MX-5はセッティング確認のための走行を繰り返した。路面はもちろんドライ。しかし、公式

同年のニュルブルクリンク24時間レース決勝は好天に恵まれ、多数の観客の前でスタート前セレモニーが開始された。マツダMX-5は、前日の整備でパワーユニットに不具合が発見されたため、メカニック達は夜遅くまでかかってエンジン交換を終えている。そのため、決勝当日の朝行われたウォームアップ走行には間に合わず、車検委員の再チェックを受けたのちスターティンググリッドに並べることが許可された。

レースをスタートしたのはステファン・ヨハンソン。序盤に無線に向かって、「誰かにリアをヒットされた。ステアリングがおかしいが走り続ける」と叫んでいた。1時間半後ピットに戻ってくると、左リアホイールにダメージが見られたものの、そのままドライバー交代だけしてレースに戻る。引き継いだ加藤も、途中他車から接触されたが、またしてもそのまま走り続けた。ミルデンホールのスティントを経てカウフマンがMX-5をドライブ中、GT3車両に激しく突っ込まれ、リアサスペンションとボディの一部を壊して走行不能となってしまう。

予選が始まる18時45分頃には雲は低くたれ込め、いまにも降り出しそう。そんな中、アタックラップの担当に指名されたのが加藤だった。彼は、3周走行し、トラフィックがすいていた3ラップ目にベストタイムを記録して、ピットに戻った。しかし、そのインラップで加藤は速いクルマに囲まれて第1コーナーに進入し、行き場がなくなってガードレールに接触。フロント部分を破損してしまう。

幸いダメージは深刻ではなく、フロントセクションを修復し、バンパーを交換してマシンは予選に戻った。しかし、修復時間が長かったため、加藤とヨハンソンの2名だけしかクォリファイされず、4名全員の予選通過は金曜日午前中の予選2回目まで待つことになる。金曜朝には軽い降雨があったものの、走れないほどのウェットではなかったので、残り二人が義務周回を走行しようやく予選を終えることができた。ベストタイムは加藤が出した初日のもので、13台がエントリーしているV3クラスの4位につけている。

約2時間かけてリペアし、チームは再びコースにマシンを戻した。サスペンションとボディワークのリペアののち、午前1時に加藤がコースイン。しかし、その約1時間30分後のアーデナウ手前でガードレールに衝突して停止。それでもレッカー車に乗せられてパドックに戻ってきたが、ダメージを受けたフロントの損傷は大きく、チームはリタイヤを決めた。

ドライブしていた加藤は、「コースから外れたとたんガードレールにあたり、回転してフロントからぶつかってしまいました。6速から減速しましたが衝撃は大きく、身体中痛いですが骨折などの怪我はありません。応援していただいた皆さんには大変申し訳ありませんでした」と語っている。この頃のニュル24時間はまだ荒っぽく、しかも多種多様なマシンが200台もひしめき合っていたので、アクシデントも多かった。現在ではセイフティルールも厳格となり、台数も160台前後に抑えられているため激しいクラッシュは減っている。いつかまた、あのニュルでマツダMX-5/ロードスターが走る姿を見てみたいものだ。

なお、加藤彰彬は、2014年から日本国内のスーパー耐久（S耐）シリーズにNCロードスターで出場している。S耐は改造範囲が厳しく制限されており、ニュル24時間レースに出場したMX-5と同等の仕様である。トヨタ86などスポーツカー中心のST-4クラスで孤軍奮闘し、2016年10月の岡山国際ラウンドでは念願のクラス優勝を果たしている。

予選を走るV3仕様のMX-5

車速の速い第2カルーセルもトリッキーポイントだ

チェックを終えて車検場を出るMX-5

アーデナウの街ではMX-5レースカーは人気者だった

有名なカルーセルコーナー

夕暮れ迫るグランプリコースを行く

パーティレースチャンピオンの加藤彰彬

2016年S耐岡山では見事クラス優勝を遂げた

優勝したTCコルセチーム(近藤翼／堤優威／加藤)

「ロードスターと共に生きていきます」
2017年スーパー耐久ST-5クラスチャンピオン
村上博幸

村上モータース代表の村上博幸は、愛媛県松山市で自動車販売と整備、板金修理工場を営むかたわら、レース活動を続けている。近年では、ロードスター専門のチューニングショップとしても広く知れ渡るようになり、遠方から多くのロードスターオーナーが訪れるという。村上は、瀬戸内海を渡った岡山国際サーキットで行われているロードスターレースに通ううち、すっかりモータースポーツの魅力にとりつかれてしまった男だ。

「僕は、大学時代に父が経営する自動車修理工場所有の初代ロードスターを数カ月借りて乗っていました。とっても楽しいクルマだったので、しばらくするうちに虜になってしまいました。その後、父の会社を手伝うつもりでしたが、一念発起し、自分の店を持つことにしました。しかも、やるからには他人とは違うことをやって、差別化を図りたい。なので、好きなロードスターの専門店にしようと考え、ずっとこのクルマと一緒に生きていこうと決めました。そして、差別化の一環として、技術とノウハウを蓄えるためロードスターでレースをやってみようと考えました。それがきっかけです。14年前の2006年のことです。その頃から、岡山国際サーキットには毎月のように通い、初代NAロードスターでチャレンジカップレースに出場しました。しかし、なかなか運転は上達しませんでした。最初のレースはビリでした。鈍臭かったらしく接触してしまい、コントロールタワーに呼び出されましたし、当ててしまった人からもお叱りを受けました。どうしたらよいのか途方にくれましたが、でもどうしても上手になりたくて、藁をも掴む気持ちでそのレースに勝った人に“運転の仕方を教えてください”とお願いしました。四国から通っていて、どうしても上手になりたいので、と懇願しました。そしたら、その方は、“わかった、付き合ってあげるよ”と言ってくれたのです。その後はあつかましくもその方の走行中にピットに押しかけては、色々と教えてもらいましたし、そんなことを続けているうちに色々な人と出会いました。それでも一年目は、頑張れど頑張れど、ビリかビリから2番目でした。もうやめようかな、とも思いましたが、3年は続けると決めていたので、誰よりも数多く練習に行くようになりました。そしたら、本当に通い始めて3年経った時に、ようやく優勝することができました。レースは、すごく厳しい世界だと思います。頑張れば必ず速くなるものではないし、かといって結果を出そうと思えば頑張らなければ何も起きません。そこで支えになるのが、友人であり、レース仲間です。

自分がやりたいことを支えてくれたのが、そこで出会った人たちです。僕にとって、ずっと一緒にやれる人たちと出会えたことが、一番の財産だと思います。僕たちは、本州からは橋を渡ってしか来れない、愛媛の松山に住んでいます。それでも(気持ちいい)エンジンを作って欲しい、クルマを診て欲しいという方が増えてきています。僕たち自身のレース活動もあるので、申し訳ないですが、部品の入荷や整備も待っていてもらうことが多いんです。長い時間待ってもいいからリフレッシュして欲しい、という方が、沖縄や北海道からもクルマを持ってきてくださっています。なので、そういう方たちの思いに対してひとつひとつ丁寧に応えていかなければダメだと思っています。僕たちは自分たちの技術力を高めるためにレースをやっているので、そこで得たことをお客様にフィードバックしていくことで、選ばれる存在になりたいと思っています。お客様の大事なロードスターにこれからも安心して楽しく乗ってもらえるように、この活動を続けることが使命だと思っています。僕にとってレースというのは、挑戦することだと思っています。挑戦しないことには何も始まりませんし、誰もやっていないことをやりたいという気持ちが強いので、挑戦ということを僕の人生では一番大事にすべきことだと考えています。自分ができる範囲で挑戦し、次には少し背伸びをすればいけるところへ、という風に挑戦を続けていきたいと思います。それは誰か他人が決めることではなく、僕自身がやると決めたことは絶対諦めずにやっていきたいと思っています」と語っている。

2006年に岡山チャレンジカップのユーノスロードスターレースを始めた村上は、2008年12月に初優勝。2012年8月にはステップアップし、スーパー耐久(S耐)シリーズ岡山ラウンドにNCロードスターで出場。予選ではST4クラス13台中9位で通過したものの、決勝レースでは燃料ポンプのトラブルによりわずか26周でリタイヤとなっている。2013年シーズンはS耐にフル参戦するつもりで準備を進めてきたが、この年から参加台数が急増し、書類審査でエントリー不可となる。しかし、腐らずに練習に精を出していた村上は、走行中にエンジンブローを経験する。シリンダーブロックが割れ、オイルが引火して火災に発展した。「僕は、好きなことを一所懸命やっているつもりでしたが、一方で危険と隣り合わせなんだということを、エンジンルーム内を消火しながら、その時実感しました」と、村上は回顧する。その年の合同テストが、3月にスポーツランドSUGO(宮城県)で行われ、レースには出場できないもののそのテストだけには参加した。松山から積載車にレースカーを載せて、往復2,500kmの旅だ。村上にとっては、岡山国際以外のコースで走る初めての機会だった。しかし、スポット出場が許された8月の富士7時間では、真夏のレースの厳しさを体験するものの、デビュー戦ながらクラス8位で初完走を果たしている。続く第5戦岡山ラウンドは、ウェットレースとなる。しかし、仲間の奮闘もあり村上のホームレースは8位で完走だった。続く鈴鹿は年間エントリーチームのみ出場が許されるので、不参加。同様に最終戦のオートポリスも出場は不可だった。しかし、レースに立ち向かう村上の真摯な姿は、主催者STO(スーパー耐久機構)に評価され、2014年はフルシーズンエントリーが叶う。開幕戦もてぎで9位完走

2017年SUGOで初優勝を果たした村上(左)と脇谷

ST5クラスチャンピオンを確定した富士24時間

2018年のGMCジャパン最終戦

2012年にS耐デビューした村上モータースのNCロードスター。チームカラーは愛媛みかんに因み、カーナンバーはお遍路さんに因んでいるという。

すると、第2戦SUGOは駆動系にトラブルを抱えながら9位完走。次の富士7時間も完走し、第4戦岡山では8位、第5戦鈴鹿、最終戦オートポリスも完走。フル参戦初年で全戦完走を果たしている。「日本全国のサーキットで僕たちのロードスターが走るところを、ロードスターファンの皆さんに見ていただきたいという夢は叶いました」とあくまでも村上は謙虚だ。村上モータースは、自社の事業で得た利益の一部を参戦資金としてレース活動に充てている。小さなスポンサーを集めてはいるが、参戦費用を全てまかなうのは難しい。肝心なことは、誰かに頼ってレース参戦している訳ではないということ。村上の熱意に賛同し、一緒に行動する仲間も増えた。

新型のNDロードスターが2015年に発売されると、迷わず新車をレースカーに改造し、2016年からNDロードスターでST5クラスに出場することを決断。初戦は、調整不足でマシントラブルに泣くが、5月15日の第2戦SUGOで念願の初優勝を果たす。続く2017年は、発足したばかりのグローバルMX-5カップジャパンと同時にS耐シリーズにチャレンジし、S耐開幕戦もてぎで3位、続くSUGOでは初のポールトゥフィニッシュを遂げ、さらに鈴鹿、オートポリスで連勝し、第5戦富士10時間では惜しくも2位だったが、この時早くもST5クラスのシリーズチャンピオンを決めている。村上がレースを始めてから11年目のことだった。2018年はシリーズ2位だったが、グローバルMX-5カップジャパンでは、上位グループの一角に入ることも珍しくなくなっていた。最終戦の富士では、優勝争いの5台の中に入り、バトルを続けた。しかし、最終ラップの100Rで1台と絡み、チャンスを逃してしまう。村上は、それでも落ち着いている。「残念ですが、仕方ないです。これもレースです。僕も世界一決定戦にいきたいので、チャレンジは続けていきたいです」と語っていた。GMCジャパンシリーズが2018年をもって終了となったので、それはもう叶わない。しかし、2年前彼が言っていた、「自分のできる範囲でチャレンジし、次には少し背伸びしてできることにチャレンジする」という言葉通りに、村上は進んでいる。ついには、世界への扉の一歩手前までたどり着いたのだ。

「MIATAs at LAGUNA SECA」に行ってきました

ケンオート代表　小原健一

小原健一は、かつて様々なメーカーのワンメイク車両で日本各地を転戦したレーシングドライバーだ。宮城県仙台に拠点があるケンオートは彼のショップで、東北では知られたロードスタープロショップである。ロードスター走行会を主催したり、ロードスターレースに出場するドライバーのドライビングレッスンも引き受けるなど、地元スポーツランドSUGOを中心に活動している。2018年シーズンは、グローバルMX-5カップに挑戦し、今年はTCコルセチームの一員として、スーパー耐久シリーズST4クラスにロードスターRFで出場している。そんな、小原から2018年10月にカリフォルニア州ラグナセカで行われたMX-5ミアータイベントのレポートが届いた。

「ミアータatラグナセカは、ちょうど今から10年前の2009年、ロードスター20周年の年に始まったイベントで、開催場所はラグナセカレースウェイです。カリフォルニアのサンフランシスコ国際空港から南に約200km程の避暑地モントレーの町の近くにあるレーストラックで開催されています。昨年までマツダUSAがネイミングライツを所有していたレーストラックという事もあり、イベント名は“ミアータ at マツダレースウェイラグナセカ”と呼ばれていました。今年は、ミアータリユニオンという名称で行われ、2020年からは開催場所が変更になるとアナウンスされています。

10月第2週の金曜日には、サーキットにほど近いホテルの駐車場を利用して、カーショーやBBQパーティがスタートします。サーキット走行はしないまでも、自慢のMX-5ミアータを綺麗にディスプレイし、BBQを頬張りながらゆったりとカスタムポイントを談義するカスタムコンテストが行われます。また、土曜日から始まる走行に備えた参加者達も、少しずつ集合して来ます。土曜日と日曜日はレーストラックでパレードランと、チューニング内容とタイムによって5つのグループに区分された走行枠でタイムアタック走行会が行われます。また、土曜日の夜はトラックのホールにて、生バンド演奏を挟んだ豪華なパーティも行われ、3日間を通してミアータ尽くしのイベントになっています。このイベントに向けアメリカ全土から集まってくるミアータは、トランスポーターでの移動時間を合わせると、最大1週間程度を要する人たちもいるようです。パレードランには少なく見積もってもざっと500台程度のミアータが、一斉にコースインします。3日間を通した参加車両は、全部で1,000台ほどになっているようです。30周年となる記念すべき今年は、果たして何台のミアータが集合するのでしょうか。

2年前には、軽井沢ミーティングにも登場しご自分の名前を刻んだ方もいらっしゃると思われる生産累計100万台記念のサインNDロードスターがマツダUSAから持ち込まれ、このイベントに参加している人達もこのNDにサインをしていました。僕も軽井沢では時間がなくできなかったのですが、この場でサインすることができました。このイベントには、ロードスターの産みの親のひとりであり、サンフランシスコの工業デザイン大学の教授として活躍中のトム・マタノさんも毎年参加して、参加者からはとても熱い歓迎を受けています。そんなマタノさんは、僕にもとても気さくにいろいろとお話しをして下さいます。そんな人柄もあってか、マタ

スーパー耐久2019第4戦オートポリスを走るTCコルセロードスターRF

TCコルセのドライバートリオ。小原は向かって左だ。

ラグナセカレースウェイを走る

こちらは有名なコークスクリューコーナー

イベント会場のホテル

アメリカンイベントの定番BBQ

550台のMX-5ミアータによるパレードラン

小原(左)とトム・マタノ

ノさんの周りには次から次へと人だかりが出来、くつろぐ暇は当然ありません。マタノさん曰く、MX-5ミアータは現地の人たちにもとても愛されていて、特にこのイベントに参加する人達は、多くがMX-5ミアータと共に日本の文化にも興味を持っており、とても熱心な人達とのことです。

イベントには、アメリカでミアータのチューニングを得意としているショップや、ミアータを使用した非常に盛り上がっているローカル底辺レース(ドライビングスキルレベルは非常に高い)スペックミアータのチームも参加しており、参加者の趣は非常に多種多様です。アメリカ特有のV8搭載ミアータや、V6、またホンダのK20エンジンスワップのミアータあり、またスペックミアータを筆頭に、バリバリのレーシングカーも参加しており、参加オーナーのスタイルはとても幅広いのが特徴です。それらのマシンを作っているミアータ専門店もアメリカ中から集まり、そこへ日本から唯一、僕たちケンオートも参加させて頂いており、全部で毎年10前後のミアータ関連ショップがベンダー(出店者)として参加しています。これらのベンダーのデモカーは、希望する参加者を同乗してラグナセカレースウェイを走る事が出来ます。ラグナセカは世界的に有名なコークスクリューで知られていますが、ほかにもロードスターにとってはその軽さを活かして3速や4速でアクセルを踏みきって抜けられるコーナーがいくつもあって、とても爽快なコースです。そして、コークスクリューはジェットコースターが高いポイントからグッと下る感覚とほぼ一緒で、遊園地感覚にも似たドキドキ感を感じる事が出来ます。

このイベント自体2019年は10周年、そして、ロードスター誕生30周年記念の節目のイベントとしてラグナセカで開催されますが、来年からは別なレーストラックで開催されるということです。今年が最後となるこのラグナセカでの開催を、僕は今年も心から楽しんできたいですし、去年よりバージョンアップを図ったケンオートのデモカーで、参加者の皆さんに喜んでいただけたらなと考えています」。

小原が、初めてロードスター(初代NA型)のオーナーになったのは2007年頃だという。「その時、直感でこのクルマしかないと、感じたんです。その頃は、お店のお客様と共に、主に仙台ハイランドレースウェイでのサーキット走行で盛り上がっていました。そんな時に初めてロードスターオーナーになったのですが、お客様にクルマの楽しさ、運転の楽しさを伝えるクルマはロードスター以外に考えられないと感じたんです。正直なところ、東北ではまだまだマイナーな車種だったので、商売度外視でこのクルマに賭けました。たとえこれで経営が成り立たなくなったとしても、悔いはないと考えたのです」。この人も立派な“ロードスターマニア”だ。

「沖縄でロードスターを堪能しませんか」
沖縄ロードスター専門レンタカー「58ドライブ」
オーナー　梶谷太郎

沖縄県那覇市の中心を貫く国道58号戦を北に進み、泊港交差点からさらに約700mのENEOSの先にあるローカルレンタカーショップ「58ドライブ」は、ロードスター専門のレンタカーショップだ。オーナーの梶谷太郎は、グローバルMX-5カップジャパンやスーパー耐久レースにも出場していたレーシングドライバーであり、何よりもロードスターに魅せられたことで人生を大きく転換してしまったひとりだ。58ドライブには、NA型から最新のND型まで「わ」ナンバーのロースター4台を揃えている。リゾートアイランド沖縄には必需であるレンタカーショップを運営するにあたり、なぜロードスター専門にしたのか。その疑問を梶谷にぶつけた。

「私はもともと愛媛県出身で、20年くらい前から縁があって初代ユーノスロードスターに乗っています。今から10年ほど前に沖縄に旅行に来た際、レンタカーを借りました。クルマ社会沖縄の観光にレンタカーは欠かせません。借りたのは国産のコンパクトカーだったのですが、正直言って運転していて全然楽しくない。単なる移動手段としては、それでも良いのかもしれないけれど、せっかく沖縄で過ごす貴重な時間。もしロードスターだったらもっと楽しいのになぁ、と思いました。それから数年が経過して前職をやめ、沖縄に移住することにしました。移住することは先に決まっていたのですが、仕事はない。そこで閃いたのです。“そうだ！沖縄で大好きなロードスターのレンタカー屋を開業しよう”。当初は初代ユーノスロードスターだけでやって行こうと思っていたので、地元愛媛県松山市のロードスター専門店村上モータースに車両の準備とリフレッシュを全面的にお任せして、僕は開業準備をしました。そして、2012年6月に現在の小さなショップをオープンしたのです。その後、リクエストにお応えしたりして、NCとNDロードスターを揃えることとなりました。

58ドライブを訪ねていただけるお客様は、当然クルマ好きの方ばかりです。現在（各世代の）ロードスターに乗っている方、過去に乗っていた方、ずっと憧れて（特に初代に）乗ってみたかったけど、機会がなく沖縄に念願をかなえに来たという方も多いのです。普段ロードスターに乗っているのに、なんで沖縄に来てまでわざわ

ざロードスターを借りるの、と奥さんに言われながらも、「同じだ、同じだ」と喜んでいるご主人。過去にロードスターに乗っていた方は、ドアを開けたとたん「懐かしいっ」と唸り、シートに座り、ハンドルを握って、エンジンをかけてはまた「懐かしいっ」と唸ります。58ドライブでロードスターをお使いいただき、“ロードスターの魅力に取り憑かれて、その後買っちゃいました”と、写真をメールで頂くこともあります。マツダの社員さんも過去に何度かご利用いただきました。一度は団体で3台借りていただき、それぞれに2名乗車し交代で運転されました。“会社は楽しいクルマを作る”と言っているけど、でも本当にクルマを楽しんだことがあるのか、と自問し、では実際に体験してみようじゃないか、と沖縄に来られたそうです。事前にマツダの社員ですと言っていただければ良いのに、あとで教えてくれたので恐縮してしまいます。マツダの方は、本当に真面目で驚きます。

おかげさまで、最近ではとにかくリピーターの方が多いです。20回近くリピートいただいている方もいます。沖縄とロードスターにそれだけ魅力があるということでしょう。SNSがある時代なので、多くのお客様たちとその後もつながりを持ち続けています。普通のレンタカー屋さんでは、そのようなことはあまりないでしょう」。

ロードスターで楽園沖縄のドライブを楽しみたい方のために日夜レンタカーのメンテナンスに余念が無い梶谷さんだが、年に何度かはレースに出場するため沖縄を離れるという。仕事も趣味もロードスター漬けなのだ。

58ドライブ [http://www.58drive.com/]

沖縄県那覇市上之屋341-33

(店舗の情報は2019年10月現在のものです)

「富士の伝統とロードスターユーザーの走りの場を守り続けます」

富士チャンピオンレース技術アドバイザー

田知本守

田知本守は、マツダオート東京のチーフメカニックから、のちにマツダのモータースポーツ活動を推進する機能となるマツダスピードの技術部長を経て、現在は有限会社DOエンジニアリングの代表となっている。1970年代は、カペラロータリークーペやサバンナRX-3で主に富士ツーリングカーレースを楽しむカスタマーのメンテナンスを担当し、SA22C型初代サバンナRX-7が富士フレッシュマンシリーズの主役になると、マツダ車ユーザー全体を対象としたサービス業務を束ねることとなる。並行しているルマン24時間レース出場プログラムと同時進行で、レースユーザーのためのスポーツキット開発なども担当した。初代RX-7が富士フレッシュマンレースから引退すると、マツダスピードは新たにファミリアや(フォード)フェスティバのレース枠を確保し、1990年になると初代NA型ロードスターの導

2019年富士チャンピオンレース第2戦ロードスターカップレースのスタート風景

入も決める。現在も富士チャンピオンレースで走り続けるN1ロードスターの原型だ。軽量で低重心、前後重量バランスに優れたロードスターは人気を呼んだが、90年代後半は他のカテゴリーの参加者が目減りし、富士フレッシュマンレースは冬の時代となる。そして、1998年には富士チャンピオンレースに改称することとなった。入門ユーザーだけでなく、サンデーレースを希望するドライバーの参加を広く歓迎する意向が現れている。そんな中、田知本はDOエンジニアリングを設立し、富士スピードウェイに近い御殿場市一色にガレージを構えることになった。

1990年代までは、「レースカーは登録ナンバーを抹消したクルマに限る」のがJAFの指導であり、モータースポーツ界の常識であった。しかし、時流は「公道ルール厳守を条件に、日常使用ができる登録ナンバー付き車でのレース参加」という方向に向かっていく。当時JAFの技術委員であり、プロダクションカーのレース車両規則検討を担当していた田知本は、座長としてナンバー付きレースの承認のため奮闘した。そして、2000年、JAFから「登録ナンバー付き車両によるレース規則」が発表されると、ヴィッツレースやロードスターNR-Aによるパーティレースなど、ナンバー付きレースが人気を集めるようになる。田知本らの進言により、富士チャンピオンレースにもナンバー付き車によるレース枠が組み込まれていく。

日本のモータースポーツは、原則としてクラブマンが自発的に参加し、レース運営もクラブマン主体であることとなっている。レーサーだけでなく、オフィシャルも自主参加のクラブマンであるべき、ということだ。日本のモータースポーツの参加型カテゴリーは、現在でもこの基本構造に変わりない。富士スピードウェイには、いつくかの任意団体が主催クラブとして参加しており、かつてマツダオート東京が育成に協力したマツダスポーツカークラブ(MSCC)が、マツダ系JAF公認クラブとして存在している。マツダの名を冠しているものの、メーカーとの関係は薄く、あくまでもマツダ愛好家によるモータースポーツ競技執行団体という位置付けだ。ノンプロフィット団体とはいえ、経験豊富なベテランクラブ員が揃っている。長くMSCCの技術委員を務めてきた田知本は、その流れで今も富士チャンピオンシリーズの技術アドバイザーを委嘱されている。

DOエンジニアリングでは、レース参加希望ドライバーに競技車両を貸し出すサービスを行っている。

「実はマツダ車だけでなく、他メーカーのクルマを含め、愛車でサンデーレースを志す人がなるべく参加しやすい形で、しかも公平に富士チャンピオンレースを楽しめるよう富士チャンピオンシリーズの競技規則を考えています。その中でも運転スキルを磨くのに最適なロードスターは、人気があります。現在ロードスターカップレースは、最新のND型はもちろん、初代NA型/NB型の1.6Lと1.8LやNC型も走れますし、NCのRHT車もND型のRFも出場できます。それぞれ、改造範囲が厳格に決められたチャレンジクラスと公道走行が許された保安基準範囲内の改造を認めるオープンクラスを設定し、幅広いユーザーが参加できるようになっています。パーティレース仕様のNR-A車ももちろん歓迎ですし、同レース枠で走行しているデミオにはディーゼル車もCVT車も走っています」と田知本は話している。

「チャンピオンレースは富士スピードウェイの伝統ある参加型カテゴリーで、ここからステップアップしていったプロドライバーも多数います。また、チャンピオンレース参加のプロダクション車両の中では、ロードスターは台数も多く、長くシリーズを支えてきたクルマです。これからもなるべく多くのロードスターユーザーの走る場を確保するのが、私の使命だと思っています」と語った。

「24時間レース優勝ドライバーとなってしまいました」
マツダベルギーPRマネージャー
ピーター・ハムーツ

ベルギーは、東京都の1.5倍の面積をもつ国土に、東京都の85%の人口(1,100万人)が住む小国である。しかし、EU連合本部があることや大規模自動車工場(ボルボ、アウディ)があり、他にも工業製品の製造が盛んなことから、経済的には豊かでGDPは世界的に上位に位置する国だ。そんなベルギーには、よく知られた国際サーキットが2箇所存在している。ひとつはWECやブランパンGTシリーズが開催されるスパ・フランコルシャンであり、ひとつはかつてF1世界選手権が開催されていたゾルダーである。首都ブリュッセルに次ぐ第2の大都市であるアントウェルペン(英語表記ではアントワープ)から約50km東の森の中にあるゾルダーサーキットは、1周約4.01kmのフラットなトラックだ。CNプロトタイプカー(小型のスポーツプロトタイプ)、ポルシェカップカー、FIA GT4、TCRやプロダクションツーリングカーが出場できるベルカー耐久選手権、ドイツツーリングカー選手権(DTM)やNASCARユーロカップレースなどが開催されている。特に年に一度、8月に開催されるベルカー耐久選手権ゾルダー24時間レースは、温暖な季節ということもあり、アントウェルペンやブリュッセルから多数の観客が訪れる。

このイベントの人気に注目したマツダベルギーのPRマネージャーであるピーター・ハムーツは、自動車専門誌の編集者やジャーナリストと組み、MX-5プロダクションレースカーでゾルダー24時間レースに参加する計画を立てた。もちろん、MX-5の運動性能をアピールするのが目的である。

「最初は、2013年に行われた“レーシングスターズ”というTV番組の企画がきっかけでした。100名のドライバー候補から2チームそれぞれ男女4名のドライバーを選び、トレーニングを経て24時間レースに出場しようというものです。車両は、2010年にイタリア・アドリアサーキットで行なわれたMX-5オープンレース用に組み上げたNC型MX-5です。このクルマは、基本的にショールームストックのままで、ロールケージとシートやシートベルトなどの安全装備を装着しただけです。ヨコハマ製ストリートタイヤを履いているので、タイヤ交換は24時間でたった1回で済みます。そして、排気量2.0L未満の2座席GTライトクラスにエントリーした彼らは、なんとクラス1-2フィニッシュを果たしたのです。それに気を良くした私たちマツダベルギーは、翌年もこのレーシングスターズの企画に乗ることにしました。しかも3台目にジャーナリストチームを編成し、ついでにPR担当の私まで乗せてもらうことになりました。結果は、表彰台独占です。MX-5の信頼性をアピールできたことは言うまでもありません。しかも優勝したのは、私が乗った3台目のマシンです。期せずして私は、プロトタイプカーや速いGTカーと一緒に走る24時間レースの優勝ドライバーになってしまったのです。こんな素晴らしい経験は、望んでもできることではありません。一生の思い出になることでしょう。レースに先立って木曜日に行われたプラクティスセッションでは、土砂降りの雨が降っていて、ハイドロプレーニングに乗って、私は720度（2回転）スピンを喫してしまいました。しかもスピンしたのが、速いコーナーの"ビアンキ"であり、アームコバリア（ガードレール）に突き刺さる直前で止まりましたが、クルマを少し凹ませてしまいました。これは私の短いレーシングキャリアの中で、最も恐ろしい思いをした瞬間です。完全にコントロールを失いました。そんなこともあったので、決勝レースはドライコンディションでしたが、ジャーナリストたちの走行時間を優先し、私はレース終盤に1時間半だけドライブすることにしたのです。私のスティントの半分を過ぎた時、デフから嫌な音がし始めました。オーバーヒートではないかと思いますが、2度ピットインしてチェックしてもらったものの、場所が場所だけになすすべなしです。そのため残りの時間をペースダウンせざるを得ませんでしたが、2番手に何周か差をつけていたので、私が運転している間に逆転されることはありませんでした。最終ドライバーに引き継ぐと、冷却走行が功を奏したかデフの異音は解消しており、彼はそのままNC型MX-5をゴールまで運んでくれました。感動のゴールだったことを覚えています」とハムーツは語っている。

2016年からの2年間は、マツダUSAから入手したND型のグローバルMX-5カップカーでゾルダー24時間に参加。2017年にはマツダベルギーチームは、クラス2位に入っている。

2014年24時間レースのスタート前

2日目午後はデフのオーバーヒートに悩まされる

ND型MX-5カップカーとなった2016年

この年はサスペンションアームのトラブルで後退

2017年に再びジャーナリストチームを編成

クラス2位入賞でレースを終えている

「ロードスターを入手したことがきっかけで、
鈴鹿のレスキュースタッフになりました」

鈴鹿サーキットレスキュースタッフ　佐藤恵梨香

鈴鹿サーキットのレスキュースタッフである佐藤恵梨香は、2005年式NCロードスターのオーナーだ。レースウィーク以外は、地元の大阪で看護師として働いており、看護師資格と知識を活用し、レース中にはドライバーやライダーの緊急事態に備え、コースサイドでレスキューカーや救急車に乗って待機している。クルマとバイクが好きな父親の影響で、幼少の頃からモータースポーツは身近に感じていたというが、成人してからは看護師の仕事が多忙で、運転免許を取得したのはつい数年前とのこと。試乗して即気に入ったNCロードスターを手に入れてからは、温泉旅行が大好きな彼女は、大阪から岡山や広島、九州・大分など遠方の温泉までひとりでドライブに行っていたとのこと。片道300kmをひとりでドライブしても苦にならないのは、かなりのツワモノだ。また、かつてはジムカーナ競技にも参加していて、2カ月に1回の大会に参加。月に1回の練習を欠かさず行っていたという。

「ジムカーナはノーマル車両でも手軽に競技に出場できて、それでいて運転技術が磨けるから参加していたんです。おかげで、以前よりは運転に自信が持てるようになりました」と、佐藤は話す。

ロードスターに乗り始めてから間もなく、岡山国際サーキットで開催されたマツダファンフェスタに参加。そこで知り合ったチームの応援のため、岡山や鈴鹿サーキットへ出かけるようになり、ある人物に出会うことになる。「鈴鹿のレースでピットクルーに駆り出されていた方がレスキュースタッフの方で、“クルマやレースが好きで、普段看護師をしているならレスキューをやってみたら”と誘われたのがきっかけです。元々救急や災害看護に興味がありましたし、鈴鹿サーキットのレコードラインやブレーキングポイントも勉強したかったので。それは、2016年6月のことでした。それ以来、レースシーズンは月に一度はレスキュースタッフとして鈴鹿に来ています。住まいのある大阪からは片道140kmですが、いろんな方と知り合いになれたし、ロードスターで楽しく通っています。本業もレスキュー活動も本質は同じで、突発的な事態に冷静に対処することが肝心です。慌てずに考え、行動することです。サーキットでアクシデントが発生した時、意識レベルが低下しているライダーやドライバーの意識確認方法や搬送、処置は、原則として救急看護と同じです」と、佐藤はあくまでも冷静であり、前向きだ。

その佐藤は、クルマ関係の食事会で知り合った方と2019年6月にめでたく結婚した。しかも結婚式場は鈴鹿サーキットであった。撮影当日はあいにくの雨だったようだが、それでもピットロードで愛車と撮影したハッピーショットを送ってくれた。それ以後も、クルマ好きの旦那さんと2台でツーリングなどに行くそうだ。旦那さんのクルマはポルシェだが、ワインディングロードでもひるまずついていくことができると言う。「ジムカーナで培った技術ですかね。ロードスターのハンドリングの良さもあって、いつも楽しく走っています」と笑顔を見せた。彼女のような走りごころがあるレスキュースタッフが、レース中に待機場所で見守ってくれていることを、レーシングドライバーやライダー達は感謝しなければならないだろう。彼女もまた、ロードスターとサーキット通いによって彩り豊かな人生を手に入れた人のようだ。

「参加型モータースポーツで
人生を謳歌されている方が急増中です」
マツダ・ブランド推進部主幹　松崎庸輔

グローバルセールス＆マーケティング本部の松崎庸輔は、国内外のモータースポーツ活動の推進が担当だ。松崎は、「国内では参加型モータースポーツの裾野拡大を進めている最中です。代表例は、やはりパーティレースです。近年急速に参加者が増えてきた背景としては、何よりロードスターというクルマが、操る愉しさを提供するモデルであり、ドライビングスキルを習得するのに最適であることが挙げられるでしょう。さらに、レース参加によるコミュニティが自然発生し、仲間の輪が広がりやすい環境にあるのも人気の背景のひとつだと思います」と言う。「昨今、パーティレース出身者がスーパー耐久や他の上位カテゴリーにステップアップしていくことも珍しくありません。2018年のグローバルMX-5カップチャレンジ戦（日米の優秀MX-5ドライバーが世界一タイトルを競う大会）の第1レースで、地元の強豪を抑えて優勝した堤優威さんもパーティレース出身です。そして、2019年にも目覚ましい活躍をするドライバーが現れました。2016年のグランツーリスモ世界大会でワールドチャンピオンとなった冨林勇佑さんは、2018年東日本シリーズ最終戦に23歳でデビューし、翌年9月に富士スピードウェイで開催されたパーティレース交流戦までで5レースに出場し、4勝するという特筆すべき結果を出しています」と松崎は続けた。

冨林さんに伺うと、「2016年の秋頃から実際に自分のクルマでサーキットを走りはじめ、いつかリアルなレースに出場してみたいと思っていました。そんな時、現在お借りしているNDロードスターのオーナーの方と出会い、ぜひ一緒にレースに出場しようという流れになりました。グラツーの世界は、リアルレーシングとかなり近いと思います。減速、ターンイン、オーバーステアが出た時の対処などの基礎部分は、シミュレーションゲームでマスターできると思います。しかし、グラツーでは学べないし難しいと感じたのは、環境によるコンディションの変化です。グラツーでは時期、時間による路温の変化、タイヤ内圧の変化などが再現されていないので、それに合わせた走らせ方やセットを見つけるのは苦労しました。ロードスターは全世代のモデルでサーキットを走りましたが、まずは、どれもとても軽快な印象を受けました。軽くて、振り回しやすいのでとにかく楽しい。且つ、アンダー/オーバーステアなどの挙動変化が分かりやすくゆったりと発生してくれます。かっこいい運転を体得したい人にもってこいのクルマだと思います。NDは相当ロールさせても四輪がしっかり接地しますし、決して大きくないエンジン排気量なのに、ハイグリップタイヤではなくとも筑波サーキットで1分10秒を切れるというのは、驚きです。将来は、SUPER GTなど日本のトップカテゴリーで戦える“リアル”レーシングドライバーになるのが目標です」と語る。頼もしい青年が現れた。

また、松崎は、「一方で、パーティレースでレース活

パーティレース2019交流戦で冨林さんは表彰台中央に立った

グランツーリスモのコース特性再現性はかなり正確だ

動に目覚め、仲間を増やしてマツダファン・エンデュランス（マツ耐）に参加するというケースもよく見受けます。数人の仲間で2時間半の耐久レースを戦うマツ耐は、大人のホビーとして注目されていると言えるでしょう」と説明する。松崎は、このようなマツ耐ユーザーの代表例として、東北・北関東の造り酒蔵の若手経営者などが集まった“酒レーシング”というチームの存在を紹介してくれた。このチームの発起人である福島県の廣木健司さんは、「私は50歳になったら、今までやったことがない何か新しいことを始めようと考えていました。それがパーティレースだったのです。いろいろ調べてみると、無知の自分が飛び込んでも、なんとかなりそうな雰囲気と紳士的なルール設定が魅力でした。最初のレース出場の時は、ピットの使い方もわからないですし、パドックと言われてもどこに行けば良いのかもわからない。しかし、私のクルマのゼッケンを見た参加者の方が、手取り足取りいろいろ教えてくれたのです。参加するまでは不安だらけだったのですが、車両を購入し、レースギアも全部揃えて逃げ道を塞いでサーキットにやってきました。でも周囲のみなさんがとってもフレンドリーで助かりました。レースの世界とは、思うほど特別な世界ではなかったというのが実感です。その後仲間がだんだん増えてきて、同業の友人達にも私が楽しそうにしているのが伝わり、いまでは酒造業仲間でチームを結成して、マツ耐レースを楽しんでいます。ロードスター2台体制でエントリーすることもあります。とっても楽しいし、仲間の輪はより緊密になったと思います。50歳でレース参戦の決意は、間違ってなかったです」と話している。彼らの揃いのレーシングスーツの背中には、“SAKEACTIV TECHNOLOGY”のロゴが刺繍されている。

松崎は、「広島在住の杉野治彦さんは、パーティレース西日本と北日本シリーズに出場していますが、出場の動機を聞いて驚きました。行政と提携してひきこもり青少年の自立支援施設を運営する杉野さんは、“私はうちの施設に通ってくる若者たちに、イキイキとした大人の姿を見せるためレース活動をしています”と言います。ぜひ杉野さんの話を聞いてみてください」と話した。杉野さんにコンタクトすると、「私のNDレースカーに貼ってある“わくサポ広島”とは、ひきこもりがちな若者を支援する青少年ワークサポート広島のことです。100名程度の若者達が通ってきており、適性に合わせた職業訓練や短期的な就労支援などを受けています。ひきこもりがちだった彼らは、青春を経験していないので、プログラムの合間にBBQやハイキング、スポーツなどを実施しており、それらを通じて笑顔を取り戻してもらったりしています。その一環でレーシングカート経験を組み込んでみると、好評でした。それでは、私の趣味のパーティレースも絡めてみようと、マシンのデザインコンテストをやってみました。ひきこもりの若者の中には感受性が強く、コミュニケーションは苦手でも手先が器用な子も多く、何人かが嬉々としてデザイン画を描いてくれました。それ以来、サーキット走行会の手伝いに何名かを送り込んだりしています。職業訓練の一環で運営しているベーカリーで彼らが焼いたパンを会場で販売しており、参加者が美味しそうに食べると彼らも嬉しそうです」と話してくれた。杉野さんは、2019年パーティレース北日本シリーズのチャンピオンとなった。ポディウムで見せた破顔は、“大人ってつまらない存在”と思ってきた彼らの目にも“思いっきり楽しそうな大人”として映ることだろう。

マツ耐レースを楽しむ酒レーシングの皆さん

杉野さんのマシンのカラーリングは施設の若者がデザインした

「デザイナーとして、ドライバーとして、私のロードスター観」

マツダ株式会社
前田育男常務執行役員
デザイン・ブランドスタイル担当

前田常務は、「魂動－Soul of Motion－」デザインを提唱した人物であり、NDロードスターの開発では、デザイン本部長としてデザインチームを牽引する立場であった。現在は、プロダクトデザインだけでなく、ディーラー店舗のデザインやモーターショーディスプレイなどブランドイメージ管理を指揮している。また、自らレーサーを名乗るモータースポーツ愛好家でもある。まずは、NDロードスターに対する想いを伺った。

「4代目NDロードスターは、魂動デザインから生まれた一連の第六世代商品群ラインアップの一番端、いわばブックエンドにあたるクルマです。このクルマのデザインを進めるにあたっては、ロードスターにはロードスターならではの歴史があり、様式のような“あるスタイル”が存在します。その様式を逸脱して新しい方向に進めてしまうと、やはり歴史を大事にしていない、これまでNA、NB、NCを愛していただいたお客様を裏切ることになります。そんなファンの皆様に、“これなら”と思っていただけるようなスイートスポットに(方向性を)当てざるを得ない、という事情がありました。それでも新しいジェネレーションの魂動デザイン群の一員でなければならないので、デザインの方向を決めるのは相当難しかったし、かなり強いプレッシャーを受けていました。スケッチやモデルなどを様々作って検討していくのですが、決め手となったのは最初のプロポーションスタディです。王道の後輪駆動スポーツカーのプロポーションにピタッとはまっていることを目指し、リアに荷重がかかるようなシルエットのクルマを作る、ということを決め、そこから立体をどういう風に見せるかディテールを詰めていく、という2ステップを踏みました。

第六世代群のブックエンドのもう一方は、魂動デザインのトップバッターだったマツダ6/アテンザであり、その流れの完成形でありラストバッターが、2代目CX-5となっています。あのラインがメインストリームですが、そこにNDロードスターという“変化球”をはめているわけです。そのNDロードスターのデザイン作業を進めながら、私は同時に次の世代のことを考え始めていました。キャラクターを全部取り払い、フォルムだけで見せようというトライアルの第1号がNDロードスターなのです。第六世代のブックエンドたるロードスターは、次世代の始まりでもあったわけです。そして、

その流れは新しいマツダ3へとつながっていきます」。

1982年入社の前田常務は、20代の頃は東京本社の商品企画部でプランナーとして勤務しており、「オフライン55」プロジェクトのLWSプラン作成に関わっている。NAロードスターの開発に入る前の段階だが、現在マツダのデザインを力強く牽引している彼が、まだ見ぬLWS企画に関わっていたのは興味深い。

一方前田常務は、若い頃からラリーやジムカーナなどでモータースポーツに親しんでおり、現在マツダの親和会自動車部の部長を務めている。また、岡山国際サーキットで開催されているロードスター・パーティレースIII西日本シリーズに出場中。もちろんクルマは、NDロードスターNR-Aだ。彼が"最も大事なコミュニケーションイベントのひとつ"と捉えているメディア対抗ロードスター4時間耐久レースでは、現在「マツダ人馬一体」号のチーフドライバーを務めている。1989年の第1回から2019年に第30回を迎えたこのレースでは、これまでに合計13回参加しており、マツダ社員では最多出場を誇っている。

「私の現在のモータースポーツ活動は、NDロードスターが唯一の相棒ということになります。しかし、出場回数は多いのですが、まだ人馬一体を極めきれていないのが正直なところです。このクルマは、非常に乗りやすく、誰でも快適に走らせることができます。しかし、このクルマのポテンシャルを100%引き出し、限界領域で攻めていこうとすると、結構難しいのです。でもだからこそ面白いとも言えます。ですから、ドライビング修行をしたければこのクルマは最適だと思います」と、前田常務は語っている。

2019年9月7日、第30回メディア対抗ロードスター4時間耐久レースが行われ、念願の6位以内入賞を目標に掲げ、「マツダ人馬一体」号は予選13位から決勝レースに臨んだ。チームは、前田常務を筆頭に、開発部門のヘッドである廣瀬一郎専務執行役員、ふたりの開発ドライバー、斎藤茂樹ロードスター開発主査の5名体制だ。レースでは二度の時間毎トップ賞を獲得。フィニッシュから30分前まではトップを走り、最終的には目標を上回る総合4位でゴールした。前田常務は、「3時間以上レースをリードし、最終段階で抜かれて4位だから悔しいです。やるからには優勝を目指したいですから。このレースは最後の30分が勝負だということがよくわかりました。来年はハンディタイム60秒が課せられる中、どのように攻めていくかを考えなければならない。より高い目標を持って臨みたいと思います」と語っている。

マツダ幹部社員が様々なメディアとの親交を深めるのが、このメディア対抗4時間耐久レースの目的だが、前田常務は競い合って高みを目指すことに人一倍こだわっている。

【前田育男常務執行役員略歴】

1959年　広島県生まれ
1982年　京都工芸繊維大学工芸学部卒業後、東洋工業に入社。商品企画部に配属
1985年　R&Dセンター横浜に配属。アドバンスデザインを担当
1987年　米国デザイン拠点MNAOに配属
1999年　ミシガン州デトロイトのフォード・デザインスタジオに出向
2000年　広島デザインスタジオに配属
2009年　デザイン本部長
2010年　魂動-Soul of Motion-デザインを提唱
2013年　執行役員デザイン本部長
2016年　常務執行役員デザイン・ブランドスタイル担当

中島美樹夫
水彩画イラスト集に登場した
ロードスターⅡ

マツダウィメンin モータースポーツの訓練車

友人の退職記念に。平和公園の資料館前。

スペイン・アルハンブラ宮殿

2017年のグローバルMX-5カップチャンピオン、P.ギャラガーのマシン

映画「八つ墓村」ロケ地となった岡山県高梁市

思い出の地、イタリア・ヴェネツィア

東日本震災で亡くなった兄を偲ぶ妹さんへ贈った
蔵王スキー場の風景

The Globetrotting Roadster

第7章 ｜ 世界の道を行くロードスター

MX-5ミアータは、1989年5月以来、北米大陸のありとあらゆる道を走っている。それは、ニューヨークの街角から、フロリダサンシャインの下、キーウェストを目指した人もあっただろう。ゴールデンゲートブリッジを何度も渡り、ボンネビルソルトフラッツを抜けて東に向かった人もいるだろう。シアトル、バンクーバーを経てアラスカまで旅した人もいるだろう。憧れのインディアナポリスやデイトナスピードウェイに集合したグループもあったに違いない。ヨセミテ国立公園を経て、ラスベガスに向かった人たちもいるはずだ。シカゴ、セントルイス、オクラホマシティを通過して、アマリロ、キングマンからルート66の終点サンタモニカピアにまで走った人は何百組もいただろう。

またヨーロッパでも、ベルギーのアントワープに1990年に陸揚げされたMX-5は、ドイツ、スイスをめぐりイタリアの先にまで走ったはずだ。英国に渡ったクルマは、イングランド、ウェールズ、スコットランド、アイルランドまでカントリーロードを網羅しているに違いない。フランス、スペインに行ったクルマも多数だ。はたまた、スウェーデン、ノルウェーを越え、アイスランドに渡った個体もあるだろう。オーストラリアでもメルボルンやシドニーなどの大都市だけでなく、東海岸から砂漠の中の一本道をひた走ったMX-5が、パースにたどり着いたケースもあるだろう。

いつでも誰でも操ることができるロードスター/MX-5だからこそ、道を選ばず、今日も誰かが遠くを目指しているだろう。

世界の道を行くロードスター/MX-5をご紹介しよう。

アダム・ウルフ（アメリカ・カリフォルニア州） ミアータクラブメンバー
「写真の場所は、カリフォルニア州ジョシュアツリー国立公園です。ここで朝日とミアータの写真を撮るため、私は3時半に起床し、こちらに向かいました。眠いので何杯もコーヒーを飲んでね。ちょっと早足でないとたどり着けないので、巡航ペースは早めでした。そして、現地に着いて目的だったサンライズを見た時は、アドレナリンが大量放出の瞬間でした。しかし、私は鳥たちの安眠を邪魔しないように静かにこの光景を瞼の裏とカメラに収めることができました。あの静寂と興奮は、これまで経験したことがないものでした」。

インディアナポリススピードウェイに集まったMX-5ミアータ(インディアナ州)

MAZDA MX-5 MIATA in USA

全米のミアータクラブメンバーから集まった写真集

砂漠の街セドナ(アリゾナ州)

ケノーシャハーバー(ウィスコンシン州)

セントルイスゲートウェイアーチ(ミズーリ州)

ボレゴスプリングス（カリフォルニア州）

ヴァンダービルトマンション（ニューヨーク州）

マンハッタンを望むブルックリンブリッジにて（ニューヨーク州）

ビルトモアエステイト（ノースカロライナ州）

ヨセミテ国立公園グラシアポイント（カリフォルニア州）

最東端のケープコッドハーバー（マサチューセッツ州）

ブルーリッジパークウェイ最高地点（ノースカロライナ州）

セントヘレンズ山を望む（オレゴン州）

テルアス科学博物館のビッグリグと（ジョージア州）

ダルトンハイウェイ脇に続くオイルパイプライン（アラスカ州）

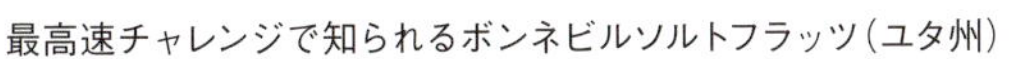
最高速チャレンジで知られるボンネビルソルトフラッツ（ユタ州）

テイルオブドラゴン（竜尾）のタポコロッジ（ノースカロライナ州）

クレーターレイク国立公園（オレゴン州）

奇岩地として知られるアーチズ国立公園（ユタ州）

リッジズサンクチュアリー（ウィスコンシン州）

コロラドレッドマウンテンを望む（コロラド州）

ブライスキャニオン（ユタ州）

セントルイスプラネタリウムにて（ミズーリ州）

プレスクアイルの遊覧船「ビクトリアンプリンセス」と（メイン州）

「緑の大地」メサヴェルデ国立公園（コロラド州）

ブルーリッジパークウェイピーク（ノースカロライナ州）

セントルイスフォレストパーク天文台（ミズーリ州）

木陰に佇む右ハンドル（日本仕様）ユーノス・ロードスター

霧のサンフランシスコゴールデンゲートブリッジ（カリフォルニア州）

ハーバーから望む金門橋

トレジャーアイランドから見るベイブリッジ

丘の上からのオーシャンビュー

アシューロットカバードブリッジ(ニューハンプシャー州)

グレートスモーキーマウンテン（テネシー州）

シンシナティユニオンターミナル駅(オハイオ州)

ラグナセカレースウェイ(カリフォルニア州)

カブリロハイウェイ(カリフォルニア州)

ハイウェイの高架下にて

ボルケーノ国立モニュメント(アリゾナ州)

ハンツビルのベテランメモリアル公園(アラバマ州)

MAZDA MX-5 in United Kingdom

MX-5ヘリテイジ編。マツダUKは、4代目ローンチ後に各世代比較試乗を行った。

GOODWOOD

英国南部グッドウッドサーキットおよびイングランドのカントリーロードを走るMX-5。

グッドウッドフェスティバルオブスピード（2015）では、著名なアーティストが車体をキャンバスに見立て、カラフルなアート作品となったMX-5が展示されていた。

ALPS BOUND

南フランス・ニースのビーチエリアから、フレンチアルプス、スイスのワインディングロードへ。

MIATA LAND

イタリア中部ペルージャに近いコッラツォーネにあるリゾートホテル「ミアータランド」。
オーナーのアンドレア・マンチーニさんが集めた39台のロードスター /MX-5/MX-5ミアータが所蔵されている。

BARCELONA DRIVE

ドイツのレバークーゼンに本拠地を置くマツダヨーロッパは、2015年MX-5デビューカーおよび
翌年のMX-5 RFの広報素材撮影のためスペイン・バルセロナを訪れた。

ARCTIC CIRCLE

2019年3月、マツダUKの試乗企画により、MX-5はスウェーデンのルレオに上陸。フィンランドとの国境を北へ進み、
ノルウェーのノルドカップまでスカンジナビア半島を縦断。北極圏の幻想的なシーンの中を走った。

VX68 HFL

TRANSFAGARASAN

「世界で最も美しい道路」と言われるトランスファガラシャンロードは、ルーマニアのトランシルバニアとワラキアを結ぶ一般道。
標高2,034mの最高地点を含む、九十九折のワインディングロード、トンネル、高架橋などで構成されている。

マツダヨーロッパは、2019年モデルのMX-5およびMX-5 RFの試乗会コースにこのトランスファガラシャンを選んだ。中世の趣を残す町は、シビウ。

CAPE YORK ADVENTURE

2010年、マツダオーストラリアは、自動車専門誌の特集記事取材のため、NC2型ロードスターを用意。
ケアンズから片道1,200kmの悪路を走破するため、17インチタイヤは16インチのオフロード用に付け替えられている。

ケープヨークは、オーストラリア大陸北東部の岬で、オーストラリア最北端である。ケープヨーク半島はクイーンズランド州に属し、ケアンズ、ポートダグラスなどの都市以外は延々と大自然が広がっている。 Photos by Thomas Wielecki

MX-5 RF by THE SEASHORE

2019年モデルのMX-5 RFの試乗場所として、マツダオーストラリアは、メルボルン、モーニントン半島、ダンデノング丘陵国立公園などをセレクト。秋のシーサイドにスタイリッシュなRFが映えた。

オーストラリアの自動車専門誌WHEELSは、2019年モデルMX-5 RFを「軽くてモアパワフルなMX-5がようやくオージー達の手元に到着」と表現していた。

Photos by Thomas Wielecki

A breakdown of each generation of Roadster

第8章　英語版各世代ロードスター解説

The following English materials cite, excerpt, or revise the English version of the Mazda Roadster / MX-5 30th Anniversary Press Kit published by Mazda Motor Corporation in February 2019.

これ以降の英語版資料は、2019年2月にマツダ株式会社から発行された「マツダロードスター /MX-5 30周年プレスキット」英語版から引用、一部抜粋、一部加筆して資料集としています。

BEFORE DAWN

As a breed, the lightweight sportscar (LWS) had been around for decades, but Mazda gave it a new lease of life in the early 1980s. For the Japanese company, the definitive LWS had to have an open body with a tight cockpit space, perfect weight distribution, a double-wishbone suspension, and a certain Jinba-ittai element. This is the story, beginning with a chance comment from an American motoring writer to a man who would soon after become Mazda's President, leading up to the birth of the MX-5 in 1989.

Prelude

In the late 1970s, Bob Hall embarked on a new career as a motor journalist, working for the American magazine, Motor Trend. As a teenager, he'd spent a lot of time in Japan, so had a good grasp of the Japanese language, enabling him to also act as the LA correspondent for Motor Fan, a Japanese car magazine.

Hall had been surrounded by interesting automobiles all his life. His father was a 'car guy' of the highest order, running European machines from likes of MG, Triumph, Austin-Healey and Alfa Romeo – the purest forms of the light and simple open-top sportscar. But the era Hall found himself in as a young writer was killing off vehicles like this, with emissions and safety concerns grabbing the headlines. Indeed, there was even talk of banning convertibles altogether.

The Japanese were quick to react to these changing times, fielding reliable and economical machines that the Americans welcomed with open arms. Hall witnessed the shift first-hand, and came to admire the way Mazda persisted with sporting models powered by the rotary engine. He couldn't help but think how nice it would be to have a car that would blend Japanese technology and reliability with the fun experience that the British sportscars of yore provided.

Chalkboard Meeting

On 16 April 1979, Hall had the opportunity to visit the Mazda head office in Hiroshima. He was able to tell Kenichi Yamamoto (then head of R&D) about his dream automobile, sketching a drawing on a chalkboard and adding notes as he went along, explaining how easy it would be to create a convertible using components from the then-current Familia (also known as the 323 or GLC), which had a front-engine, rear-wheel drive (FR) layout.

Following the meeting, Hall had dinner with Yamamoto, but there was no mention of the LWS. He didn't give up, though, and suggested Yamamoto should try a Triumph Spitfire one day. Eventually, the Japanese engineer drove it on the picturesque roads around Hakone. The rest, as they, is history...

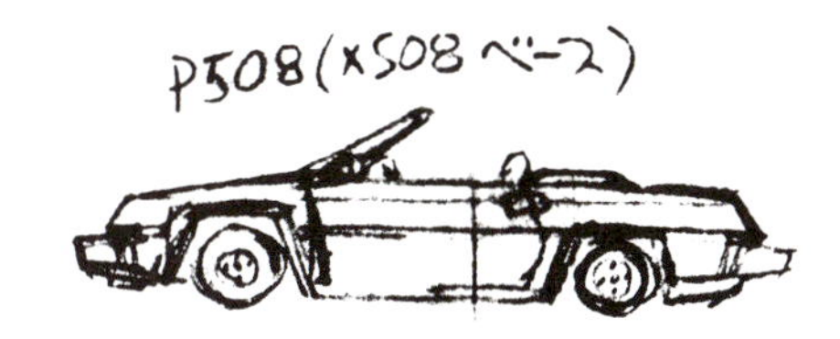

Yamamoto's Thoughts On Automobile Culture

Kenichi Yamamoto became Mazda's President in the spring of 1984. In his 1985 New Year message to the workforce, he noted two key points. Firstly, that a car was more than just a tool, it was something that enriched the customer's spirit. And secondly, a Mazda should always possess a functional beauty. This philosophy was passed down, and would shine through during the development of the new roadster. Indeed, the MX-5 could be classed as the perfect symbol of Yamamoto's way of thinking.

Early Development: The OGG Project

The true birth of the MX-5 project came about via the so-called OGG program. Mazda's main vehicles in Japan in the pre-Roadster days were the Familia (323), Capella (626), Luce (929), RX-7 and Bongo minivan. These were classed as 'On-Line' machines, but it was realized that additional models were needed to increase market share and penetrate other market areas.

Fresh, attractive products with a distinctive character were a must, naturally, and the OGG project would be used to channel new ideas through to a prototype stage. OGG stood for 'Off-Line Go-Go', with the off-line part signifying an experimental element, while the latter part expresses the Japanese number 55, as any projects raised in this new program had to have a minimum 55% chance of success as a production model to be progressed. It was a sensible way of allowing creativity whilst keeping things realistic.

Beginning in November 1983, a list was drawn up, highlighting the need for a small 660cc model, a utility van, and possibly a lightweight sportscar to slot in beneath the RX-7. The Carol kei-car was born as a result, along with the highly-successful Mazda MPV, and an open car that would take the world by storm – the MX-5.

The trend for sportscars at that time was excess – increases in power, increases in body size, and increases in price. There was still a requirement for smaller, lower priced machines, especially in places like California, but compact cars were rapidly moving toward FF layouts, making the production of traditional FR sportscars all the more difficult to justify. Small coupes from Japan were already starting to fill the gap, but Mazda would have its own concept for what the ideal LWS should be, thoughts being focused by an internal competition that would decide which route Mazda would take for its future two-seater sportscar – the choice coming down to closed FF and MR models, or an FR convertible.

Progress

The FF and MR coupes were tackled by Mazda's Tokyo studio, while the FR convertible proposal was handled by the MANA (now known as MRA) team in the States. The full-scale models went through two rounds of judging in 1984 and, backed up by a video presentation focusing on the thoughts of Bob Hall, Tom Matano and Shigenori Fukuda (who was the boss of Mazda's American planning and research arm at the time) and feedback from owners and enthusiasts at a clinic held in Pasadena, it was the MANA design that ultimately got the nod.

This original design had a much sharper profile than the production model, but the lines were already starting to show through, and the detachable hardtop added a practical note that appealed to those attending the presentation. Another plus point was the fact that by adopting an FR layout, Mazda wasn't simply following the crowd – it was staying true to its philosophy of making unique products, and it would be a perfect stablemate for the rotary-engined RX-7.

Santa Barbara Adventure

With the convertible idea approved, the concept was set in stone, calling for a front-engined rear-wheel drive sportscar that was steeped in LWS tradition, whilst employing the very latest technology. But there was a problem. Mazda was so tied-up with other work, there simply wasn't the staff available to move the open two-seater project forward. As a result, the company approached IAD (International Automotive Design – an engineering company based in England) to make a running prototype of the MANA proposal, with design and modelling staff from America on hand to supervise the styling, while IAD did the chassis work based around the first generation RX-7; motive power and the drivetrain came from a rear-wheel drive Familia (323).

The prototype, featuring red paintwork and a black soft-top, was finished in September 1985 and duly shipped to America. The MANA staff decided to test the vehicle in Santa Barbara, being careful not to reveal the car's identity. The reaction was encouraging, with lots of questions and admiring looks during the day. It was a good omen, and a perfect foundation on which to create two more clay models that pointed the way towards the final design.

The moving prototype that ran at Santa Barbara

Mass-Production Development

With Kenichi Yamamoto declaring "this car has an aura of culture," Toshihiko Hirai was appointed the Project Program Manager in February 1986, tasked with bridging the huge gap between ideas seen in a prototype and the harsh realities involved in making them ready for mass-production. Volunteering for the job, Hirai was the perfect man for this difficult undertaking, being a passionate engineer able to take things from the draughtsboard all the way through to a completed vehicle, and even having some sales experience in the late-1970s. His involvement was a giant step forward in making the MX-5 a reality.

With the factory still working flat-out on other projects, Hirai managed to put together a team of engineers, although some were forced to work outside their specialist field due to staff shortages. But with everyone pulling in the same direction, working via a shared philosophy, and gathered in the same area (a fifth floor office above the design center garage, later nicknamed the Riverside Hotel), progress was made, helped along by others joining the fray after their main work was finished, just to be part of this exciting project, meaning long hours for all involved.

There were no compromises. The Jinba-ittai philosophy developed by Hirai and his team called for a low overall weight with equal distribution over the front and rear axles, a low yaw moment of inertia, a low center of gravity, the engine placed as far back as possible, a PPF brace, a double-wishbone suspension, and an easy-to-use soft-top. These features would ultimately be carried through from one MX-5 generation to the next.

In the background, the styling team in Hiroshima built on the designs submitted by MANA in America, adding elements of traditional Japanese culture and beauty into the equation, taking the car ever closer to mass-production status.

A near-production prototype was sent to Los Angeles in the spring of 1987 to take part in a clinic to gauge reaction, and firm-up specifications and pricing. A total of 245 people attended, split into 30 groups, with the concept and design gaining high marks. US distributors also offered an encouraging voice, most requesting the vehicle be made available immediately. It was enough to silence the last remaining doubters in head office, and indeed, enabled the proposed production date to be pushed forward. To ensure this was possible, a 'design freeze' was declared in September 1987.

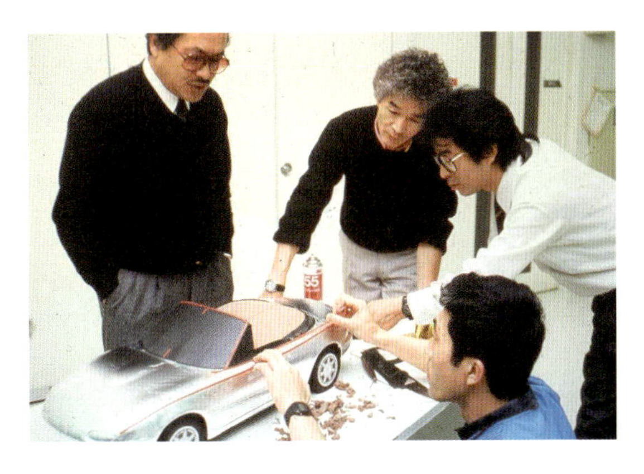

History Of Exterior Design

September 1984

December 1985

March 1986

July 1986

January 1987

July 1987

Launch Of A Legend

The world premiere of the MX-5 took place at the 1989 Chicago Auto Show. Five years had passed since the first seeds had been sown, with three of those years being mass-production development. The Mazda team had to overcome many hurdles during this time, but seeing the red, white and blue cars on display in Chicago made everything worthwhile. There was also a yellow Club Racer concept on the Mazda stand, but the extra effort was hardly necessary, for the press was ecstatic about the showroom model. There may have been a record chill outside the halls, but the arrival of the MX-5 guaranteed that the Mazda stand was busy every day.

After the Chicago Show, there was a strong request from the Japanese media for a speedy domestic launch, and to make test cars available. Mazda Roadster fever was gripping sportscar fans, too. Pre-orders were taken from the end of July 1989 for the home market, and there were chaotic scenes at all 46 places where bookings could be made.

1989 Chicago Auto Show

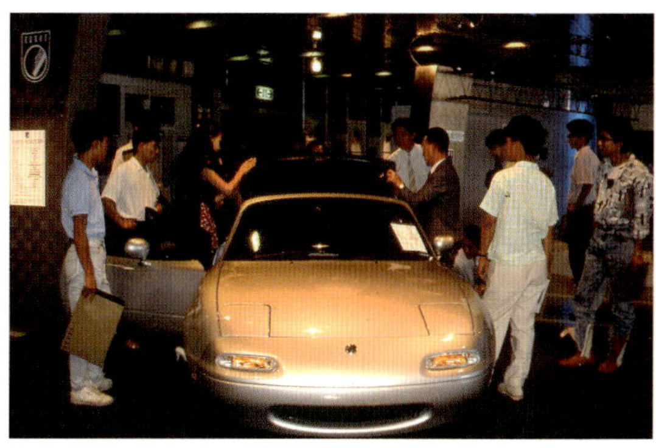

The first Roadster reservation meeting in Japan

Message To Commemorate 30 Years Of The MX-5

Bob Hall

Ex-motoring journalist who suggested the lightweight sportscar project, and duly joined MANA (now MRA) in 1981 on the recommendation of Kenichi Yamamoto

First and most importantly, it's been a great honor to be involved in the LWS project. Some folks have called me the 'Father of the MX-5', but I cannot possibly take that much credit. I had an idea, but if it were not for the vision of Yamamoto-san and the faith he had in the concept, it would have remained an idea and little more. The only person who's deserving of the 'Father of the MX-5' title is Kenichi Yamamoto.

But the people who were – and continue to be – the most instrumental in the fact that the MX-5 has been through four generations, with more than a million sold worldwide, are the buyers who recognize that driving should be fun. To them – past, present and future – I wish to say a big thank you! They are fortunate to be able to experience this unique car.

Tom Matano

Car designer, who joined MRA in 1983 following Bob Hall's recommendation. Responsible for the MX-5 concept

Looking back, the idea was to create a car you could love – the kind of car you'd drive just for the sake of it. You'd use it to get to work, then take the long way home to enjoy the scenery and the light dancing off it, and give a glance over your shoulder after putting it in the garage at night. Of course, times change, and family commitments might mean the need for a bigger vehicle. But the shared memories will be strong, prompting a return to the model in later years, perhaps even restoring one. I couldn't imagine what the MX-5 would be like in 30 years, but Mazda has stayed true to the concept of building a car you can love. I'm so happy to have been able to be involved with the LWS project from its earliest days...

FIRST GENERATION

The original MX-5 was inspired by the lightweight sports car (LWS) models that were incredibly fashionable in Europe and America in the post-war years through to the 1960s. Only a threat to outlaw open cars balked their popularity. However, this attractive concept would be revived using the very latest technology, adding modern reliability into the equation. It would be a new generation car for a new generation.

The Concept

Lightweight sportscars were primarily designed to be fun to drive, with their nimble handling and unbeatable feedback giving the driver a feeling of what Mazda calls Jinba-ittai – a term that roughly translates into a oneness between horse and rider.

The majority of traditional LWS models employed a front engine, rear-wheel drive (FR) layout, and a two-seat convertible body. Mazda would take this package from a bygone age, adding elements that would allow the new car to hold its own heading into the 21st century. To achieve Jinba-ittai, a number of key targets were formulated:

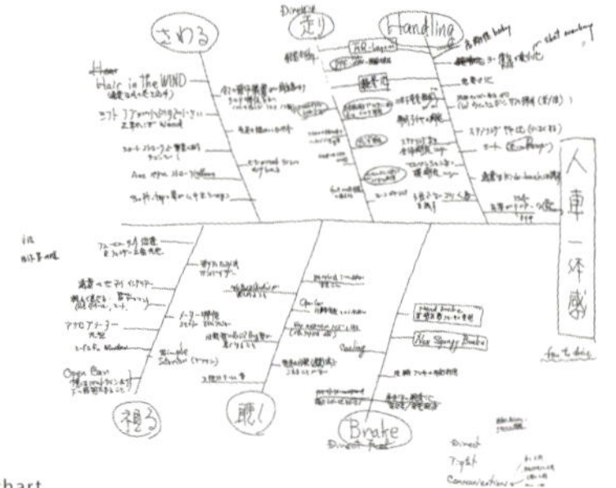

Fishbone chart
(in the early stages of development, the phrase "Jinsha Ittai Kan" (feeling of unity between car and driver) was used)

- All components must gel in a way that provides the ultimate form of communication between the vehicle and its driver, whilst also allowing a sensation of unity with nature.
- The creation of a cockpit that appeals to the five senses, focusing the driver in order to extract the car's maximum potential.
- Driver enjoyment must be put first, ahead of high-performance.
- The car must be endowed with quick and direct responses for perfect control.

In order to obtain the desired Jinba-ittai feeling, a fishbone chart was created as a checklist. The backbone was connected to six main headings – styling, handling, braking, driving enjoyment, tactile sensations, and sound – which in turn where connected to a series of pointers and specific components that helped please the senses within a given category. Constant reference to this now-legendary chart would ensure perfect harmony between the car and its driver. However, this chart was not only there to help create an exciting sportscar, it would also ensure the owner would remain happy with it many years into his or her ownership. This noble goal was actually a stated theme during development, and needless to say, the Jinba-ittai concept has been carried over for each of the four generations of Mazda roadsters.

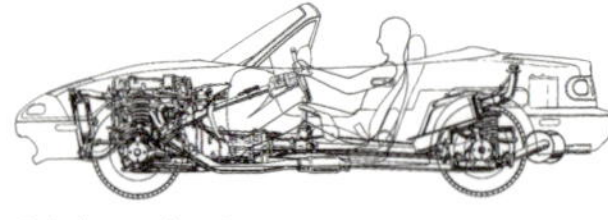

Side layout drawing

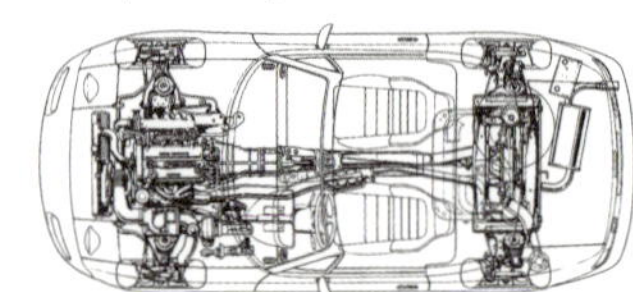

Overhead view layout drawing

Packaging

In order to realize the targets set out during development, the Mazda MX-5 was remarkably compact. With a wheelbase of 2,265mm, it had an overall length of 3,970mm, a width of 1675mm, and a height of just 1,235mm. These dimensions ensured that a low body weight could be achieved, generally enhancing the car's overall performance characteristics. It was in the packaging, though, where the concept was honed, with the final product displaying 50:50 weight distribution, a low yaw moment of inertia, and a low center of gravity – essential ingredients in sportscar design.

To improve weight distribution, the traditional FR layout was refined by moving the engine back over the front axle as far as possible, almost to the point of the car having a front midship configuration. Other heavy components, such as the fuel tank, were also moved within the wheelbase, all with the goal of balancing the vehicle's weight equally over the front and rear axles and lowering the vehicle's yaw moment of inertia in mind. Further thought can be seen in the aluminium bonnet (which reduced overall weight as well as lowering the center of gravity), and the lightweight battery being situated in the trunk to counter the engine's bulk. At the same time, enough luggage space was provided for a short trip for two.

Other important factors in enhancing the 'Jinba Ittai' experience included the adoption of a double-wishbone suspension on all four wheels, and a special item called the Power Plant Frame (or PPF). The PPF was an aluminium structure that braced the tail of the gearbox and the nose of the differential casing, vastly improving response to throttle action.

The trademark packaging seen in the original MX-5 is a reflection of Mazda's philosophy for all the roadsters that followed...

Bare chassis

Exterior And Interior Design

Not surprisingly, the exterior styling philosophy first and foremost called for lines that would hold an exceptional level of appeal. This is easier said than done, but using continuous curves, the designers drew on the subtleties of Japanese beauty, using light and shadow to play on the panels and create movement in much the same way as a traditional Noh mask would when worn by an actor. These vibrant reflections – later coined 'Echo and Sparkle' – can still be seen in Mazda's cars to this day, although Soul of Motion is the current term used at the company.

The open car configuration led to a huge amount of research on windscreen angles, mirror shapes and sizes, and so on, in order to control buffeting in the cockpit. A signature feature of the first generation MX-5 was the pop-up headlights, which were a Mazda sportscar hallmark, while the rear lights were styled to give the roadster a distinctive identity at the other end. Initially, colours were restricted to Classic Red, Mariner Blue and Crystal White, with Japan adding a Silver Stone Metallic shade to the palette.

Japanese culture was called upon once more for the interior, with a traditional tearoom providing the inspiration; this translated into a tight space with simple, minimalistic furnishings, and a feeling of anticipation. In typical LWS fashion, a T-shaped dashboard was employed, complete with large diameter, easy-to-read gauges, while high-back seats were specified to hold the passengers firmly in place.

Rear view

Interior

Chassis Development

The suspension was designed from a clean sheet of paper. As such, in a first for Mazda, a double-wishbone suspension was selected for both the front and rear, giving engineers and users alike a greater degree of freedom in setting the car up. It also had the advantage of keeping the tires in better contact with the road, giving consistent handling.

In line with Jinba-ittai goals, analysis and testing methods were changed in order to reduce mass to a minimum whilst retaining strength, and, as a result, Mazda was able to bring the weight of the double-wishbone suspension down to that of a comparable strut suspension. Costs were also kept in check by clever design work, such as common dies for suspension arms and crossmember components.

Steering was via a rack-and-pinion system, with the rack diameter increased to enhance direct feel through the wheel. A manual (non-assisted) and power-assisted steering set-up was offered, with the former giving a fast 3.3 turns lock-to-lock, while the power-assisted (PAS) option reduced this figure to just 2.8 turns lock-to-lock.

Ventilated disc brakes were specified up front, with solid discs used for the rear. In a bid to reduce the yaw moment of inertia, callipers were placed on the trailing edge of the front discs and the leading edge of the rear ones.

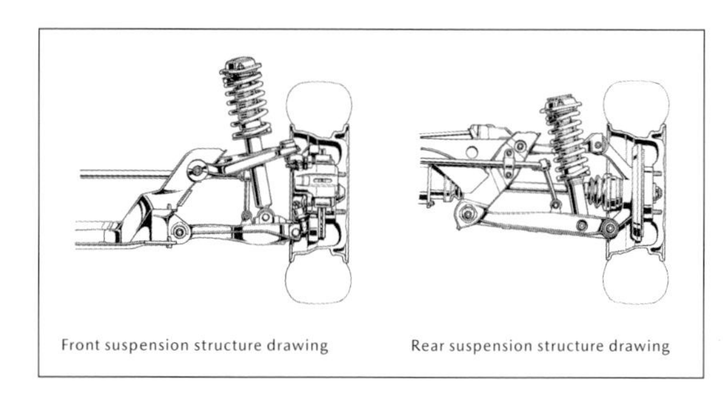

Front suspension structure drawing   Rear suspension structure drawing

The 185/60 R14 tires were mounted on 5.5J wheels, which were supplied as either plain steel rims or seven-spoke alloys (seven spokes were chosen for their dynamic looks, and to reduce weight compared to the traditional eight spokes). The tires were designed especially for the Mazda roadster, the tread pattern offering enjoyable handling, while a 10% weight saving was a useful bonus.

The Power Plant Frame (PPF)

Made from lightweight forged aluminium alloy, with strategically-placed cut-outs to retain strength but keep weight to a minimum, the Power Plant Frame was designed to deliver a more direct level of feel for the driver by reducing the time-lag created via the movement of components in the driveline. With an FR layout, the nose of the differential casing constantly tips up or down a small amount in tune with acceleration and braking, but the PPF eliminates this movement, giving a noticeable improvement in throttle response and refinement. An additional benefit was the reduction in mounts and strengthening pieces required, meaning a further trimming of body weight.

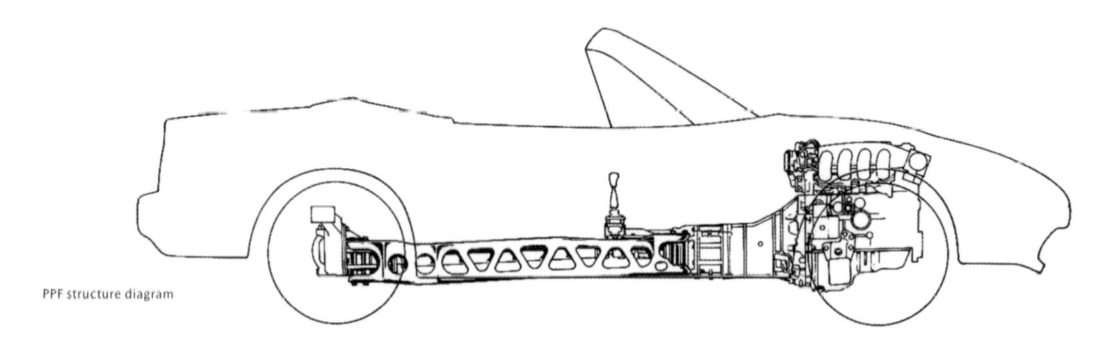

PPF structure diagram

The Powertrain

The powertrain was naturally developed to provide stimulating performance, but providing the owner with an attractive engine bay was also part of the MX-5 concept.
The starting point was the transverse-mounted engine from the second generation FF 323/Familia, which was converted to sit in an inline position with rear-wheel drive. In its new guise, with a cast-iron block and a pentroof aluminium alloy head with a central plug and revised valvetrain mechanism, the 16v four-cylinder 1.6-liter DOHC unit was given the B6-ZE (RS) moniker.
The B6-ZE (RS) had a 78.0mm bore and an 83.6mm stroke to give a displacement of 1597cc. With a 9.4:1 compression ratio and an electronically controlled fuel-injection system, it developed 120ps at 6,500rpm, along with 14.0kg-m of torque at 5,500rpm. In line with development goals, the unit's red-line was increased to 7,200rpm (as opposed to 7,000rpm for the 323/Familia engine) thanks to a fully-balanced crankshaft and lightweight con-rods, while response was dramatically improved throughout the rev-range.
An aluminium alloy oil sump and radiator were employed to save weight, along with a stainless steel exhaust manifold instead of a traditional cast-iron one. Mechanical noise was reduced to a minimum, but the exhaust sound was given special attention, emphasizing the car's sporting nature.
The engine compartment's appearance was enhanced through the use of a cast aluminium camshaft cover that accentuated the car's high-performance twin-cam set-up. Other than the embossed lettering, it was deliberately left with a plain finish to give a pleasing look of functional beauty. Doubtless, enthusiasts will have spent many happy hours polishing it over the years!
Regarding the close-ratio five-speed manual transmission, engineers concentrated on making the shift quality positive combined with a light action. This was achieved by employing short strokes for gear selection, a low inertia clutch disc, and large diameter synchronizing cones. At the time, the 45mm 'flick of the wrist' stroke was the shortest domestic mass-production manufacturing techniques would allow. For the ultimate in sports driving pleasure, the MX-5 was offered with a viscous limited-slip differential as an option.

B6-ZE [RS] engine

A Combination Of Lightness & Rigidity

One of the major problems with an open body is retaining the shell's rigidity, especially with cars that have been converted from coupes, unless one adds a lot of strengthening pieces, leading to additional weight. However, the steel monocoque body of the MX-5 was designed as a convertible from the very beginning of development, and with the help of the most up-to-date computers available. As such, through careful design (the central tunnel and continuous lattice structure employed for the body were crucial elements in securing top class rigidity, as well as the A-posts and sills), it was exceptionally strong, but tipped the scales well within targets.
To improve handling, all overhanging parts were made as light as possible, with the bumper beams being an excellent example, made from resin using the latest blow molding techniques.
Regarding the soft-top, good use was made of the experience gained with the RX-7 Cabriolet and domestic market Familia Cabriolet, as well as valuable input from the respected English engineering consultants, the International Automotive Design company (IAD). The end result was a practical and well-trusted convertible top that was easy to operate, with a lightweight zip-in vinyl rear window offering greater ventilation options for the driver. For those who wanted the utmost comfort for winter weather, an attractive detachable hardtop made from sheet molding compound (SMC) was made available as an option.
For North American market, driver's side SRS airbag was a standard equipment for MX-5 and it was the first fitment for Mazda cars ever sold in the global market.

Detachable hard top

Production Changes To Match The Era

The MX-5 was forced to undergo a number of changes to meet regulations and so on, but with each upgrade, the original concept was kept without question.
In 1990, a four-speed automatic transmission was offered as an option, and in the same year, the V Special grade with green paintwork and a tan leather interior was added to the line-up.
1992 saw BBS wheels and Bilstein dampers introduced for the S Special, while the following year brought with it airbags and side-impact bars for added safety, along with a 1.8-liter BP-ZE (RS) engine that delivered 130ps at 6,500rpm and 16.0kg-m of torque at 4,500rpm. At the same time, the final-drive ratio was revised to 4.100:1, rigidity increased, and the suspension improved, all without any loss of the Jinba-ittai feel that had made the car so popular.
In 1995, the final-drive ratio was changed again, this time to 4.300:1, and while low-speed running quality was enhanced, the adoption of a new ECU and a lightweight flywheel helped top-end performance as well.

Vintage-oriented V special

More sports-oriented S special

A Car Loved The World Over

The MX-5 was officially launched at the Chicago Auto Show of February 1989. It made a huge impact everywhere it was displayed, with the press and public alike.
A few months later, in July, reservations started being taken for the Eunos Roadster (the early cars were given the Eunos Roadster moniker in Japan, by the way, the Eunos element coming from the name of Mazda's domestic sales channel that handled the two-seater and several other models at that time), with long queues forming by those eager to buy one.
The original MX-5 was listed between 1989 and 1997, with around 450,000 units sold, proving the adoration people attached to this small, fun-to-drive sportscar in all corners of the globe.
The first generation model, by putting the driver first, revived the LWS market and duly became the benchmark for other manufacturers. Since then, three more generations have followed, but, in each case, Mazda has never wavered from the goals set out for the original car. The desire to create the ultimate lightweight sportscar lives on...

Toshihiko Hirai
1st Generation MX-5 Program Manager

When I first became the original MX-5 program manager, the project had been rubber-stamped, but the budget was limited, as were the number of staff available. In addition, as a breed, the lightweight sportscar was becoming a real rarity, and I couldn't help wondering if we could ever bring back the small convertible under such conditions. But as a band of enthusiasts giving maximum effort, the car was ultimately realized, and then so well-received that it was allowed to evolve following the exact same concept we'd laid out all those years ago. Few would understand how difficult it is to create such a vehicle in the face of unfavorable regulations and circumstances, especially those confronting engineers today, but I hope Mazda can continue its noble pursuit of providing fun-to-drive cars far into the foreseeable future.

Note: The above picture and comments are as of 2014.

SECOND GENERATION

The original MX-5 garnered many fans from all over the world during its nine years of production. But things had moved on, both in terms of engineering and regulations, meaning it was time for Mazda to overhaul the roadster concept in order to keep it up-to-date and uphold the company's policy of endowing its sportscars with the very latest technology available. In addition, customer interest had grown in areas like safety and comfort, leaving the creation of a brand new model as the only way forward. The new car was duly released in January 1998...

New Body, Same Soul

While there was little choice in adopting a new body for the second generation MX-5, Mazda's engineers were determined to leave the roadster's attractive Jinba-ittai spirit intact. Indeed, one of the key objectives was to build on the original concept in such a way as to make the new car appeal to an even wider audience. While the first generation model was undoubtedly a 'Fun' car, as was intended from the start, its replacement would be developed using the phrase 'Lots of Fun'.

The Second Generation Car's Concept

With the 'Lots of Fun' image established as a firm starting point, Mazda's engineers broke down the concept into three main categories in order to create a set of goals that would guide the program team through the car's development:

- The 'Fun of Styling' heading included a desire to produce a vehicle that was instantly recognizable as a Mazda roadster. It would be dynamic, yet possess a timeless simplicity that would allow it to age gracefully.
- The 'Fun of Sports Driving' dictated that the car's controls and response would be like an extension of the driver's mind and body.
- The 'Fun of Open Air Motoring' would aim to enhance the roadster's sophistication in open mode to increase enjoyment in all four seasons.

Inherited Packaging

Development of the first generation MX-5 highlighted that packaging was the most important factor in establishing the feeling of Jinba-ittai. A compact body size combined with a comfortably tight interior space was a feature that was carried over, along with an FR layout, a double-wishbone suspension set-up on all four wheels, and, of course, a Power Plant Frame. The second generation car was almost the same size as the original. With a wheelbase of 2,265mm, it measured 3,955mm in length, 1,680mm in width, and had an overall height of 1,235mm. As before, weight distribution was a level 50:50 front to rear, with weight-saving measures such as fixed headlights helping to keep bulk in check.

Bare chassis

The new car sported improved aerodynamics and cooling, and on the practical side, better visibility thanks to the high-efficiency headlights and glass rear screen, plus a larger trunk area due to the battery and spare tire being moved to an underfloor position. This not only increased the luggage capacity – upped from 124L (VDA) to 144L – but also lowered the car's center of gravity at the same time.

Design Refinements

The stylists were given a difficult job of creating a balance – it was considered that the car should be an obvious evolution of the original, yet also look different enough to give the impression of a new model. The use of continuous curves was inherited from the first generation roadster, with a stronger line adopted for the top of the fenders and trailing edge of the bootlid to add a more dynamic character and express movement, even when the car was stationary. The frontal styling was dominated by the newly adopted fixed headlights and a reprofiled air intake – free of gimmicks, fresh, and somehow still familiar.

Rear view

Interior

Regarding the interior, the basic T-shape dashboard and concept of the first generation model were carried over, but the stylists amplified the sporting image, adding more sophistication and function into the package, in keeping with the times. A new three-spoke steering wheel with a compact airbag was employed, designed in conjunction with Nardi, and the gauges were given fresh calibrations (six-speed manual models were given meters that had the zero on the speedometer and tachometer at the six o'clock position, for instance) and revised coloring to further strengthen the car's sporting credentials. Practical advances included the adoption of cupholders, along with a larger glovebox and door pockets.

A Powertrain That Responds To The Driver's Will

The second generation roadster was offered with two inline four-cylinder powerplants – the 1.8-liter BP-ZE (RS) engine, and the 1.6-liter B6-ZE (RS) unit. Both DOHC units featured improved breathing, giving higher power and torque output, better response, and smoother running throughout the rev-range.

The 1.8-liter powerplant was given a variable intake control system, delivering greater efficiency by changing the intake port shape to best match engine speed, while a new 4-2-1 exhaust system was adopted, with the silencer size increased to improve gas flow and reduce back-pressure. With a bore and stroke of 83.0mm x 85.0mm, and a higher compression ratio (increased from 9.0:1 to 9.5:1), the unit produced 145ps at 6,500rpm, along with a maximum torque figure of 16.6kg-m at 5,000rpm.

The 1.6-liter engine also gained the variable intake system (VICS) and 4-2-1 exhaust configuration, improving response and fuel efficiency, as well as top-end torque. In this latest guise, the unit gave 125ps at 6,500rpm and 14.5kg-m of torque at 5,000rpm, delivering useable power throughout the rev-range for added driver enjoyment.

The 1.8-liter engine was mated to a newly-developed six-speed manual transmission (6MT), while the five-speed gearbox (5MT) used on the 1.6-liter model was given further refinements. With the short 'flick-of-the-wrist' shift of the

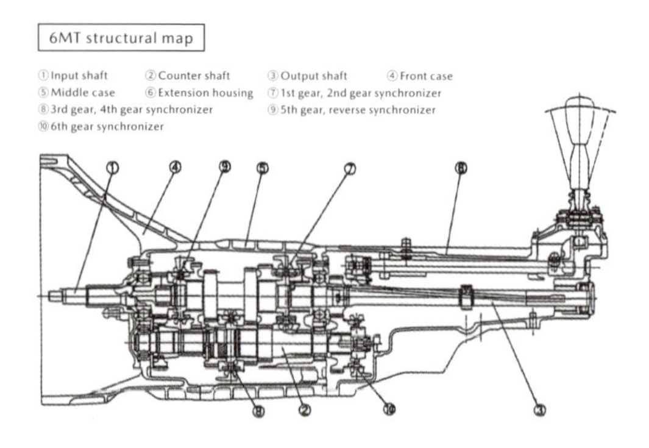

original MX-5 still very much in evidence, the new 6MT unit, with only the top gear overdriven, allowed the driver to enjoy the sporting nature of the engine to the full. A limited-slip differential came as standard on domestic 6MT and certain 5MT grades, and was available as either an option or part of a package for manual cars in most countries.

At the same time, the four-speed automatic transmission (4AT) was enhanced with electronic control improving shift quality and giving faster response in the gear hold mode, making the automatic option a lot more sporting compared to earlier versions.

Chassis

The double-wishbone suspension that had become such an essential Jinba-ittai ingredient for the first generation model was carried over, albeit in a more matured form. For instance, the track width was wider at both ends, spring and damper units gained different mounts, the geometry was revised and optimized up front, and the suspension stroke increased at the rear. These changes enhanced the car's high-speed stability, and helped generate more linear handling characteristics. At the same time, the steering mounting system was made stronger to further improve road feel and feedback, while the four-wheel disc braking system was much the same, with ABS available on certain grades.

To Feel The Breeze

The soft-top was refined via the adoption of a glass rear screen, giving better weatherproofing, a reduction in wind noise, and the benefit of a heated rear window – a useful addition for those using the car all year round. Other parts within the soft-top assembly were revised in order to compensate for the extra weight of the glass window, to the point where the finished article was actually lighter than the original version! Another bonus was that it was no longer necessary to unzip the rear window before dropping the hood.

With experience gained from the RX-7 Cabriolet, a new 'windblocker' panel behind the seats made winter driving a lot more comfortable by reducing cockpit buffeting and cutting out drafts that tended to swirl around occupant's legs with the car in motion.

A great deal of effort was made updating the audio components, with Mazda and BOSE working together to create a high-quality yet lightweight system that would perform perfectly even in a demanding open car environment. Ultimately, a compact 200W amplifier was linked to a pair of eight-inch woofers and another pair of smaller tweeters, with the head end incorporating a CD player and radio. This BOSE system was standard on some cars, optional on others.

A Body With Greater Rigidity And Safety

The rigidity of the body was increased in order to extract the maximum benefit from the suspension system and enhance ride comfort. This was achieved by careful computer analysis of the shell, revealing any potential weakness points, and allowing engineers to add strengthening pieces in strategic areas to cope with the performance of the latest powertrains. Equally, the computer programs helped pinpoint places where weight reduction was possible, either via thinner panels or the complete deletion of unnecessary parts.

Front and rear crumple zones were incorporated into the design, so that even the most stringent of regulations and crash tests could be passed with ease. Repair costs from lighter accidents were reduced thanks to easier bolt-on parts replacement, although the exotic aluminium bonnet was still considered a must for keeping weight down to a minimum.

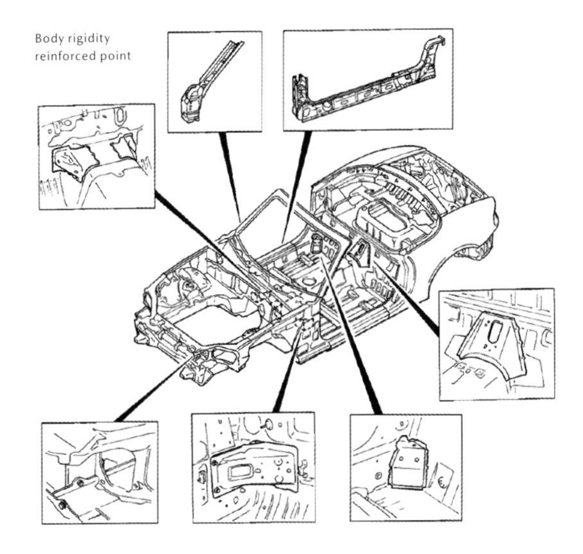

Continuous Improvement

The second generation MX-5 was given a major facelift in the year 2000, with a new front bumper molding and fresh headlight design endowing the car with a sharper image that exuded quality. The 1.8-liter engine gained the S-VT variable valve timing system to deliver a higher power output and better response throughout the rev-range. At the same time, the body was strengthened to further increase rigidity, allowing improved handling and smoother progress. For those after the ultimate in road behavior, the RS and RS-II models came with 16-inch wheels, along with an uprated suspension and braking system.

The 1800 RS-II grade added as a model renewal

"NR-A" (outfitted with dealer options)

Late 2001 saw the launch of the NR-A grade, which allowed enthusiasts to enjoy grassroots motorsports at reasonable cost. This 1.6-liter twin-cam model had an adjustable Bilstein suspension, stronger brakes and a larger capacity cooling system to make it ideal for casual track work at the weekends, but it was equally suited to regular road use as well.

The second generation MX-5's 'Lots of Fun' development theme moved the convertible concept forward in many ways – enhanced power and handling, a body design full of character and superior packaging, and improved safety and comfort for the driver and passenger. The fun element was later boosted by the ability to custom-build a vehicle via the internet, and there was also a coupe version of the car made available to special order. In addition to numerous limited editions, a turbocharged model was also added to the line-up in due course, giving people an almost limitless number of ways in which to enjoy the MX-5 until the new third generation roadster was released in 2005.

By the time the second generation run had come to an end, almost 290,000 had been sold, gaining a new set of fans to augment those already smitten by the MX-5 concept – a concept that had kept Mazda's little sportscar firmly in the number one spot in the Guinness Book of Records as the world's best-selling two-seater convertible. The second generation roadster would provide an excellent foundation on which to build, providing a clear direction for the next generation to follow...

Takao Kijima
1st, 2nd & 3rd Generation MX-5 Program Manager

I took over the role of MX-5 program manager following the retirement of Hirai-san. I'd seen first-hand how difficult it was to create such a lightweight machine from the very start of the roadster project, but the high wall facing us in following such a detailed concept theme to the letter only served to forge the car into something special.

When planning the second generation car, it was obvious that the original had managed to keep its charm intact, leading us to change only what was absolutely necessary. In the background, though, company policy back then stated that a new model had to be capable of sales amounting to 70% of those posted by its predecessor in order to keep a line going. Seeing as the original MX-5 had sold so well, as you can imagine, we were under enormous pressure. I can remember with a great deal of pride the day when we cleared our sales target to make the next generation possible, with the car's popularity in Europe helping to boost the figures.

We'd learned so much during the development of the second generation model that we were able to apply many new ideas to the third, whilst still maintaining the original concepts and distinctive MX-5 character.

THIRD GENERATION

The third generation model continued the traditions established with the earlier roadsters, but signalled a huge jump in the technology stakes, bringing about higher levels of performance and even greater unity between the car and its driver. Whilst keeping the Jinba-ittai concept firmly in mind, with engineers able to start from a clean sheet of paper, almost every part was renewed in order to capture the roadster's charm but still take it forward into a new era. Going on sale in August 2005, in the following year, a power retractable hardtop model was added to the line-up, allowing the two-seater Mazda to appeal to a wider market and garner even more fans.

A Shared Concept

The second generation roadster was based on the platform of the original MX-5, but for this new incarnation of Mazda's iconic sportscar, almost every component was redesigned in a bid to concentrate the Jinba-ittai spirit, ultimately combining to make a car that was yet more focused on driver enjoyment.

Development of the third generation roadster started in March 2002, but with a team of almost 100 people that was largely new and young. This meant a crash course to share the concept and deep meaning of Jinba-ittai – a philosophy that needed to be fully understood before work could commence. Once the educational period was over, each member made a declaration on how they could enhance Jinba-ittai in their specialist field, with the words put together and made into a book, which was then copied and distributed throughout the team as a form of constant reference.

Many test sessions were conducted with older Mazda roadsters and competing machines from rival companies, helping members of the team to gain a clear vision of the development theme and duly refine the fishbone chart that was made famous during the genesis of the first generation car. The three basic elements were driving, cornering and braking, with styling, sound and touch added to please all the senses. In reality, the general look of the chart was not all that different to the original, although the details contained within each element were duly updated.

Ultimately, fun was the very essence of the concept. Unity between the car and its driver was of paramount importance, but equal effort was put into making the vehicle attractive to look at, as well as easy to convert into an open car. Not surprisingly, the 'Lots of Fun' theme was carried over from the previous model.

Design Image

The starting point for designers was to analyse what had made the first two generations so popular. The concensus was the low body height, the flowing shoulder line and the car's excellent proportions. These fundamental elements would be taken and allowed to evolve in a thoroughly modern fashion under four headings: Simple, contemporary, fun, and friendly. As with its predecessors, bold character lines were pushed aside, with surface reflections used to give the roadster a subtly different image when viewed from different angles, as well as accentuate the vehicle's athletic volume and a latent sporting prowess to give a dynamic form.

Exterior design

Interior design

For the interior, the concept was to create a perfect balance between the sense of comfortable tightness and airiness within the cockpit. The basic themes found in the earlier cars were carried over, but modernized in a bid to add more emotion and sporting content into the equation. Sharper lines were used to highlight the T-shaped dashboard and center console, enhancing the feeling of strength and quality.

A Change In Body Size

The specification called for a reduction in the yaw moment of inertia, an even lower center of gravity, and the engine and fuel tank as close to being within the wheelbase as possible. At the same time, cockpit space had to be increased for taller drivers, so the wheelbase was extended by 65mm to 2,330mm. Careful design resulted in an increase of just 40mm in overall length, taking the total to 3,995mm, while the width increased by a similar amount. This was the absolute minimum engineers could allow due to the addition of side airbags.

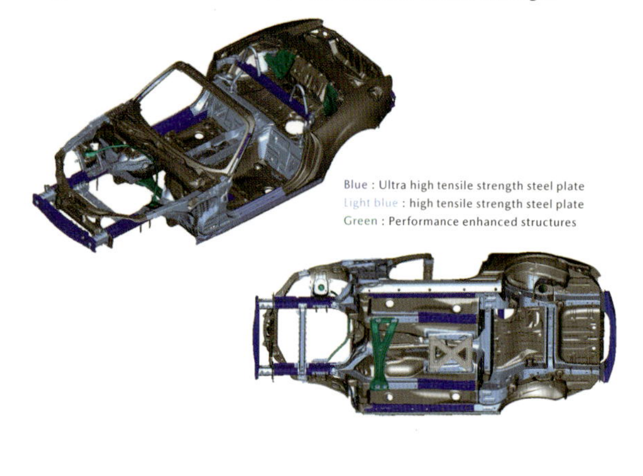

Safety body with 4 airbag systems

Naturally, compact dimensions were a must for the MX-5, but so was low weight. The latest CAE technology was employed to keep the third generation body as light as possible, with the choice of metals (such as the use of super-high tensile steel) crucial in retaining the shell's rigidity for the minimum weight penalty. Compared to the second generation body, bending rigidity was improved by 22%, and torsional rigidity by a massive 47%; at the same time, the body-in-white was 1.6kg lighter.

Like the earlier cars, the new MX-5 used an aluminum bonnet (or hood) and an alloy PPF brace, but further weight reductions were gained through an aluminum bootlid outer panel that used groundbreaking friction welding technology to secure the sheet metal to its steel reinforcement, alloy front suspension control arms and rear hub supports, alloy brake callipers, and the adoption of alloys for numerous other smaller parts. Plastics were employed for items like the engine head cover and intake manifold, while high-tensile steel was used for the seat frames, and the front stabilizer bar was made from hollow tubing to save a few more grams.

On the subject of grams, a 'Gram Strategy' team was given the job of eliminating bulk wherever possible, even if the resulting loss was as low as a single gram. This was done through 3D modelling and extensive testing, ultimately leading to things like flanges being shaved and fasteners shortened to keep weight under control. As a result of these efforts, despite a greater level of safety and creature comforts compared to the second generation car, overall weight increased by just 10kg.

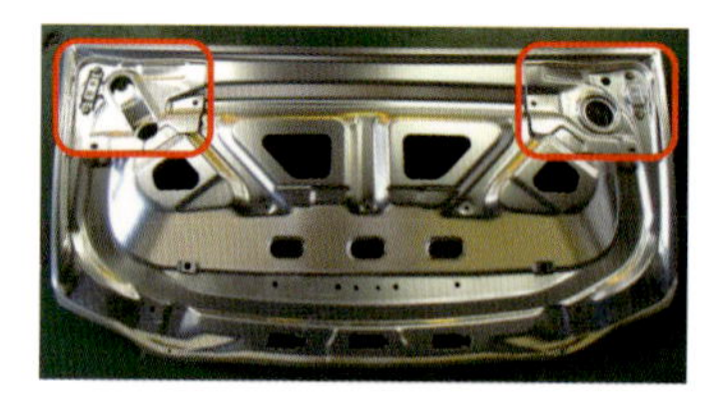

Achieving Perfect Balance

In order to obtain the ultimate handling control, a 50:50 front-to-rear weight distribution ratio is highly desirable, as is a low center of gravity and a low yaw moment of inertia. As established with the first and second generation cars, this can be achieved through the careful packaging of components. The engine was moved 135mm rearwards thanks to the air conditioning control unit being made smaller, and the battery was moved from the trunk to a new position ahead of the engine, allowing it to sit 265mm closer to the vehicle's center of gravity. At the same time, the underfloor fuel tank was moved further forward and lower than before. Compared to the second generation roadster, the third generation car sported a center of gravity that was 18mm lower, and a 2% reduction in the yaw moment of inertia.

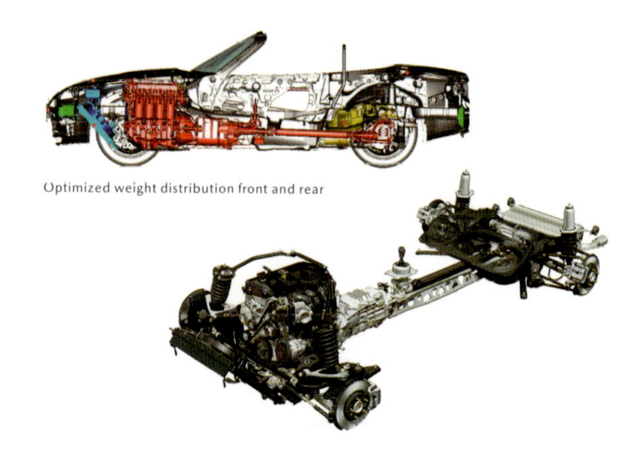

Optimized weight distribution front and rear

A Fresh Powertrain

The powertrain was revised in order to give even faster and more linear response, to further enhance driver enjoyment. The 2.0-liter inline four-cylinder LF-VE engine was chosen for the job as the main unit, converted from the FF-configuration MZR unit to match the open car's front midship rear-wheel drive layout. Adopting sequential valve timing (S-VT) on the intake side, a variable induction system (VIS) and a high compression ratio, it developed 125kW (170ps) at 6,700rpm (122kW (166ps) on automatic cars), and 189Nm (19.3kg-m) of torque. Moreover, applying the latest technology allowed around 90% of peak torque to become available from just 2,500rpm, with the torque remaining relatively flat thereafter.

LF-VE engine + 6MT

The European market was supplied with a 1.8-liter version of the all-alloy unit giving 93kW (126ps) at 6,500rpm, along with 167Nm (17.0kg-m) of torque at 4,500rpm. Generally speaking, this was an optional 1,798cc engine for EU countries, available alongside the 1,999cc one.
The car was available with a newly-developed six-speed manual transmission (6MT), combining carefully chosen close ratios and short shift strokes to provide a sporting feel. A triple-cone synchromesh was provided on the lower four speeds to make changes even swifter and easier, while the shift linkage used low-friction bushes and a new guide plate to give a smooth and direct action. The 5MT gearbox was also improved.
The automatic transmission was completely revised, becoming a 6AT unit that allowed stronger acceleration, whilst at the same time improving fuel consumption and refinement at higher cruising speeds. In addition, shifts could be executed via the traditional-style gear selector on the transmission tunnel, or by paddles mounted on the steering wheel.
In keeping with the Jinba-ittai concept, the engine and transmission combined to give the ultimate in driver involvement and lively performance, the strong acceleration feel being backed up by comfortable sporting sounds from the engine, intake and exhaust systems.

The Suspension System

The suspension was designed to achieve the functions one expects from a LWS model, such as nimble and linear handling, allied to superior stability.
The front suspension consisted of a double-wishbone set-up carried over from the earlier roadster generations, but further refined to give sharper responses to driver input. Alloy control arms were used to reduce unsprung weight, while their length was calculated to keep the tires in maximum contact with the road, with linear control in toe, camber and caster angles according to tire stroke to enhance handling stability.
At the rear, a brand new multi-link suspension system was adopted, with five long links to give vastly improved stability. The rear suspension featured anti-lift and anti-dive geometry for smoother progress under acceleration and braking, while the braking system itself was upgraded via larger rotors, a bigger servo and a revised pedal stroke to give enhanced driver feedback.

Rear suspension

Front suspension

Polishing The Gem

An expert team was put together to perfect the Jinba-ittai character of the car called a 'Unity Feel Taskforce'. These engineers were encouraged to provide visceral information on driving dynamics in addition to traditional technical data in order to achieve predetermined goals in each area of development, such as performance feel, creating balanced handling, fine-tuning the vehicle body's response to driver input, response and feedback from controls (such as the steering, and accelerator, clutch and brake pedals), and the comfort and support provided by the seats.

Soft-Top Refinements

The soft-top was modified in order to bring the joy of driving convertibles to a wider audience. With a single central release handle, the top folded into a Z shape before dropping into its compartment behind the seats. At the same time, assistance springs helped reduce driver effort when closing the top, allowing them to remain comfortably seated whilst carrying out this operation.

To enhance comfort with the top down, the front quarter windows were made smaller, and the windblocker became a mesh version. Combined, these allowed a controlled breeze into the cockpit compared to the older set-up with the board erect.

In addition, improvements to the air conditioning vent layout gave greater warmth around the waist area, duly lengthening the open car season, and a special BOSE sound system reacted to noise interference to maintain sound quality.

Power Retractable Hardtop

August 2006 witnessed the debut of the innovative Power Retractable Hardtop (RHT) model. The electrically-controlled roof came in three sections – a front piece, a central part surrounding the back window, and the window glass itself – folding to sit below a tonneau panel at the back of the seats.

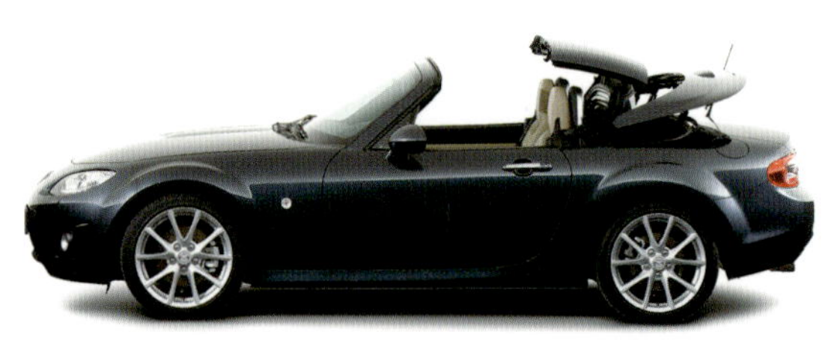

The power retractable hard top model

The deck panel covering the space occupied by the roof operated in tandem with the RHT, opening to accept the metal roof sections, and then closing again once they were stowed underneath.

The RHT was designed in such a way that it was stored completely within the cabin area, so as not to encroach on luggage space, whilst also retaining excellent weight distribution. All components were given the usual 'Gram Strategy' treatment, allowing a weight penalty of just 37kg and an additional 10mm in overall height.

The styling retained the attractive lines of the soft-top model, with the roof opening and closing in 12 seconds (what was then the world's fastest time for such a mechanism) at the touch of a switch. Practicality and a minimal weight gain combined to ensure the driver's enjoyment was untainted.

The Concept Matures

The first facelift came in 2008, with the car sporting a new front bumper section with a pentagon grille shape that was becoming a Mazda signature, along with a sharper headlight, indicator and foglight housing design. Heavier sill sections (or rocker panels) graced the sides, while new rear light units were adopted at the rear. These changes gave the car a stronger image, with the chrome grille surround on certain grades adding an extra touch of class into the equation.

In addition, engine tuning led to a wider spread of power on manual cars, with the red-line moving further up the rev-range, and the roll center height was lowered at the front of the car, giving the steering a more natural feel on initial turn-in.

A second facelift was executed in 2012, with chin spoilers added to each side of an enlarged front grille opening, and a revised foglight design. Throttle response was further improved through tuning of the engine's ECU, the servo was modified for enhanced braking modulation, and a pedestrian-friendly Active Bonnet was added to the specification sheet, popping up in the event of an impact.

2008 renewal model

2012 renewal model

Foundations For The Future

The need for a new platform was forced upon Mazda due to a shift in safety and environmental regulations. Modern design methods allowed the sharing of common architecture with the rotary-engined RX-8, which also had an FR layout.
One of the key elements in Mazda's sportscars was the front midship mounting of the power-unit, making it possible to achieve 50:50 weight distribution and for the MX-5 and RX-8 to use the same production facilities. However, the items that gave the roadster its dynamic character – the body, chassis, powertrain and electrical equipment – were all unique to the two-seater. The same was true for the RX-8, ensuring all development goals were met.

Later generations of Mazda cars would employ the same development theme, with the exquisite unity of performance feel and dynamic efficiency found in the roadster becoming the foundation for all future model development.
More than 230,000 units of third generation MX-5s were produced between 2005 and 2015, raising the bar in the technology stakes, and deepening Mazda's already-strong relationship with its customers. The 25th anniversary edition unveiled at the 2014 New York Auto Show was a fitting finale for the third generation roadster, displayed alongside the chassis of the model that would replace it.

Nobuhiro Yamamoto
3rd & 4th Generation MX-5 Program Manager

I have been involved with MX-5 development for 22 years, eight of which were as program manager of the third and fourth generation models. As such, I'd seen how difficult it was to meet crash regulations with the third generation MX-5, and a slight increase in body size was simply unavoidable at the time, so to offset this, a lot of effort was put into weight reduction and polishing the car's handling in order to retain that Jinba-ittai feeling. After I took over from Kijima-san, we were able to introduce a number of updates and variations that allowed the basic model to continue for a total of ten years.
Advances in technology within the company, some of it realized through the MX-5 project, brought about new architecture that we were able to employ for the fourth generation – moving forward whilst keeping long-established development policies associated with the roadster alive.
Today, as we celebrate 30 years of the MX-5, the car reminds me of Polaris – a star that never changes and always shines brightly...

FOURTH GENERATION

The fourth generation MX-5 followed the long-established concepts of Jinba-ittai and 'Lots of Fun' – keynotes that had ran consistently through the development earlier generations of Mazda's iconic roadster. Moreover, being able to start with a clean sheet of paper, engineers and designers were in a position to recapture the very essence of the original model, and even build on it through the use of the latest Skyactiv technology.

Announced in 2015, this latest incarnation of the MX-5 was joined in the following year by a new RF model featuring a retractable hardtop, melding practicality with distinctive styling, and giving enthusiasts the option of a totally different kind of open-air motoring. Like the soft-top version, this fastback model exuded Mazda's all-encompassing Soul of Motion (or Kodo) design language.

Appealing to the senses and sensations

The significance given to maximizing the Jinba-ittai and "Lots of Fun" experiences means that Mazda did much more than simply develop a compact sports car. Rather, the MX-5 was made to be looked at, to perform and respond faithfully to the driver's will, to deliver a pleasing experience and to emphasize the owner's character. Just having an MX-5 makes life more pleasant and more colorful. The product concept, "Joy of the moment, joy of life," reflects Mazda's hopes that the all-new MX-5 will become a presence in the lives of customers that continues to transcend its existence as a mere car. To convey that desire more purely, the development team devoted themselves to adopting Skyactiv technology and Kodo design to evolve the MX-5, while at the same time working to evolve the essence of what appeals to the senses and sensations through which people enjoy cars.

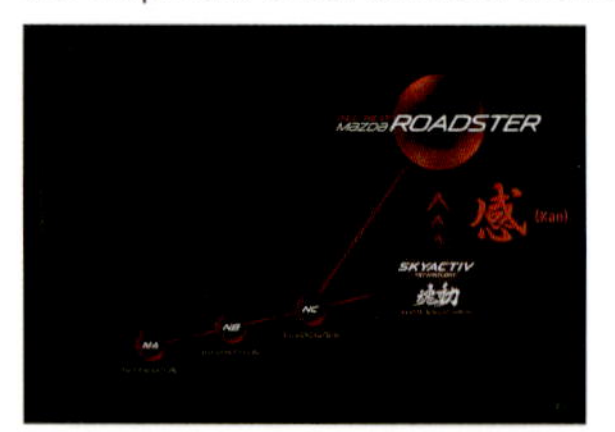

Design

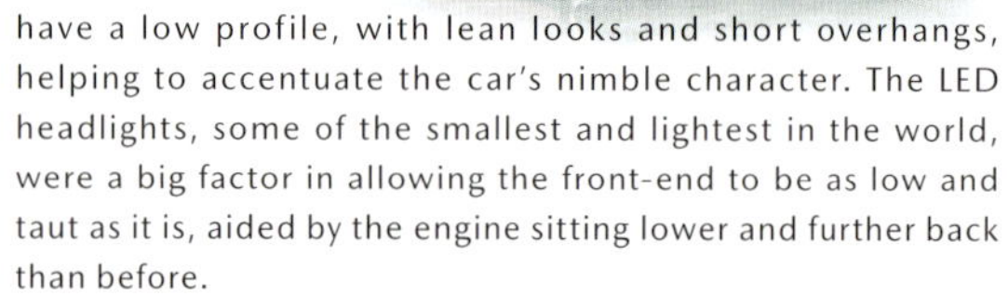

Designers wanted the new MX-5 to have a low profile, with lean looks and short overhangs, helping to accentuate the car's nimble character. The LED headlights, some of the smallest and lightest in the world, were a big factor in allowing the front-end to be as low and taut as it is, aided by the engine sitting lower and further back than before.

While rich Kodo-inspired styling was a must, the designers took an interesting stance in styling the new body, aiming to make the driver stand out with the top down in the hope of conveying the joy of driving to onlookers. For Mazda, a car has always been much more than just a tool. It is a life partner – an expression of the owner's character, and something to interact with, both on a personal level and amongst friends.

Extending this philosophy, the designers decided to better integrate the interior and exterior. These two styling aspects were successfully bridged through the use of door cappings painted in body color. Giving the image of a continuous line down to the top of the front fender (raised to allow accurate positioning during cornering), they reflected the moving light and made the driver feel part of the machine – a feeling further enhanced by the purposeful cockpit, featuring a small steering wheel, a clear set of gauges, and minor controls that expressed simplicity and symmetry.

4th-Generation MX-5

Weight Reduction

The image of Jinba-ittai calls for nimble and lively handling, with the driver feeling in full control. As had been established in previous generations of the roadster, one of the key factors in achieving this is by employing compact body dimensions with weight being reduced to an absolute minimum.
Thankfully, engineers were allowed to apply the latest Skyactiv technology on a brand new body structure, fusing it with know-how accumulated over decades of open car design. Whilst being an evolution of the third generation model in terms of basic layout (albeit with a larger cross-section in the backbone and the creation of more truss shapes for added rigidity), careful construction and the extensive use of lightweight materials, such as high-tensile steels and aluminium, meant that the body-in-white was ultimately around 20kg lighter than its predecessor. With all exterior panels except the doors and window frame being shaped from aluminum, this was the lightest MX-5 shell produced to date, yet also the stiffest and safest.

A new smaller and lighter six-speed manual transmission was adopted to save weight, as was a new differential with the same benefits in mind. Suspension revisions and lighter brake rotors saved 18kg, while the seats were completely redesigned, saving a massive 15kg for the pair. The new design also allowed them to sit lower in the vehicle to improve the position of the car's center of gravity.
Additional weight savings were gained via the 'Gram Strategy' program, with material choice being the first option en route to cutting unwanted bulk, and fine-tuning in other areas (such as drilling holes in components wherever possible to reduce weight without any loss in strength, and trimming any excess on glass, fasteners and welds).

Powertrain

Domestic models were powered by the all-new 1,496cc Skyactiv-G fuel-injected engine, developing 96kW (131ps) at 7,000rpm, with tuning that gave lively and accurate response and a smooth flow of torque from lower revs all the way through to its 150Nm (15.3kg-m) peak at 4,800rpm and beyond.
A great deal of work was carried out to reduce the weight of components, such as the intake system and the 4-2-1 exhaust manifold, and there was a huge improvement in fuel efficiency, resulting in a welcome reduction in exhaust emissions.
This naturally-aspirated 1.5-liter unit, was also available in Europe and other export markets as a base engine, lining up alongside a 1,998cc version, which gave 116kW (158ps) at 6,000rpm, along with 200Nm (20.4kg-m) of torque at 4,600rpm; both sported a very high 13.0:1 compression ratio.
As with earlier generations, the exhaust sound was tuned to be sporting without being harsh, while an induction sound enhancer (ISE) delivered a pleasing note ahead of the cockpit.
Both four-cylinder engines were linked to a new six-speed manual transmission (6MT), with a six-speed automatic gearbox (6AT) as an option. The 6MT unit, with a direct 1.000:1 top gear ratio, was more compact than the one found in the third generation MX-5, with a shift connection that gave light but direct responses, along with the pleasing notchiness found in earlier MX-5s. Combined with a clutch designed to enhance pedal feedback and a revised version of the PPF brace, the driver could feel in complete control of the vehicle.

SKYACTIV-G 1.5 engine

The Laws Of Packaging

Every roadster generation has seen new technology adopted, but the rules of packaging in order to create superior sportscar balance and handling have never changed.
At the front, the new MX-5 adopted a now-traditional double-wishbone suspension, matched with a light and rigid multi-link set-up at the rear. With the help of computer analysis, the suspension was developed to provide a natural feel under braking, controlling the car's shift in weight, and was optimized to provide a crisp turn-in and linear handling characteristics. The fourth generation was the first MX-5 to adopt electrical power-assisted steering, with the double-pinion rack (DP-EPAS) chosen delivering accurate and linear feedback through the steering, adding to the driver's confidence in the machine's reactions.

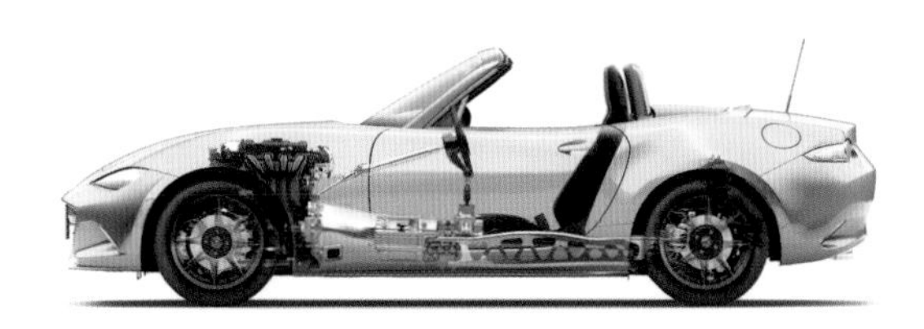

SKYACTIV-CHASSIS

At 3,915mm, the overall length of the body is the shortest of all the MX-5s, while the engine sits 13mm lower and 15mm further back than it did in the previous models. The driver also sits 20mm lower and closer to the car's center, helping to reduce the vehicle's yaw moment of inertia and center of gravity, while the ergonomics were refined, improving visibility, making vehicle controls and switches easier to operate, and the pedals feel like a natural extension of the driver's body.

Appealing To The Senses

The car was designed to appeal to all five senses. The soft-top mechanism was revised to make it even easier to operate from a sitting position, having a light and smooth action, and once down, the windscreen frame, quarter windows and seals were positioned and shaped in such a way as to stop drafts whilst allowing a gentle breeze into the cockpit.
Despite the need to shed as much weight as possible, resulting a car that was around 100kg lighter than its predecessor in certain model grades, the new MX-5 was full of convenience features. To give clear music with the top down, headrest speakers – an idea first seen on the first generation roadster – were put back on the spec sheet, at least as an option, coming as part of the dedicated BOSE sound system. The Mazda Connect*1 (or MZD Connect) system was also available, offering hands-free infotainment.

*1 The name Mazda Connect is used in Japan, US, Canada and Mexico. The system is referred to as MZD Connect in other markets.

A New Variant – The RF

The RF model offered an attractive fastback coupe silhouette in closed form, but at the touch of a single button, about 13 seconds later, it could be converted into something quite different. Making its debut in 2016, the RF model (with RF standing for Retractable Fastback) featured a new type of power retractable hardtop, but with the rear section containing the back window moving upwards to allow the center panels to be stowed away behind the seats. The rear section then dropped back into place, offering those in the car an open-top experience within a quieter and calmer environment. Like the RHT version of the third generation model, there was no discernable increase in body dimensions, and no loss of luggage space. The RF was only available with the 2.0-liter engine, confirming its position as a flagship model.

The RF model launched in 2016

Evolution Of The Fourth Generation

After numerous awards from all over the world and passing the landmark of one-million MX-5s being built, the 2017 facelift made in time for the 2018 season witnessed the introduction of enhanced safety features, led by the i-Activsense package with adaptive LED headlights (ALH), several measures to further improve overall quality, and the availability of three new body colors, including the signature Soul Red Crystal Metallic.

In the following year, the RF's 2.0-liter engine was heavily modified, gaining a fresh fuel-injection system, lightweight pistons and connecting rods, and revised ports and valves to give an improved spread of torque and better top-end performance. The red-line was pushed up to 7,500rpm, with maximum power now standing at 135kW (184ps) at 7,000rpm and 205Nm (20.9kg-m) of torque, lowered at 4,000rpm. At the same time, a telescopic steering column was added to the specification sheet – a first for the MX-5 – along with a number of driver safety aids.

Driving To The Future

The fourth generation car has been exceptionally well-received, following in the previous model's footsteps by winning the 2015-2016 Japan Car of the Year title, along with the 2016 World Car of the Year and World Car Design of the Year double, and numerous other awards worldwide. Not long after, in April 2016, we were able to celebrate the one-millionth MX-5 being built with fans from all over the world.

The evolution of Mazda's roadster continues today, and will continue into the future...

Masashi Nakayama

Chief designer from 2011, moved onto being MX-5 Program Manager and now currently Deputy General Manager at Design Headquarters

As you can imagine, it was a big responsibility filling Nobuhiro Yamamoto's shoes for the LWS project, especially as my first job in the position of Chief Engineer. My initiation began with the production of a video presentation for the management in order to secure the future of the model against the backdrop of an increasingly difficult market for sportscars. It conveyed the spirit of the car, and the strong will of those behind its development through the decades – a passion that has enabled the MX-5 to remain loved by so many 30 years after its birth. The meeting concluded that it was our mission to keep such a car alive. It was a day I shall never forget.

SPECIAL EDITIONS

Within the 30-year history of the Roadster (MX-5 Miata), there have been several unique limited editions and commemorative cars that reflected each era in which they were released. Among them were models that sported worldwide unified specifications, along with small volume production models.

J Limited 1991

Eunos 2nd anniversary car.
This model adopted a "Sunburst Yellow" exterior paint color. Due to high popularity the limited number had to be allocated through a lottery.

M2 1001 1991 [300 units]

Orders for the 300 cars were taken in December 1991, with deliveries beginning in March 1992. Linked to a 5MT gearbox, the B6 engine had a c/r of 10.7:1, a lightweight flywheel, plus a modified ECU and exhaust system, to deliver 130ps at 6,500rpm, along with 15.1kg-m of torque at 5,500rpm. It featured uprated chassis and suspension parts, PAS, wider tires on 15-inch alloys, a rollover bar, and a number of sporty exterior and interior touches.

M2 1002 1992 [100 units]

The second M2 project car.
Announced at the end of 1992, a total of 100 M2 1002s were built, each car featuring a high-grade wood and leather interior treatment. Other changes included a subtle front spoiler and a fresh set of alloy wheels. It was sold exclusively with a 5MT.
It sported the same "Dark Blue Metallic" paint as the M2 1001.

S Limited 1993 [1,000 units]

A luxury model based on the S-special. It was equipped with BILSTEIN dampers, and BBS aluminum wheels. It was characterized by its red interior.

J Limited II 1993 [800 units]

Based on 1.8L special package, it was equipped with headrest seats and sported "Sunburst Yellow" paint. It was mounted on Pirelli P700-Z tires

RS Limited 1994 [500 units]

The Eunos 5th anniversary special edition car. It sported 15-inch wheels, RECARO carbon kevlar bucket seats, neo green paint. It had a 4.300 final gear ratio that improved acceleration performance.

G Limited 1994 [1,500 units]

The "Satellite Blue Mica" body color is combined with a navy-blue top. It is mounted with Ecsaine Ultrasuede bucket seats.

M2 1028 1994 [300 units]

The final production MX-5 roadster-based M2 model was the 1.8-liter M2 1028, of which 300 were built. This 140ps car came with a lightweight version of the detachable hardtop (there was no soft-top), and a host of measures to further reduce bulk, such as an aluminum bootlid and forged alloy wheels. In all, the savings added up to a weight reduction of 50kg.

R Limited 1995 [1,000 units]

Red interior, 15-inch wheels, a navy-blue exterior, and equipped with a final gear ratio of 4.300. It rode on BBS aluminum wheels and "Potenza RE010" 15-inch tires.

VR Limited 1996

The A model had a wine-red body and beige roof. The B model had neo green paint and a green soft top. The Roadster logo is embroidered on its genuine leather seats.

B2 Limited / R2 Limited 1996

The B2 sported "Twilight Blue Mica" paint and a navy-blue hood. The R2 combined a "Shasta White" exterior with a red interior.
It was also equipped with an SRS airbag system.

SR Limited In 1997 [700 units]

The last special edition model of the first gen roadster. It came with leather and nubuck compound bucket seats, buffed 14 inches chrome wheels, chrome-plated door mirrors and torque sensing LSD

10th Anniversary Limited Edition 1999 [7,500 units worldwide]

Based on the second generation 1.8-liter six-speed model with a tuned suspension from the RS, this model had a unique appearance, sporting features such as 'Innocent Blue Mica' paintwork and alloy wheels with a buffed finish. While predominantly black, the interior was given a two-tone look, with blue highlights to blend in with the exterior color. It also featured a BOSE sound system, chrome-plated rings on the outer periphery of the speedometer and tachometer, and a carbonfiber-style center console panel to give the cockpit an even sportier atmosphere.

NR Limited 2000 [500 units]

A 6-speed MT 1.8L model with wine red body paint and a beige roof. It was brimming with luxurious additions such as genuine leather bucket seats, a wood center panel, white meter panel, a BOSE sound system, etc.

YS Limited 2000 [700 units]

Portions of the center panel and door trim are titanium-tone, with the steering and shift knob being two toned black leather and titanium. The body color is black mica. It was designed to be an open top sports car that young people could easily enjoy.

Mazdaspeed Roadster 2001 [200 units]

This model was equipped with an aero kit, 4-stage adjustable dampers, a Mazdaspeed exhaust manifold, and a sports muffler. It sported gold color aluminum wheels and an exclusive turquoise mica body color.

Roadster NR-A 2001

A numbered motorsports use base car. It was equipped with a 1.6L engine, RS grade suspension, large diameter brakes, 4W-ABS, 15 inch wheels, a larger radiator, and LSD.

MV Limited 2001 [300 units]

1.6L model combining a titanium gray body color with a brown red interior. It had genuine leather seat. It came exclusively in 5MT.

SG Limited 2002 [400 units]

This car combines a "Selion Silver" exterior color with a blue series interior and soft top.
It had BILSTEIN dampers, large diameter brakes, and torque sensing LSD.

Roadster Coupe Type A 2003 [250 units]

Mazda E&T produced a small volume of these as a custom made car. The Type A has an authentically designed race image.

Roadster Coupe Type E 2003 [150 units]

Roadster Coupe Type E was the refined, elegantly designed. Exclusively in 1.8L 4AT.

Roadster Turbo 2004 [300 units]

The 6-speed MT and intercooled turbo realized an increase in maximum output of 172ps and a 20% increase in torque.

3rd Generation Limited 2005 [3,500 units]

Adopted an exclusive color, "Velocity Red Mica" and combined chrome tones and exclusive aluminum parts into the interior and exterior. It was equipped with a BOSE sound system.

Car of the year memorial car 2006

2005-2006 commemorative car to celebrate the MX-5 being named the Japan Car of the Year. It combined copper red and brilliant black outer panels with a black and red interior.

Roadster NR-A 2006

A numbered motorsports use base car specially equipped with BILSTEIN dampers, torque sensing super LSD, etc. It was fitted with 16 inch steel wheels that were assumed would be replaced.

Blaze Edition 2007

This car adopted a special body color, "Radiant Ebony Mica". It had a sand beige / black leather interior, BBS aluminum wheels and a lot of chrome parts used for the interior and exterior.

Mazdaspeed M'z Tune 2007

Mazda E&T custom car project incorporating engine fine tuning, undercarriage strengthening, BILSTEIN dampers, 3D net seats, a dedicated aero kit and so on.

Prestige Edition 2007

RHT car adopting luxurious components such as black leather seats with heater and BBS aluminum 17 inch wheels.

20th Anniversary Edition 2009

Based on the third generation model following its first facelift, this RS-based edition was available either with a manual soft-top and 6MT combination, or a retractable hardtop (RHT) matched with a 6AT gearbox. Made for the Japanese market only, it was equipped with exclusive red and black Recaro bucket seats, clear front foglamps, and a number of special 20th anniversary accessories.

BLACK TUNED 2011

RHT based model, specially equipped with a hard top, door mirrors, aluminum wheels etc. unified with a special black tone

25th Anniversary Edition 2014

Based on the third generation roadster with a power retractable hardtop, this 6MT car had exterior styling that reflected the second facelift for the MX-5, and 'Soul Red Premium' metallic paintwork that would become a signature color for the company's 'next-generation' products. This was matched with black paint for the roof, front pillars and door mirrors, while the interior featured off-white leather seats and door trims, hand- finished interior decorative panels, etc.

Roadster NR-A 2015

A numbered motorsports use base car specially equipped with BILSTEIN dampers, a large radiator, large diameter brakes etc.

LIMITED COLOR CLASSIC RED 2017

Limited time orders were accepted for this model with the same classic red paint as the original first generation roadster.

RED TOP 2017

This model adopted a dark cherry soft top and an auburn (reddish brown) nappa leather seat interior.

Caramel Top 2018

This model adopted a brown colored canopy and an interior with a new color, "Sports Tan" leather seats.

30th Anniversary Edition MX-5 2019 [3,000 units worldwide]

Based on the fourth-generation soft-top and RF models, this special edition featured exclusive Racing Orange paintwork and orange accents on the brake calipers, seats, door trim, dashboard, and shift lever. As a symbol of the company's gratitude toward the customers who have helped nurture the model over the past 30 years, features included a commemorative badge with serial number, forged aluminum wheels co- developed with Rays, Recaro seats, BILSTEIN dampers (MT models only) and Brembo and Nissin brake calipers in the front and rear respectively.

SHOW CARS

Several special show models have been displayed on Mazda stands at motor shows around the world. A large number of those exhibited received performance enhancements and other modifications.

Club Racer [USA]

Designed by Mazda North America (MANA), the bright yellow Club Racer made its debut alongside the mass-production model at the Chicago Auto Show in 1989, garnering a great deal of attention. In addition to the headlights gaining transparent resin covers, the car was also fitted with a large rear spoiler, Panasport wheels, and Bilstein shock absorbers to improve handling.

M-Speedster [USA]

Unveiled at the 1995 Chicago Auto Show, this model featured a 1.8-liter supercharged engine that generated 200PS to endow the two-seater open car with the kind of performance one had a right to expect from its race-inspired exterior and cockpit. Using uprated suspension components, large-diameter brakes, and 215/50 ZR15 tires mounted on five-spoke alloy wheels, it offered users a particularly enjoyable drive.

Mono-Posto [USA]

Taking its name from the Italian word for single-seater, this model was announced at the SEMA Show at the end of 1999, and was also displayed at the more mainstream 2000 Los Angeles Show at few weeks later. Based on the second generation body, it has a retro-style intake in the bonnet (hood), feeding air to the 190PS turbocharged engine, a low windscreen, and an integrated aluminum rollbar. With uprated brakes and suspension parts, it was the perfect expression of Jinba-ittai from the driver's viewpoint.

MX-5 MPS [Japan]

The MPS (Mazda Performance Series) concept was first shown at the 2001 Tokyo Auto Salon, and updated in time to be displayed at the Frankfurt Motor Show later in the year. The car that made its debut in Frankfurt (seen here) was equipped with a tuned 1.9-liter version of the BP engine that produced no less than 200PS. It also had an adjustable suspension, and a body kit installed to improve aerodynamics and clear the 17-inch wheels and tires.

Ibuki [Japan]

Ibuki means "to breathe new life" in Japanese, and this concept car was intended to return the Mazda roadster to its origins. Making its debut at the 2003 Tokyo Motor Show, it predicted the future of the MX-5 two-seater, with flowing body lines and the inclusion of lightweight materials. In addition, the 180PS 1.6-liter engine was linked to the latest technology, including a hybrid system, regenerative brakes, and an idling stop feature.

Superlight Version [Europe]

This show model utilized Mazda's advanced technology to improve not only power and handling, but also fuel consumption (along with a reduction in CO_2 emissions) in order to achieve high performance levels whilst at the same time being friendly to the environment. It combined a bold exterior with a sporty chassis that further increased the pleasure of driving that is unique to an open car. This extremely light machine (weighing only 993kg) was designed at the Mazda Design Center in Germany, and was exhibited at the 2009 Frankfurt Motor Show.

Super 20 [USA]

Making its debut at the 2010 SEMA Show, the Super 20 was a concept car mounted with a 2.0-liter supercharged engine that generated 243PS. Fitted with a hardtop, Mazdaspeed adjustable shock absorbers, high performance brakes and an exhaust system manufactured by Racing Beat, it originally had a matt gray exterior, but was given the orange paintwork seen here in time for the 2011 SEMA Show.

MX-5 GT [UK]

This concept car was commissioned by Mazda UK to commemorate the MX-5 GT4 competing in the UK GT Championship series. Built by the UK-based race specialists, Jota, it had a 2.0-liter engine tuned to deliver 205PS, and adopted a suspension that could be adjusted to suit various road conditions. First exhibited at the Goodwood Festival of Speed in the UK, its popularity at the event led to the decision to release it as a limited production model.

Super 25 [USA]

Announced at the 2012 SEMA Show, the motorsports-inspired Super 25 was designed with endurance racing in mind. As a result, PIAA 40-series halogen lamps were installed on the car's nose in order for it to compete in 24-hour races. The bucket seats, full harness seatbelts and steering wheel were all built to race specifications. It sports the number '55' to pay homage to the Mazda 787B's victory at Le Mans in 1991.

Spyder [USA]

Inspired by minimalism and the 2011 concept car of the same name, this fourth generation model features a bikini top, 'Mercury Silver' paintwork, a carbonfiber body kit, lightweight 17-inch alloy wheels, a maroon leather interior, and a whole host of other features. It was revealed at the 2015 SEMA Show held in Las Vegas, making its debut alongside the Speedster.

Speedster [USA]

Returning to the basic essence of the traditional roadster, this car replaced the front window with a nostalgic wind deflector to fully enable the driver to feel the wind. In order to bring the weight of the car down to a minimum, it adopted some thorough weight-saving techniques, such as adopting carbonfiber doors and seats, and Rays-made 16-inch aluminum wheels. It also featured a height adjustable suspension that allowed the vehicle to ride 30mm lower than the production model.

Speedster Evolution [USA]

Following on from the Speedster concept revealed in 2015, this model received further improvements such as lightweight brakes, a lithium battery, and a simplified dashboard to achieve even more weight reduction. The designers were able to slash 45kg over the previous model, achieving a vehicle weight of just 900kg.

RF Kuro [USA]

Unveiled alongside the Speedster Evolution at the 2016 SEMA Show, the RF Kuro (with 'kuro' meaning black in Japanese) adopted a distinctive semi-matt 'Satin Black Metallic' body color. It was also packed with technologies adopted from the Global MX-5 Cup car, such as height adjustable suspension and Brembo brake calipers. However, it was not a circuit-oriented model, aimed instead at fusing usability and elegance in everyday life.

生産・販売台数

【ロードスター/MX-5グローバル生産台数】

	初代	2代目	3代目	4代目	合計
1989年	45,278				45,278
1990年	95,640				95,640
1991年	63,434				63,434
1992年	52,712				52,712
1993年	44,743				44,743
1994年	39,623				39,623
1995年	31,886				31,886
1996年	33,610				33,610
1997年	24,580	2,457			27,037
1998年		58,682			58,682
1999年		44,851			44,851
2000年		47,496			47,496
2001年		38,870			38,870
2002年		40,754			40,754
2003年		30,106			30,106
2004年		24,232			24,232
2005年		2,675	27,275		29,950
2006年			48,389		48,389
2007年			37,022		37,022
2008年			22,886		22,886
2009年			19,341		19,341
2010年			20,554		20,554
2011年			14,995		14,995
2012年			15,400		15,400
2013年			11,639		11,639
2014年			12,246		12,246
2015年			1,885	30,022	31,907
2016年				40,101	40,101
2017年				38,861	38,861
2018年				27,452	27,452
2019年				18,850	18,850
合計	431,506	290,123	231,632	155,286	1,108,547

【ロードスター/MX-5グローバル販売台数】

	日本	北米	欧州	豪州	中国	その他	合計
1989年	9,307	25,879	0	657	0	0	35,843
1990年	25,226	39,850	9,267	1,455	0	0	75,798
1991年	22,594	34,196	14,050	698	0	0	71,538
1992年	18,648	27,241	6,632	499	0	0	53,020
1993年	16,779	23,089	4,824	453	0	0	45,145
1994年	10,828	22,573	5,019	404	0	0	38,824
1995年	7,171	21,108	7,174	196	0	0	35,649
1996年	4,409	18,966	9,585	241	0	0	33,201
1997年	3,537	17,812	10,480	206	0	0	32,035
1998年	10,174	20,890	16,831	1,310	0	0	49,205
1999年	4,952	18,936	21,130	1,354	0	30	46,402
2000年	4,644	19,627	19,268	1,038	0	33	44,610
2001年	4,211	17,757	16,368	924	0	6	39,266
2002年	2,934	15,622	19,670	698	0	34	38,958
2003年	1,520	11,999	18,934	540	0	11	33,004
2004年	1,646	10,501	13,885	483	0	248	26,763
2005年	3,657	10,658	9,852	743	0	353	25,263
2006年	4,067	18,479	19,402	1,468	0	827	44,243
2007年	3,845	16,888	18,899	1,170	0	772	41,574
2008年	1,858	12,384	13,252	639	0	610	28,743
2009年	1,947	8,767	9,709	521	720	474	22,138
2010年	1,120	7,106	10,317	440	652	431	20,066
2011年	1,104	6,286	8,147	315	284	446	16,582
2012年	941	7,016	7,207	159	75	438	15,836
2013年	768	6,334	6,113	178	46	331	13,770
2014年	595	5,256	5,813	118	18	362	12,162
2015年	8,509	9,221	6,881	917	1	979	26,508
2016年	6,126	10,368	14,145	1,577	0	2,351	34,567
2017年	7,005	12,438	16,039	1,459	0	2,832	39,773
2018年	5,331	9,785	13,787	820	454	1,761	31,938
2019年	3,059	6,511	9,980	349	47	1,123	21,069
合計	198,512	493,543	362,660	22,029	2,297	14,452	1,093,493

2019年8月末現在

年表

1983年		ライトウェイトスポーツ検討開始
	11月	商品化先行検討プロジェクトが始動
1985年	10月	プロトタイプ車両が米サンタバーバラで走行し、商品としての可能性を実証
1986年	2月	量産化に向けたプロジェクトが承認
1987年	4月	米パサディナでユーザー調査（フォーカスグループインタビュー）を実施
	9月	マツダ社内でデザインフリーズ宣言
	10月	2シーターライトウェイトスポーツコンセプトカー「MX-04」を東京モーターショーに出品
1989年	2月	テネシー州ナッシュビルにて全米のマツダディーラーに披露
	2月	シカゴオートショーで「マツダMX-5ミアータ」発表
	3月	海外仕様「マツダMX-5ミアータ」量産開始
	5月	米国で販売を開始
	7月	「ユーノスロードスター」予約キャンペーンを開始
	9月	「ユーノスロードスター」発売
	10月	オーストラリアで販売を開始
	10月	東京モーターショーでグリーンカラー／タン内装仕様車を発表
	11月	第1回メディア対抗ロードスター4時間耐久レース開催
1990年	2月	欧州（イギリス、オランダ）で販売を開始
	3月	4速オートマチック車を追加
	8月	「Vスペシャル」機種追加（ネオグリーン外板色／タンレザー内装）
	10月	ロードスターファンによる第1回清里ミーティング開催
1991年	8月	特別仕様車「Jリミテッド」を国内市場で発売。800台限定
	8月	「Vスペシャル」にブラックカラーを追加。一部商品改良
	12月	株式会社M2営業開始。「M2 1001」発売。300台限定
1992年	8月	「Sスペシャル」機種追加。センソリーサウンドシステムオプション設定追加
	11月	「M2 1002」発売。100台限定
1993年	1月	特別仕様車「Sリミテッド」発売。1,000台限定
	5月	ロードスターファンによる第1回軽井沢ミーティング開催
	7月	商品改良。1.8Lエンジンを搭載、車体剛性の向上など。「VスペシャルタイプII」機種追加
1994年	1月	特別仕様車「JリミテッドII」発売。800台限定
	2月	「M2 1028」発売。300台限定
	7月	特別仕様車「RSリミテッド」発売。500台限定
	12月	特別仕様車「Gリミテッド」発売。1,500台限定
	12月	2代目ロードスターの検討開始
1995年	2月	特別仕様車「Rリミテッド」発売。1,000台限定
	8月	商品改良。ファイナルギアレシオ変更、軽量フライホイール採用、ECU変更など
1996年	1月	特別仕様車「VRリミテッド」を発売。A 700台／B 800台限定
	12月	商品改良。国内市場はSRSエアバッグを全車に標準装備。 特別仕様車「B2リミテッド」発売。1,000台限定。「R2リミテッド」発売。500台限定
1997年	8月	特別仕様車「SRリミテッド」を発売。700台限定
	10月	東京モーターショーで2代目マツダ ロードスター発表
1998年	1月	初のフルモデルチェンジとなる2代目「マツダロードスター」発売
1999年	1月	特別仕様車「10周年記念車」を国内・北米・欧州・豪州向け世界統一仕様で発売。 全世界合計7,500台限定。国内500台限定
	10月	三次自動車試験場にて「ロードスター10周年ミーティング」開催
2000年	1月	特別仕様車「NRリミテッド」発売。500台限定
	5月	「二人乗り小型オープンスポーツカー」累計生産世界一（531,890台）としてギネスに認定
	7月	商品改良。ロードスターとして初のフェイスリフトを実施、エンジン出力を向上
	12月	特別仕様車「YSリミテッド」発売。700台限定
2001年	2月	インターネットカスタマイズ専用車「ウェブチューンドロードスター」発売
	5月	特別仕様車「マツダスピードロードスター」発売。200台限定
	12月	モータースポーツ入門用ベース車両「NR-A」を機種追加 特別仕様車「MVリミテッド」を発売。300台限定
2002年	3月	3代目ロードスターの検討開始
	5月	第1回ロードスターパーティレース開催
	7月	商品改良。VSグレードに布仕様の幌を採用。ボディカラー追加など
	12月	特別仕様車「SGリミテッド」を発売。400台限定

2003年	9月	商品改良。新BOSEサウンドシステム搭載。ボディカラー追加など
	10月	「マツダロードスター クーペ」受注生産開始。企画・製作はマツダE&T
	10月	東京モーターショーでコンセプトカー「息吹」を発表
2004年	2月	特別仕様車「マツダロードスター ターボ」発売。350台限定
2005年	3月	ジュネーブモーターショーで3代目ロードスター発表
	4月	累計生産70万台を達成。ギネス記録を更新
	5月	3代目ロードスターの先行国際試乗会を米ハワイ島で実施
	8月	フルモデルチェンジ。3代目「マツダロードスター」発売。 両国国技館で発表会を実施 特別仕様車「3rd Generation Limited」発売。500台限定
	11月	2005-2006「日本カーオブザイヤー」を受賞
2006年	1月	特別仕様車「日本カーオブザイヤー受賞記念車」発売
	4月	「ウェブチューンドロードスター」を設定
	4月	モータースポーツ入門用ベース車両「NR-A」を機種追加
	8月	電動格納式「パワーリトラクタブルハードトップ」モデルを機種追加
	12月	特別仕様車「Blaze Edition」発売
2007年	1月	生産累計80万台を達成
	4月	特別仕様車「マツダスピードM'z Tune」発売
	10月	特別仕様車「Prestige Edition」発売
	12月	4代目ロードスター先行検討開始
2008年	12月	商品改良。フロントバンパーやヘッドランプ等のデザイン変更、エンジンの高回転化、サスペンション改良など
2009年	7月	特別仕様車「20周年記念車」発売
	9月	三次自動車試験場にて「ロードスター 20周年ミーティング」開催
2010年	2月	欧州で初のメディア対抗MX-5オープンレースをイタリアで開催
2011年	2月	累計生産90万台を達成。ギネス記録更新を申請
	3月	欧州メディア対抗氷上MX-5レースをスウェーデンで開催
	10月	特別仕様車「BLACK TUNED」発売
2012年	6月	4代目ロードスター量産化に向けた検討を開始
	7月	商品改良。フロントフェイスのデザイン変更、アクティブボンネット(歩行者保護システム) 標準装備
2013年	12月	商品改良。ソフトトップ車にブラッククロス採用。その他オプション設定の変更
2014年	4月	ニューヨーク国際自動車ショーで特別仕様車「25周年記念車」と4代目ロードスターのシャシーモデルを公開
	6月	3代目ロードスターでドイツ・ニュルブルクリンク24時間レースに参戦
	9月	4代目ロードスターを世界3ヶ所で同時公開。 舞浜アンフィシアター、米カリフォルニア州モンタレー、スペイン・バルセロナでファン参加型イベントとして実施
2015年	5月	フルモデルチェンジ。4代目「マツダロードスター」発売
	9月	モータースポーツ入門用ベース車両「NR-A」を機種追加
	10月	新グレード「RS」を追加設定
	12月	2015-2016「日本カーオブザイヤー」を受賞
2016年	3月	ファストバックスタイルを持つリトラクタブルハードトップモデルのロードスター RFをニューヨーク国際オートショーで発表。4代目ロードスターが2016「ワールド・カーオブザイヤー」、「ワールド・カーデザインオブザイヤー」を同賞創設以来初めて同一車種としてダブル受賞
	4月	累計生産100万台を達成。100万台目の車両を全世界のファンイベントに展示しサインを募集
	5月	グローバルMX-5カップが米で初開催
	12月	「マツダロードスター RF」発売
2017年	1月	期間限定色「クラシックレッド(特別塗装色)」の予約受付を開始
	4月	グローバルMX-5カップジャパンをシリーズ開催
	8月	初代ロードスターのレストアサービス開始とパーツ再供給を発表
	10月	グローバルMX-5カップチャレンジ(世界一決定戦) を米ラグナセカで開催
	12月	商品改良。アダプティブ・LED・ヘッドライトを新採用。特別仕様車「RED TOP」発売
2018年	6月	商品改良。RFの2.0Lエンジンを15%高出力化。 ロードスターとして初めて全グレードにテレスコピックステアリングを標準装備。特別仕様車「Caramel Top」発売
2019年	2月	特別仕様車「30周年記念車」をシカゴオートショーで発表
	10月	三次試験場にて「ロードスター 30周年ミーティング」開催される

「マツダロードスターの30年」刊行に寄せて

ロードスターの生誕30周年を記念して、MZRacingの三浦正人さんが記念本を執筆されると伺い、大いに期待し胸を膨らませて待っていました。そして、凄い本が完成し、驚いています。初代NAロードスター誕生の経緯から、NA、NB、NC、ND各世代にわたる開発ストーリーやキーパースンのインタビュー記事、日本のみならずグローバルレベルのファンミーティングやイベント情報など、更にロードスターが活躍する世界中のモータースポーツ活動をもカバーしている。グローバルにロードスターの世界観を網羅する素晴らしい愛読書として、多くのロードスターファン、マツダファン、いやスポーツカーファンに歓ばれると確信します。

私は、1995年のNBロードスター開発開始からロードスターとの付き合いが始まりました。NCでは副主査から始まり、主査の貴島さんの定年によって、NC2から主査を受け継ぎました。ND開発では、オールニューとなるFRプラットフォームの段階から商品主査を務めました。ND開発は8年間という通常より長い開発期間となりましたが、その分、充分な技術開発を行って商品力を高め、「愉しい走り」を造り込むことが出来たことは、私にとって幸運だったと思います。

私は、これまでにファンミーティングに出かけては、ファンとのコミュニケーションを大切にしてきました。NB、NCの時代には、商品への質問や注文を多く受け取りました。NDの導入からは、お客様よりロードスターとの生活の様子を多く聞くようになりました。あるお客様は、「私は通勤にNDを使っています、朝の出勤は10分間ですが、帰宅には1時間掛っています」と話してくれましたし、「NDを買って本当に人生が楽しくなりました。彼女とのドライブが楽しみです」などとおっしゃる方もいます。ある会社役員の方は、「ロードスターを購入して休日に洗車していると、近所の方から話しかけられるようになりました。また、休日になると息子が里帰りするようになりましたよ」と、楽しそうに話してくれました。本当に、家族の一員のようにロードスターとの生活を楽しんでいることを聞くと、本当に嬉しいばかりです。

初代NAロードスターから続く、「だれもが、しあわせになる。」というカタログの一節は、正にロードスターとお客様の関係性を示し、「ロードスターと共に人生を楽しむ」という私達の願いを、お客様に体現していただいているように思います。ロードスター30周年を記念したこの「マツダロードスターの30年」が、お客様と共に「人生を愉しむ」ことを未来に届ける、絆の一冊になることを願っています。

2019年秋
マツダ株式会社商品本部
ロードスターアンバサダー
山本修弘

本書完成までの経緯

まずは私とロードスターの出会いについて説明をさせていただきたい。

私の良き友人のブライアン・ロング氏と初代のロードスターについて語り合った時のことだった。英国人の彼は自動車史に関する著作を多数発表し、国内外で活躍している数少ない歴史考証家の一人だが、「ロードスターのことをなぜ日本人は適正に評価しないのか？」「信頼性の高い、ハンドリングに優れたライトウェイトスポーツカーは他にないし、海外では高く評価されているのに……」という。私も、もちろんロードスターの人気や運動性能の良さは理解しているつもりだったが、彼の言葉に、改めて新鮮な衝撃を受けた。そしてロードスターについての本を世に出したい、という強い思いを抱くようになった。

その後まもなく、マツダRX-7（二代目カブリオレ及び三代目）の開発責任者を務めた小早川隆治氏とブライアン氏の３人で会う機会を得たが、その席で小早川氏から「ロードスターの誕生には、平井敏彦さんの存在が欠かせない」と初めて教わり、平井氏と広島のマツダ本社でお会いすることになった。平井氏は自ら当時の開発メンバーの方々を招致してくださり、皆さんのご理解とご協力をいただきながら、書籍の制作を進めることができた。こうして2003年１月に上梓したのが弊社の『マツダ／ユーノス　ロードスター　日本製ライトウェイトスポーツカーの開発物語』である。

その後、関係者の方々との交流の中で二代目、三代目とモデルチェンジを重ねるロードスターは、初代の平井敏彦氏から貴島孝雄氏、山本修弘氏等へと、それぞれの開発責任者に「人馬一体」などの重要な開発思想が脈々と引き継がれていることを知った。私の知る限り、このように歴代の開発責任者が交流し、議論し、その開発思想をきちんと継承している例は日本車ではまれである。ロードスターが“2シーターのライトウェイトスポーツカー”の分野で世界一の販売台数を誇る名車になったのは、30年にもわたってそのコンセプトを貫き通してきたことが、最も大きな理由ではないかと思うのである。

そこで私はそのことをファンに伝えるために、四世代にわたるロードスターの開発経過などを一冊の本としてまとめたい、と何度も考えたけれども、これまでなかなか、その企画を実現することができずにいた。

しかし、このたび三浦正人氏の手で、初代から最新の四代目までのロードスターの魅力を見事にまとめた本を完成させていただくことができた。貴重な関係者の証言なども随所に折り交ぜるという他に類をみない内容で、これは三浦氏の筆力と、氏が今日まで築いてこられたマツダとの信頼関係、そしてロードスターへの深い愛情と情熱があってこそ実現できたことだと正直に思うし、ロードスターを愛する読者の方々には、本書が最良の一冊になると信じている。私は出版人の一人として、自分ができなかった「夢」を実現してくださった三浦正人氏に、心からの感謝を捧げたい。

三樹書房　取締役社長

小林謙一

あとがき

本書を編み終えて、改めてユーノスロードスター/マツダロードスターの30年は、開発に携わった多数のマツダエンジニアやプランナー、マーケッターの方々のご苦労と情熱、国境を越えて世界に広がり、延べ100万人を超えたロードスターオーナー、ファンのみなさんの熱意に支えられたヒストリーだということを痛感しています。

私は2019年7月をもって60歳となり、社会人生活も37年目を迎えました。その年月は、まさにマツダLWSが最初に企画され、初代ロードスターがこの世に送り出されて4世代まで変遷してきたヒストリーとほぼ一致します。そんな因縁を感じていたところ、ロードスター30周年に向けたヒストリーを再調査する機会があり、取材を重ねていくうちに、この巨編ドラマをきちんとまとめておく必要があるという考えに至りました。

それを三樹書房の小林謙一さんに相談したところ、刊行のアイディアに快くご賛同いただき、RX-7(FD)の開発責任者などを務めた大先輩の小早川隆治さん、歴代のマツダロードスター開発を担当され、本書にもご登場いただいた山本修弘さんや同広報部の今井英貴さんからも後押しをいただいて、この記念本刊行のための追加取材をスタートしました。マツダOBの皆様、現役役員やエンジニアの皆様、ロードスタークラブオブジャパン(RCOJ)の水落正典代表や各地のオーナーズクラブの皆様などのお手を煩わせながら、貴重なエピソードや証言、関連資料、記録写真などを集めていくことができました。また、その流れで、マツダUSAやマツダヨーロッパ、マツダUK、マツダBELUX、マツダマカオ、マツダオーストラリアからも画像提供などのサポートをいただくことができました。お付き合いさせていただいているメディアの皆様からも助言や資料提供をいただき、深く感謝いたしております。

このように多くの方々のご支援をいただきながら、なんとかここまでたどり着きました。ロードスター各世代のオーナーの皆様全員が、本書に目を通してお楽しみいただけたら幸いです。また、マツダの現役の商品企画、車両開発の皆様には、次の10年も、その次の10年も「だれもが、しあわせになる。」クルマ造りを継承し続けていただけることを、心より祈念致しております。

2019年10月
MZRacing編集長

三浦正人

【参考文献】

『スピリット・オブ・ロードスター　広島で生まれたライトウェイトスポーツ』池田直渡　プレジデント社
『マツダ/ユーノスロードスター　日本製ライトウェイトスポーツカーの開発史』平井敏彦ほか　三樹書房
『MAZDA MX-5 MIATA TWENTY-FIVE YEARS』Thomas L. Bryant　MotorBooks
『Mazda MX-5 Miata The 'MK2' NB-series 1997 to 2004』Brian Long　Veloce Publishing

【画像・資料提供】(敬称略・順不同)
マツダ株式会社
Mazda North American Operations (MNAO) and US Miata club members
Mazda Motor Europe GmbH (MME)
Mazda Motors UK Limited (Mazda UK)
Mazda Australia Pty Limited (Mazda Australia) and Thomas Wielecki
Roadster Club of Japan事務局 (水落正典)、キューンミュージック、B Sports、Autosport、CG Archive、Car Watch
Tom Matano, Eugenio Cheng (Vangiek Motors/Mazda Macau)、Peter Gemoets (Mazda Belux)
Brian Long、Rick Weldon (Flyin' Miata)、Nicola Valeano 、Jim Kilbourne
前田育男、山本修弘、笠原哲、貴島孝雄、小早川隆治、前田保、今井英貴、小原健一(Ken Auto)、梶谷太郎、佐藤恵梨香
麻生祥代、石田徹、成田颯一、中島美樹夫(水彩画)、小山真(カタログイメージ)、三浦正人

【編集】
株式会社MZRacing

Special Thanks to 熊川明久(Tecmag)

三浦正人

1959年　神奈川県川崎市生まれ。東京都文京区在住。
1983年　中央大学商学部卒業後「株式会社マツダオート東京」に入社。
　　　　同年6月 新設された「株式会社マツダスピード」に移籍し、以後企画・広報を担当。
1991年　6月 ルマン24時間レースにてマツダ787Bの総合優勝に立ち会う。
1997年　8月 マツダスピードを退社し、PR企画会社「有限会社ヴィテス・ジャパン」を創業。
2010年　11月「株式会社MZRacing」を友人3名と設立。
　　　　マツダ車のモータースポーツ活動取材を本格稼働し、現在に至る。
趣味はランニング(フルマラソン12回出場)、スキューバダイビング、ギターを少々。
愛車はロードスターRF、CX-3、ハーレーダビッドソンXL1200(1999年モデル)。

マツダロードスターの30年

著　者　三浦正人
編　者　MZRacing
発行者　小林謙一
発行所　三樹書房
URL http://www.mikipress.com

〒101-0051 東京都千代田区神田神保町1-30
TEL 03(3295)5398　FAX 03(3291)4418

印刷・製本　シナノ パブリッシング プレス